新 潮 文 庫

し ろ ば ん ば

井 上　靖 著

新 潮 社 版

1678

しろばんば

前編

一章

その頃《ころ》、と言っても大正《たいしょう》四、五年のことで、いまから四十数年前のことだが、夕方になると、決って村の子供たちは口々に〝しろばんば、しろばんば〟と叫《さけ》びながら、家の前の街道をあっちに走ったり、こっちに走ったりしながら、夕闇《ゆうやみ》のたちこめ始めた空間を綿屑《わたくず》でも舞《ま》っているように浮游《ふゆう》している白い小さい生きものを追いかけて遊んだ。素《す》手《で》でそれを摑《つか》み取ろうとして飛び上ったり、ひばの小枝《こえだ》を折ったものを手にして、その葉にしろばんばを引っかけようとして、その小枝を空中に振《ふ》り廻《まわ》したりした。しろばんばというのは〝白い老婆《ろうば》〟ということなのであろう。子供たちはそれがどこからやって来るか知らなかったが、夕方になると、その白い虫がどこからともなく現れて来ることを、さして不審《ふしん》にも思っていなかった。夕方が来るからしろばんばが出て来るのか、しろばんばが現れて来るので夕方になるのか、そうしたことははっきりとしていなかった。しろばんばは、真《ま》っ白《しろ》というより、ごく微《わず》かだが青味を帯《お》んでいた。明るいうちはただ白く見えたが、夕闇が深くなるにつれて、それは青味を帯んで来るように思えた。

しろばんばが青味を帯んで見えて来る頃になると、帰宅を促《うなが》すために子供たちの名を呼ぶそれぞれの家の者の声が遠くから聞えて来た。「ゆき、ごはんだよ」とか、「しげ、めしだよ」とか、「早く来《こ》んとめし喰《く》わせんぞ」とか、そんな声が、遠くから聞えた。すると、幸夫《ゆきお》が居なくなり、次に茂《しげる》が居なくなるといった具合《ぐあい》に、子供たちは一人減り二人減りして行った。

子供たちはお互《たが》いに何の挨拶《あいさつ》もしなかった。しろばんばの浮游している夕闇の中を、けんけんしながら家の方へ走って行く者もあれば、ひばの枝を右手に高く翳《かざ》して、家の方へ勢いよく駈《か》けて去って行く者もあった。それぞれ各自の家に呪文《じゅもん》でもかけられたように吸い寄せられて行った。

洪作《こうさく》はいつも一番遅《おそ》くまで遊んでいた。洪作のところは夕食が遅く、洪作の遊んでいるところへ夕食を報《しら》せにおぬい婆《ばあ》さんがやって来るようなことはめったになかった。だから、洪作は毎日仲間が一人残らず居なくなってしまうまで街道で遊んでいるのが常だった。そして友達のたれもが居なくなり、夕闇があたりをすっかり閉じこめてしまってから、自分の家の方へ歩いて行った。

洪作は自分がおぬい婆さんと一緒《いっしょ》に住んでいる土蔵に帰り着くまでに、街道に沿った家々の幾《いく》つかの明るい夕食の灯《ひ》を眼《め》にした。子供たちの遊び場は、部落の者たちがお役所とか御料局《ごりょうきょく》とか呼んでいる帝室《ていしつ》林野管理局天城《あまぎ》出張所の正門前に決っていた。そこから土蔵までの間に、道に沿った家はほんの数えるほどしかなかった。お役所の前に洪作の家の本家に当る〝上《かみ》の家《いえ》〟という屋号の家があった。ここには洪作の祖父と祖母と、そして洪作の母の弟妹たち、つまり洪作にとっては叔父《おじ》叔母《おば》に当る男の子や女の子が居た。一番末のみつは洪作と同年であった。

洪作は本家の明るい灯《ひ》を見、そこに自分の母方の祖父母が居ることを知っていても、そこを覗《のぞ》くことはしなかった。昼間はみつのところへ遊びに行ったり、用事がなくても何回も自分の家と同様に上り込《こ》んだりしていたが、夕食の時は、そこの灯に妙《みょう》に疎遠《そえん》なものを感じた。ここはお前の家とは違《ちが》うのだぞ、お前の家は土蔵なのだぞというようなものを、一家の者たちが賑《にぎや》かに談笑しているそこの雰囲気《ふんいき》に感じた。

時に、何かの用事で、洪作は本家に上って、みなが夕食を食べている席に顔を出すことがあったが、そうした時、祖母のたねは、

「洪ちゃ、ここで食べて行きな」

と、必ず声をかけてくれた。

「ううん、うちへ行って食べる」

「ここも、お前の家だがな。そう嫌《きら》わんで食べて行っておくれ」

「ううん、おら、いやだ」

洪作は祖母たねが何と言っても、執拗《しつよう》にその招きには応じなかった。祖父やその他の者たちは、そうした時大抵《たいてい》洪作のことなどには気を奪《と》られず勝手に箸《はし》を動かしていた。洪作はそうした本家の食事時の雰囲気には反撥《はんぱつ》せざるを得ないものを感じた。食事時でない時は、自分の家と同様に振舞《ふるま》っていたが、食事時だけは歴《れっき》とした他人の家になった。自分の家でもないのに、御飯など御馳走《ごちそう》になるものかといったところが、洪作の気持の中にはあった。

この本家の隣《となり》に小さい路地を挟《はさ》んで雑貨屋があった。小さい店に金物類を初めとしていろいろな雑貨が土間からはみ出す程《ほど》ぎっしり詰《つ》まっていた。村ではただ一軒の雑貨屋であり、金物屋であったので、針金《はりがね》とか釘《くぎ》とか鍋《なべ》とか庖丁《ほうちょう》とか、そういった物を買う時は、村人はみなこの店へ来た。

そしてその隣は〝さどや〟という屋号の農家で、母屋《おもや》のほかに牛小屋があって二頭の牛がいつも暗い中に鼻をうごめかしていた。そのさどやの前に、日傭《ひやとい》仕事をしている文《ぶん》吉《きち》という独身の四十男の住んでいる小さい家があった。この文吉の家の隣が、部落では一番庭らしい庭を持った洪作の家の屋敷《やしき》になっているが、今は母屋の方は東京から来て村医をしている医者に貸し、屋敷の裏手の土蔵の方に、洪作とおぬい婆さんの二人は住んでいた。母屋の医者は夫婦者で子供がなかったので、家の中はいつもしんとしていた。医者ではあったが、患者《かんじゃ》は殆《ほとん》どなかった。死にそうな病気にでもならぬ限り、部落の者はたれも医者などには診《み》て貰《もら》わなかった。

洪作はそうした部落の旧道に沿った四、五軒《けん》の家々から洩《も》れて来る明りを横眼に見ながら、自分の家の屋敷にはいり、母屋の脇《わき》を通って裏手の一段高くなったところに建てられてある土蔵へと戻《もど》って行く。洪作が戻る頃、おぬい婆さんは大抵《たいてい》、夏でも冬でも、土蔵の階下から洩れているランプの光をたよりに、戸外で炊事《すいじ》をしていた。炊事といっても、老婆一人子供一人の生活なので至極《しごく》簡単な筈《はず》だったが、どういうものか、夕食の支度《したく》はいつも遅くなった。

「ただいま」

洪作は言った。〝ただいま〟というような言葉は洪作以外村の子供たちは一人も使わなかった。しかし、洪作はおぬい婆さんから、戸外から帰って来たら必ずそういう言葉を口から出すように言い含《ふく》められ、それに慣らされて来ていた。

洪作はおぬい婆さんと二人きりで、毎晩ランプの下で遅い夕食の膳《ぜん》に向った。

「坊《ぼう》」

おぬい婆さんは洪作のことをこう呼んだ。

「上の家の方へ今日は何度行ったかい」

「二度だ」

「あんまり行かん方がええ」

おぬい婆さんは言った。夕食の時、必ず二人の間に交《かわ》される会話であった。洪作はそれに対していつもいい加減な返事をした。行かないことを約束するわけには行かなかった。上の家の付近が、洪作ら少年たちの遊び場の中心地で、一日に何度も水を飲みに行かなければならなかったし、珍《めずら》しいものでも作っていればそれも食べに行かねばならなかった。

「上の家へ行くと、あんまりええことはないぞ。大五《だいご》の餓鬼《がき》はほんとに小憎《こにく》らしい。道で会っても知らん顔していよる。みつはみつで、前はほんに気前のええ子だったが、いまはみんなを見習うて、いつ会ってもふくれっ面《つら》をしよる。大方、大人たちが悪いことを吹《ふ》き込んでいるずらよ」

おぬい婆さんの言うことは決っていた。洪作は三百六十五日、毎晩のように本家である上の家の悪口を耳にしなければならなかった。おぬい婆さんは本家の子供たちの悪口を言ったが、本当はその親である洪作の祖父母たちをやっつけたくて堪《たま》らないらしかった。しかし、さすがに祖父母の名は口には出さなかった。そうしたおぬい婆さんの心の内部は、子供の洪作にも手に取るようによく理解できた。

「上の家のおじいさんは嫌いだ」

時に洪作が祖父のことをこう言おうものなら、おぬい婆さんは眼を細めて、洪作の頭を撫《な》でんばかりの恰好《かっこう》で膝《ひざ》をすり寄せて来た。

「洪ちゃの本当のおじいさんだぞ。眼に余ることがあろうと、どんなこと言われようと、悪口を言うでないぞ。いいかい。上の家の衆《しゅう》は料簡《りようけん》は狭《せま》いが、みんな根はいい人たちなんじゃ」

そんなことを言った。それは洪作にというより、自分自身を納得《なっとく》させる言葉を声に出して言っているに違いなかった。

洪作は嬉《うれ》しそうなおぬい婆さんの顔を見たいために、時々本家の上の家の悪口を言った。悪口を言う気になれば、実際悪口になる材料は幾《いく》らでもあった。洪作は同《おな》い年のみつと毎日のように一緒《いっしょ》に遊んでいたが、上の家の祖父母ははっきりと自分の孫より自分の娘の方を可愛がっていることを示したし、犬猿ただならぬおぬい婆さんに引き取られて一緒に住んでいるというだけで、洪作を自分たちの仇敵《きゅうてき》の片割れのように見る場合もあった。

また上の家には、洪作には曾祖母《そうそぼ》に当るおしな婆さんも住んでいたが、この曾祖母までが洪作をとかく色目《いろめ》で見がちであった。おしな婆さんは祖父の養母に当り、家の者たちと血の繋《つな》がりはなかったが、みなからは大切にされていた。高齢《こうれい》のため居るか居ないか判《わか》らぬように奥の一室に閉じこもったままひっそりと生きていたが、いつかたまたま洪作と顔を合せた時、

「可哀《かわい》そうに、ろくでもないもんの人質《ひとじち》になって、この子はだんだん変な子になりよ

る」

と言ったことがあった。その時洪作は皺《しわ》だらけの顔の中で口がもごもご動くのを見詰めていたが、やがて、

「おばあちゃん、いい年して死なんのか。いつ死ぬんだ？」

と言った。実際に洪作には、背を折れそうに曲げて、たるんだ皮膚《ひふ》に深い皺が刻まれている七十歳に近い老婆が、いつまでも生きて口をきいているということが不思議に思われた。

おしな婆さんは洪作の言葉に呆《あき》れ果てたというように眼をしろくろさせて二の句が継《つ》げないという恰好だった。洪作は、おぬい婆さんを悪もんと言い、自分を変な子になったと言ったおしな婆さんに一矢《いっし》報《むく》いてやり、一日中置物のように一箇所《かしょ》に坐《すわ》ったまま動かないでいる老婆の許《もと》から離《はな》れた。

おぬい婆さんは曾祖父辰之助《たつのすけ》の妾《めかけ》であった。辰之助は地方では一応《いちおう》名を知られた医者で、若くして静岡藩掛川《はんかけがわ》病院長、静岡県韮山《にらやま》医局長、三島の私立養和医院院長といった肩書《かたがき》を持っているくらいだったから、もし彼《かれ》が野心的《やしんてき》な人間であったら、晩年《ばんねん》を郷里の伊豆などへ引っ込まなくてすんだ筈であった。それをどういうものか、一番働き盛りの三十代半ばに、総《すべ》ての公職を棄《す》てて伊豆の山奥へ引っ込んで、田舎《いなか》医者として後半生を

送ったのである。辰之助は田舎で開業医として忙《いそが》しく暮《くら》した。駕籠《かご》で、半島の基部の三島や、またその反対の半島の突端部《とったんぶ》の下田《しもだ》まで、往診に出掛けるような繁昌《はんじょう》ぶりを示した。

おぬい婆さんは、その辰之助が下田の花柳界《かりゅうかい》から落籍《らくせき》して連れて来た女性で、それでなくてさえうるさい土地では、かなりいろいろ取沙汰《とりざた》された人物であった。おぬい婆さんは辰之助が五十歳で他界するまで蔭《かげ》になり日向《ひなた》になりして辰之助の面倒を見、その死後も村に居着いてしまった確《しっか》り者だから、村人全部から白い眼で見られるだけのことはあったようである。

辰之助は中年以後、正妻のしなとはずっと別居していた。しなは沼津藩《ぬまづはん》の山本という家老の家の娘で、嫁に来てから一度も台所に出たことがないといった女性であった。よく言えば世間知らずのおっとりした女であり、悪く言えば、何もできない女であった。婚礼《こんれい》の時朱塗《しゅぬり》の風呂桶《ふろおけ》と二本の薙刀《なぎなた》を持って来て、そのことが長く村人の語り草となっていた。

辰之助は本妻のしなとの間にも、妾のぬいとの間にも子供がなかったので、自分の兄の子供である文太《ぶんた》を養子として迎《むか》え、それまでの家、つまり上《かみ》の家《いえ》を文太に譲って、自分は近くに家を一軒構えて、そこで開業して妾のぬいと住んでいた。晩年《ばんねん》辰之助は文太の長女を分家させ、医者を開業していた家を与えることにし、その養母としてぬいを分家の籍《せき》に入れた。辰之助は妾のぬいの晩年をそのようにして酬《むく》いてやったのであった。戸《こ》籍《せき》上祖父の妾を養母とするようになった文太の長女は、洪作の母、七重《ななえ》である。

洪作の父は軍医で、その頃母七重と共に任地《にんち》の豊橋に住んでいた。どうして洪作が両親の許《もと》を離《はな》れて曾祖父の妾ぬいの許に預けられるようになったか、当時の洪作には勿論《もちろん》理解の行かないことであったが、それはおしな婆さんの「悪いもんの人質《ひとじち》になって」という言葉が、ある程度《ていど》真相をうがった言い方であった。おぬい婆さんは、洪作の家に於《お》ける自分の不安定極《きわ》まる地位をもっと確りしたものにするために、洪作の両親から洪作を人質として取り上げるといった気持もないではなかったに違いない。

そもそも事の起《おこ》りは、洪作の母の七重が、洪作のあとに妹の小夜子《さよこ》を生んで、幼児二人を育てるには人手もなく、そんなことから、ごく短期間のつもりで、洪作をおぬい婆さんに預けたのであった。おぬい婆さんは自分の懐《ふとこ》ろに転がり込んだ願ってもない宝物を、一度手に入れた以上終生決して離すまいと決心したのに違《ちが》いなかった。おぬい婆さんがそうした考えのところへ、洪作自身が、おぬい婆さんの許で五歳から六歳へかけての一年を過すうちに、両親よりおぬい婆さんの方になついてしまって、家へ帰りたがらなくなってしまったのである。

こういうわけで、洪作は五歳からずっと郷里の伊豆半島の天城《あまぎ》山麓《さんろく》の山村で、おぬい婆さんという全く血縁《けつえん》関係にはない女性と起居《ききょ》を共にすることになったのであった。従って、おぬい婆さんと本家の上の家とは、全く仇敵の関係にあった。曾祖母のおしな婆さんにしてみれば、おぬい婆さんは自分から夫を奪《うば》った不倶戴天《ふぐたいてん》の仇敵であったし、祖父母たちから言わせれば、曾祖父辰之助に取り入ってついに本家よりも大きい家屋敷を手に入れ、しかも自分たちの娘を養女としてその義母になりすまし、いまは孫の洪作まで人質に取り上げてしまっている腹黒《はらぐろ》い女であったのである。

上の家は人の出入りの多い家だった。平生《へいぜい》は洪作の祖父母のほかに、洪作と同年のみつ、みつより三つ年長の大五、それに曾祖母のおしな婆さんの五人暮しであったが、この他に二人の人物が絶えず出入りした。それは東京の中学校へ行っている大三《だいぞう》と沼津の女学校へ行っているさき子であった。大三とさき子は休暇《きゅうか》ごとに家に帰るのは勿論だが、それ以外でも日曜と休日が続いたりすると、必ず家へ帰って来た。二人とも、洪作にとっては叔父と、叔母に当るわけであったが、みつが大三のことは兄さん、さき子のことは姉ちゃんと呼んでいたので、洪作もまたそれに倣《なら》って同じ呼び方をした。

だから、正月とか、春休みとか、夏休暇の時は、上の家は大人数だった。食事の時などは子供の洪作の眼にもひどく賑かに見えた。朝から晩まで奥の一間に閉じこもっているおしな婆さんも、食事の時だけは体《からだ》を二つに折って、畳《たたみ》を嘗《な》めるようにして食卓のある居間へ出て来たので、八畳《はちじょう》の部屋はいっぱいになった。曾祖母おしな、祖父、祖母、大三、さき子、大五、みつと家族だけでも七人、それに大抵《たいてい》使用人が一人か二人いた。

祖父文太と祖母たねは子沢山で、この他にまだ四人の子供を持っていた。長女は洪作の母である七重であり、その下がアメリカへ渡っている大一《だいいち》、満洲へ行っている大二《だいじ》、それから同じ半島の西海岸の大きい農家松村家へ養女に行っているすず江である。しかし、洪作は大一にも、大二にも、またすず江にも会ったことがなかった。ただ名前だけは、何《いず》れもみつの呼び方に倣って、大一兄さん、大二兄さん、すず江姉さんと呼んでいたが、どのような風貌《ふうぼう》を持っている人物かは全く知らなかった。

祖母のたねが、時々、洪作がみつと同じような呼び方をするのを聞き咎《とが》め、

「坊は、大一叔父さん、大二叔父さん、すず江叔母さんと呼ばんといかん。兄さんや姉さんじゃない。叔父さんと叔母さんじゃ」

と訂正した。しかし、洪作はそれに応じなかった。もしそうするなら、大三兄さんも大三叔父さんでなければならなかったし、さき子姉ちゃんもさき子叔母ちゃんと呼ばなければならなかった。そんなことは考えてみただけでおかしくて口から出せないことだった。さき子姉ちゃんを叔母ちゃんなんて言えるかと洪作は思った。

しかし、洪作はある時ふといたずら心から、さき子を叔母ちゃんと呼んでみたことがあった。さき子がどんな返事をするか興味《きょうみ》があった。

「さき子おばちゃん」

洪作が呼びかけると、さき子は当時女学生の間で流行していた三つ編みの長いお下《さ》げ髪《がみ》を、肩から前へ垂らしていたが、その髪の束《たば》をぽんとうしろへ投げて、

「おばちゃんなんて言っちゃいけない。そんなこと言ったらきかないから」

と言った。

「だって、おばちゃんじゃないか」

「おばちゃんでも、おばちゃんなんて、二度と呼ばないでちょうだい」

さき子は怖《こわ》い顔をして洪作を睨《にら》んだ。洪作がさき子を叔母ちゃんと呼ぶことに抵抗《ていこう》があるように、さき子もさき子で、自分がおばちゃんと呼ばれることを嫌《きら》った。洪作は大五のことは〝五《ごっ》ちゃん〟と呼び、みつのことは〝みっちゃん〟と呼んだり、仲違《なかたが》いしている時は〝みつ〟と呼《よ》び棄《す》てにしたりした。


おぬい婆さんは上の家の子供たちのことは、面《めん》と対《むか》った時は別だが、蔭《かげ》では殆《ほとん》ど呼び棄てにした。呼び棄てにするばかりでなく、大抵悪意《たいていあくい》のある形容詞をつけた。〝ぐずのおみつ〟、〝あくたれの大五〟、〝困りもののさき子〟、〝ろくでなしの大三〟といった具合《ぐあい》である。形容詞をつけないで名前だけを呼ぶというようなことは殆どなかった。ただ一人例外として、おぬい婆さんは、生れるとすぐ死んだ四男だけは褒《ほ》めた。

「あの赤ん坊は利発《りはつ》そうなええ顔をしておった。あれが育ったら、上の家ももう少しましになったろうが、世の中はうまく行かんもんじゃ」

そんな憎《にく》まれ口をきいた。

洪作にとって、おぬい婆さんと二人だけの土蔵の中の生活は結構楽しかった。何一つこれといった不満はなかった。上の家へ行くと、賑《にぎや》かで面白《おもしろ》そうではあったが、そのことが特別に羨《うらやま》しくも思われなかった。洪作の土蔵の中の生活は、判で押《お》したように毎日決りきったことの繰返《くりかえ》しであった。朝眼が覚めると、洪作は必ず、それが朝の挨拶《あいさつ》ででもあるように、床《とこ》の中で、

「おばあちゃん」

と、おぬい婆さんを呼んだ。おぬい婆さんは耳が遠いことになっていたが、不思議《ふしぎ》にこの〝おばあちゃん〟と呼ぶ洪作の声だけは、階下にいても、また土蔵の外で炊事《すいじ》をしている時でも、耳さとく聞き分けた。

「おばあちゃん、おばあちゃん」

洪作が二声三声呼んでいるうちに、必ず、

「どっこいしょ、どっこいしょ」

と、階段を上って来るおぬい婆さんのかけ声が聞えて来て、それが終ったと思うと、階段を上りきったところでおぬい婆さんが背を伸《の》ばす姿が見えた。おぬい婆さんはそこで一息《ひといき》入れてから、

「あいよ、あいよ」

とたて続けに返事をして、戸棚《とだな》をあけ、そこに用意してある紙にひねった駄菓子《だがし》を持って洪作の枕許《まくらもと》へやって来た。

「はい、おめざ」

おぬい婆さんは紙包みを洪作の手に握《にぎ》らせたり、蒲団《ふとん》の中へ突っ込んだりして、

「ごはんできるまでまだ間があるから寝《ね》とれや」

と言って、また階段を降りて行った。早く起きよとも、起きて顔を洗えとも言わなかった。ひねり紙の中身は大抵黒砂糖《くろざとう》の飴玉《あめだま》だった。洪作はその黒玉を二つか三つしゃぶり終えるまで床の中にはいっていた。

こうした朝のおめざは、上の家では非難されていた。祖母のたねはよく、

「顔も洗わんで黒玉なんぞしゃぶって、いまに歯がぼろぼろになる」

と、洪作に言った。そのことを洪作がおぬい婆さんに告げると、

「ぼろぼろになるような歯は坊は持っとらん。おみつとは違うわい。そう言っておやり」

と息まいて言った。ともかく、毎朝のように、洪作は寝床《ねどこ》の中で黒玉をしゃぶった。時には、それが大きい水晶玉《すいしょうだま》一個の時もあった。水晶玉は白砂糖の飴玉で、微《かす》かにハッカの味がした。それ以外では豆板とか、ねじまきとかいった駄菓子が時たま当った。

おめざを食べ終ると、洪作はまた、

「おばあちゃん、おばあちゃん」

とおぬい婆さんを呼び、

「起きていい？」

と訊《き》く。

「さあ、起きな。あつあつのお味噌汁《みそしる》ができてる」

おぬい婆さんは言いながら、洪作に着物を着せ、つけ紐《ひも》をきゅうとしごくようにして、それを前で結んだ。着物を着せて貰《もら》いながら、洪作はいつも鉄格子《てつごうし》の小さい窓から戸外を見た。窓のすぐ向うにざくろの木があって、ざくろの葉が窓いっぱいにかぶさっているので、その葉越しに、戸外の風景を眺《なが》めることになる。風景といっても、ざくろの葉の間から見えているのは田圃《たんぼ》であった。夏は青い稲田《いなだ》が、冬は冬枯《が》れた黒っぽい稲の切株の置かれてある田圃が見えた。向いの家で作っている田圃の一枚が、丁度土蔵《ちようど》の窓の高さにあった。洪作の家の敷地と小川で境し、その向うの田圃になっている地盤は三尺ほど高くなっていた。

しかし、田圃の一枚が見えるのは立っている時で、もしこの窓へ身を寄せて、そこから戸外を覗《のぞ》くと、次第《しだい》に傾斜している何枚かの田圃と、陥没《かんぼつ》した地盤を置いてその向うにある隣り部落の一部が見えた。丘が見え、農家が見え、森が見え、白い街道が見え、そしてずっと遠くに玩具《おもちゃ》のような形のいい小さい富士《ふじ》が見えた。

洪作は着物を着ると階下へ降りて行って、家の敷地の端《はし》を流れている小川の岸の一部の、板を敷いて流し場になっているところで顔を洗った。小川の向うは三尺ほどの高さの土堤《どて》になっていて、その土堤の上には土蔵の二階から見える田圃が拡《ひろ》がっているわけである。洪作は手で水を掬《すく》い、口に含んで二、三回ぶくぶくをすると、あとは同じように手で水を掬っては顔を撫《な》でる。顔を洗うのには何程《なにほど》の時間もかからないが、冬期には土堤の草の一本一本に氷柱《つらら》がぶら下るので、それを手でむしり取ったり、地面へぶつけたりすることで結構時間を費す。それで、おぬい婆さんが迎えに来るまで洪作はこの洗い場からなかなか離《はな》れられなかった。

食事は二階の階段を上りきったところの、南の窓の傍《そば》で食べる。この窓も北の窓と同様に鉄柵《てつさく》がはめられてあった。朝食の献立《こんだて》は、毎朝決っていて、それが変るようなことはめったになかった。変るものと言えば、味噌汁のみと漬物《つけもの》の種が季節によって大根になり、茄子《なす》になり、瓜《うり》になるだけの話だった。味噌汁と漬物の他に、生姜《しょうが》とらっきょうと金山寺味噌《きんざんじみそ》が常に食卓の上にあった。こうした献立は朝ばかりでなく、昼食にも夕食にも共通していた。おぬい婆さんは食事に手をかけることが嫌いであるし、その上魚肉も牛肉も好まないので、朝食と、昼食や夕食の違いは、菜《な》っぱの煮つけが加えられてあるかどうかということぐらいのものであった。

「さあ、坊、熱い味噌汁をごはんにかけるかい」

とか、

「金山寺のお茶漬するかい」

とか、おぬい婆さんは食事ごとに、洪作に御飯に汁《しる》類をかけることを勧《すす》めた。おぬい婆さんは自分が歯が悪くて、三度三度そうして食べていたので、いつかそれを幼い洪作にも押しつけていた。

朝食を食べていると、近所の幸夫や亀男や芳衛などの、洪作を学校へ誘《さそ》う声が聞えて来る。

「洪ちゃ、学校へ行こう。洪ちゃ、学校へ行こう」

そう言って、何人かの子供たちが声を揃《そろ》えて土蔵の前で呼ぶが、それは、コウチャ、ガッコエコウと聞える。登校の誘いであるが、学校の始まるまでには、いつでもたっぷり一時間はあった。時には一時間半近くあることもある。学校までは走れば五分もかからなかった。

それでも友達《ともだち》の声が聞えると、洪作は教科書と弁当を大急ぎで風呂敷に包み、それを持って大周章《おおあわ》てにあわてて、階段を駈《か》け降りる。

「坊や、坊や」

そのあとから決って、おぬい婆さんは紙かハンケチを持って追いかけて来る。紙やハンケチなどは、部落の他の子供たちには無縁《むえん》なものであった。洪作もまた、そんな物を持って行っても使うことはなかった。しかし、おぬい婆さんは大切なものでも忘れたように追いかけて来る。おぬい婆さんはうちの坊は他の部落の餓鬼《がき》共とは違っているのだという信念を持っており、違っていることの一つの証拠《しょうこ》として、洪作に紙やハンケチを持たせねばならないのであった。

子供たちは次々に部落の家を廻《まわ》り、学校へ通っている仲間を誘い出すと、御料局《ごりょうきょく》の横手とか、洪作の家の傍の田圃のいなむらの傍だとかに集って、登校するまでの時間をたっぷりと遊んだ。子供たちの屯《たむろ》するところは時々変った。誰が命令して変らせるわけでもなかったが、自然に集る場所は変った。そしてそこへ集り出すと、二カ月でも三カ月でも同じ場所ばかりに集った。男は男、女は女で別々の場所に屯した。

子供たちがその集合場所でやる遊びも、一つのことをやり出すと長い期間それればかりやった。そしてそれにすっかり倦《あ》きてしまうまでそれをやり、倦き倦きしてしまうと、新しい遊びが彼等《かれら》の心を捉《とら》えた。そしてその新しい遊びが、またある期間子供たちの間に流行し、よく倦きもしないでやると思われるほど、子供たちはそればかりやった。かくして子供たちはメンコに熱を上げたり、鳥のわなに夢中になったり、角力《すもう》の番付を毎日のように作ったりした。

そしていい加減《かげん》遊び疲《つか》れた頃《ころ》、よくしたもので誰かが学校へ行くことを思い出し、みんなひと固《かた》まりになって、学校の方へ移動して行った。その頃になると、学校の正門を目指して、半里も、一里も離《はな》れた部落の子供たちが、それぞれやっぱりひと固まりになって新道や旧道に姿を見せる。

子供たちは集団集団でお互いに敵意のようなものを持っていた。みんな怖《こわ》い顔をして、他部落の者たちをねめ廻しながら学校へと急ぐ。決して口はきかない。口をきかないどころか、時には何の理由もなしに相手に石をぶつけたりする。そしてこの敵意は学校の門をはいって、部落単位の集合が解かれるまで続く。

小さい校舎は八つの教室を持っていた。一年から六年まで、各学年がそれぞれ一つの教室を持ち、その他に高等科の教室が一つと裁縫室《さいほうしつ》が一つあった。一学年は大体三十人ぐらいである。みんな同じような棒縞《ぼうじま》の着物を着、藁草履《わらぞうり》を履《は》き、たくあんのはいった弁当箱か、梅干《うめぼし》のはいったむすびを持ち、同じように汚《きたな》い顔とでこぼこの頭を持っていた。

教師は教室の数と同じく八人いる。一人ずつ一つの教室を受け持っている。先生たちは大抵すぐ生徒の頭をなぐったり、小突《こづ》いたりするので、生徒たちは教室へはいると、刑務所《けいむしょ》へでもはいったようにしんとした。いつも一年を受け持つ先生が一番きびしかったので、一年坊主は大抵殴《なぐ》られまいと緊張《きんちょう》して顔を蒼《あお》くしていた。

一日の授業が終ると、子供たちは家へ荷物を投げ込んで来て、集合場所へ集る。上級生と下級生とで授業の時間が違うので、遊び場所には初め下級生の顔ばかりが見えるが、次第にそれに上級生が加わってふくれ上って行く。そして夕刻、しろばんばが舞《ま》う時刻まで遊び続けるのである。

二章

洪作《こうさく》が二年になった春、上の家では去年沼津《ぬまづ》の女学校を卒業して、その後親戚《しんせき》の家で家事の稽古《けいこ》をしていたさき子が家へ帰って来た。洪作はさき子がもう沼津へは行かないで、ずっと村に居《い》るようになることを知って、何とも言えず明るい楽しい気持がした。洪作は上の家へ行くのが楽しくなった。今までも冬休みや夏休みにはさき子は必ず帰省していたが、さき子が居ると居ないのとでは、上の家は全くそこにたちこめている空気が違《ちが》っていた。さき子一人が居ることに依《よ》って、薔薇《ばら》の大輪でも活《い》かっているように、上の家は陽《ひ》の当らない奥の部屋までが明るく華《はな》やかなものに感じられた。

さき子は他の村の娘とは違って、沼津の女学校に行っていただけあって、身に着けている雰囲気《ふんいき》は都会的であった。前髪《まえがみ》を前に突出した束髪《そくはつ》という髪形にしろ、着ている着物にしろ、口のきき方にしろ、そしてその歩き方までが当時の言葉で言えば垢《あか》ぬけてハイカラであった。

洪作はさき子が居るようになると、上の家へ日に何回も行った。何となくさき子の傍《そば》へまといついていたい気持があった。しかし、おぬい婆さんはさき子が嫌《きら》いであった。「いやにしゃなしゃなした娘だ。いまにろくでもないことを仕出かすずら」

さき子の話が出ると、口癖《くちぐせ》のようにおぬい婆さんは言った。おぬい婆さんはさき子を眼の仇《かたき》にしたが、よくしたものでさき子の方でもまたおぬい婆さんを嫌っていた。さき子は道などでおぬい婆さんと顔を合わせても、子供の洪作にも感じられる程《ほど》みごとにおぬい婆さんを無視し、いささかも意に介《かい》さない態度を取った。おぬい婆さんの方は、はっきりと敵意を露《あら》わにして、極端《きょくたん》な仕種《しぐさ》で顔を横にそむけたが、さき子の方は、顔などそむけないで、全く普通な態度を取りながら、声もかけなければ挨拶《あいさつ》もしなかった。全くそこにおぬい婆さんが居ることなど気が付かないかのように振舞《ふるま》った。

そんなおぬい婆さんとさき子の関係だったので、洪作は子供ながら、その間に挟《はさ》まって気を揉《も》むことが多かった。さき子にはおぬい婆さんを、おぬい婆さんにはさき子を何かと取《と》り成《な》すようにした。しかし、洪作のそうした気遣《きづか》いは全く無駄《むだ》だった。

「今、おぬいおばあちゃんが——」

洪作が言いかけると、間髪《かんはつ》を容《い》れず、

「おばあちゃんじゃないの。おぬい婆さん」

さき子は訂正した。

「おばあちゃんだよ」

「おばあちゃんであるもんですか。よその者よ。いいの、よく覚えておくのよ。あんたはあの人と一緒《いっしょ》に暮《くら》しているけど、あれはおばあちゃんじゃないの。お家の人ではないの。何といったらいいかしら、そうね、――婆や」

もし他の者がこんなことを言ったら、洪作は決して許さないに違いなかったが、さき子の場合は不思議《ふしぎ》に腹が立たなかった。仕方がないと思った。

さき子が村へ帰ってから、洪作は毎日のようにさき子と一緒に渓合《たにあい》に湧《わ》き出している西平《にしびら》の湯へ出掛《でか》けて行った。さき子が共同湯へ出掛ける時刻になると、みつが洪作を呼びに来た。洪作は女二人と湯に行くのが何となく厭《いや》だったので、近所の友達《ともだち》を誘《さそ》った。いつも雑貨屋《ざつかや》の幸夫、牛の居るさどやの亀男、それから洪作とは縁《えん》続きの酒造業を営んでいる酒屋の芳衛といった遊び仲間が洪作の誘いに応じた。幸夫と亀男は一学年下で、芳衛は洪作、みつと同学年であった。

風呂《ふろ》へ行くと言っても、洪作たちの支度《したく》は簡単であった。手拭《てぬぐい》を一本腰の兵児帯《へこおび》へぶら下げればそれでよかった。おぬい婆さんは洪作にブリキの石鹼箱《せっけんばこ》を持たせたがったが、洪作は遊びの邪魔《じゃま》になるのでそれを嫌った。

洪作たちはいつも上の家の前で、さき子とみつの出て来るのを待った。さき子は家の前の二、三段の石段を降りて往来へ降り立つと、手拭や石鹼や小さい金《かな》だらいなどを包んだ風呂敷包みを、洪作たちの方へ差し出した。

「かわりばんこに持って行きなさい」

さき子は言った。余り有難《ありがた》くない役目ではあったが、いつも洪作は最初にそれを受け取った。そして大切な物でも持たせられたような気になって、その風呂敷包みを両手で捧《ささ》げるようにして持った。

半丁程《ほど》で、旧道は新道に合した。新道には道の両側に何となく家が並んでおり、下駄屋、床屋《とこや》、薬屋、郵便局、駄菓子屋、ブリキ屋、仕立屋などの店舗もあった。しかし、どの店でも家の者が店へ顔を出していることはめったになく、客は物を売って貰《もら》うために、店の横手から背戸《せど》の方へ廻《まわ》って行かなければならなかった。五、六軒の店があるということで、この新道の通りは子供たちには頗《すこぶ》る賑《にぎや》かに見えた。旧道から新道へ来ると、田舎《いなか》から都会へ来たような気がした。

その新道の家並みは一丁程続き、そこに並《なら》んでいる二十軒程の家の集団は宿《しゅく》という名で呼ばれた。これに対して洪作の家や上の家のある十二、三軒の集りは久保田《くぼた》という名で呼ばれた。これら二つの字《あざ》の他《ほか》に、温泉の湧《わ》き出ている渓合に、西平《にしびら》、新宿《あらじゅく》、世古《せこ》の滝《たき》といった三つの字があり、山際《やまぎわ》の方に長野とか新田《しんでん》とかいう部落があった。従って久保田、宿、西平、新宿、世古の滝、長野、新田とかいった七、八つの字が湯《ゆ》ヶ島《しま》という部落名で総括的《そうかつてき》に呼ばれていた。そして湯ヶ島のほかに狩野川《かのがわ》沿いの山間のあちこちの渓谷に小さい部落が幾《いく》つか散在していて、上狩野村《かみかののむら》という村を形成していた。上狩野村は人口も人家も少なかったが、地域的にかなり広い範囲にわたり、湯ヶ島を一番大きい部落として、他は数軒から十数軒の小部落ばかりであった。

洪作たちは新道へ出て宿の通りを抜ける時は、心持ち緊張《きんちょう》していた。さき子がみつを連れて先を歩き、少し距離《きょり》を置いてお供の洪作が風呂敷包みを捧げ持って続き、それから更《さら》に少し距離を置いて、幸夫、亀男、芳衛の連中が続いた。新道を歩いて行くと、時々、新道の子供たちがはやし立てた。

――コウチャとミツは怪しいぞ

はやし立てる文句は決っていた。洪作にとっては、みつと怪しいと言われることは甚《はなは》だ心外であった。洪作と上の家のみつとは同学年であり、兄妹のようにいつも一緒だったが、しかし、仲よくしている時より喧嘩《けんか》している状態の時の方がずっと多かった。はやし立てられると洪作はいつも度を失ってしまい、それまで捧げ持って来た風呂敷包みを荒《あら》っぽく片手で摑《つか》んで、それをわざと大きく振りながら歩いた。やがて、そうした洪作に背後で、幸夫たちのはやされている声が聞えて来る。

――ユキチャゆうべ寝小便

とか、

――オ供は辛《つら》イネ

とか、そんなませた文句が節をつけられて発射されている。すると、すっかり肩身の狭《せま》くなった幸夫たちの駈《か》け出して来る足音が聞えて来る。芳衛は無口《むくち》で、多少ぐずなところがあり、学校でもいつも片隅《かたすみ》にいたが、幸夫と亀男の方は腕白《わんぱく》で、喧嘩でもめったに誰にも退《ひ》けは取らなかった。それでいて、自分たちの字《あざ》を離《はな》れ、新道へはいると、妙に異邦人《いほうじん》の気持になって意気上らなかった。相手が多勢だということもあったし、さき子とみつという二人の女性のお供をしているという自分たちの立場の弱さもあった。

宿の通りを抜けたところで少年たちは一緒《いっしょ》になった。敵地を脱《ぬ》けて来たといった昂奮《こうふん》が子供たちの眼をきらきらとさせていた。西平の湯へ行くには、宿を抜《ぬ》けたところで、新道から反《そ》れて、渓谷へと降りている道をとらなければならない。この辺から子供たちは元気になった。さき子の前になったり、後になったりして歩いた。

「さ、こんど、洪ちゃんに替《かわ》って、幸夫ちゃん持ちなさい」

さき子が言うと、幸夫は大命でも降下したように緊張《きんちょう》した顔になって、洪作から風呂敷包みを受け取った。洪作は大役を解かれた思いで自由になり、亀男や芳衛たちと駈《か》け廻《まわ》った。風呂の道具を持つ役は、目的地に着くまでに、亀男にも芳衛にも平等に割り当てられた。少年たちは鼻のところへ持って行くといい匂いのする持物を持つことに少からず興味を感じていた。それを持つことに、その正体はさだかでなかったが、やはり一種の陶酔《とうすい》と呼んでいいようなものがあった。

湯は渓合の三カ所から噴《ふ》き出していた。そしてその三カ所から出る湯に依《よ》って、一軒の大きな別荘と、三軒の旅館と、二つの共同湯ができていた。それらはそれぞれ渓川に沿って、かなりの距離を持って散らばっており、それの属している字も違っていた。二つの共同湯は西平と世古の滝という字にあった。西平の湯の方が近く、それに浴場が明るかったので、洪作たちは大抵《たいてい》の場合西平を選んだ。

浴場といっても、簡単な屋根と、一隅《いちぐう》に着物を脱《ぬ》ぐところができているだけのことであったが、湯は豊富で、二つに仕切られている大きな浴槽《よくそう》には四六時中湯が溢《あふ》れていた。二つの浴槽の間には、板の仕切りがしてあり、何となく男湯と女湯の区別ができているわけであったが、どっちが男湯でどっちが女湯か決められてなかったし、そんなことに頓着《とんちゃく》する入浴者は一人もなかった。

洪作たちは西平の共同湯を選ぶ場合、もう一つの理由があった。それは共同湯のすぐ隣《となり》に馬の湯があって、よく馬がここで体《からだ》を洗われていることがあったからである。長方形に仕切られた浴槽は、勿論《もちろん》屋根も持っていず、人のはいる方の浴槽に較べると、ずっと浅かった。

洪作たちは共同湯に着くと、われ先にと真《ま》っ裸《ぱだか》になり、思い思いに浴槽に飛び込んで、湯の飛沫《ひまつ》を上げて暴れた。みつも男の子供の中にはいって暴れた。建物の傍《かたわら》を大川が流れていたので、裸で河原に出て、大きな石を運んで来て湯の中へ投げ込んだりした。昼の共同湯には大抵の場合誰も居なかった。村人がはいるのは一日の仕事を終えた夕刻からである。洪作たちは、さき子に叱《しか》られても叱られても、そんなことにはいっこうに構わず暴れた。さき子の白い豊満な裸体《らたい》が湯しぶきの間から眩《まぶ》しく見えた。

「洪ちゃん、手拭《てぬぐい》を持って来たでしょう。手拭を持っておいで！　洗って上げる」

その言葉で洪作は手拭を着物脱《ぬ》ぎ場へ取りに行く。洪作は体にしゃぼんを塗《ぬ》られて、前を向かされたり、背後を向かされたりする。さき子はみつと洪作の体を洗い、他の子供たちの方は、体は洗わないで、醬油《しょうゆ》で煮《に》しめたようなその手拭だけを洗ってやった。

こうしたある日、さき子は浴槽で暴れ廻っている子供たちに、

「あしたからお姉ちゃんは学校の先生になるのよ。みんな言うことをきかないと大変よ。ぴしぴしやっちゃうから」

と、さき子は言った。学校の先生になると聞いて、みんなその瞬間暴れるのをやめた。

「噓《うそ》だあ」

幸夫が言った。

「噓なもんですか。あした朝礼の時、校長先生が何とおっしゃるか聞いてなさい」

さき子は言った。子供たちにはどうしてもさき子と学校の先生とを結びつけて考えることはできなかった。学校の先生の持つものとは凡《およ》そ違《ちが》った雰囲気を、さき子はその体に着けていた。あの冷たい教員室の中へさき子を置いて考えることは、洪作にはできなかった。

しかし、翌日、洪作たちはさき子の言ったことが嘘でなかったことを知った。学校で朝礼の時、石守《いしもり》校長が三年受持《うけもち》の若い教師が教職を辞すことになったことを告げ、近くこの学校の卒業生である上の家の伊上《いがみ》さき子が母校で教鞭《きょうべん》をとることになったことを発表した。伊上さき子という名が校長の口から出ると、みつと洪作の二人は体を固くして、赤い顔になった。

洪作はさき子が学校の先生になることが嬉《うれ》しい半面、さき子が生徒たちに評判のいい先生になるかどうかが不安だった。それから一番心配なのは、自分がさき子と近親の間柄であることから、さき子に贔屓《ひいき》されるという風《ふう》に生徒たちから見られるのではないかということだった。近親と言えば、校長の石守森之進は洪作の父の兄であり、正真正銘の洪作の伯父であった。石守家は門野原《かどのはら》という丁度《ちょうど》一里程離《ほどはな》れた隣の部落の農家で、長兄《ちょうけい》の森之進が家の跡《あと》を取り、次男の洪作の父は伊上家へ聟《むこ》に来ていた。兄妹はほかにも何人かあったが、みんな近くの部落や近くの村々へ嫁《とつ》いだり、聟に行ったりしていた。

だから洪作は父方の親戚《しんせき》も沢山《たくさん》近くに持っていたが、どういうものか父方の親戚とは余り往《い》き来していなかった。校長の石守森之進はいつも細面《ほそおもて》の顔にきびしいものを漂《ただよ》わせている五十年配《ねんぱい》の人物で、用事がある以外はめったに喋《しゃべ》りもしなければ笑いもしなかった。生徒たちからも村人からも気難《きむずか》しい人物として知られていた。だから伯父ではあったが、洪作はめったに伯父の石守森之進とは口をきくことはなかった。それどころか、大体洪作はこの人物に伯父といった特殊《とくしゅ》な気持を懐《いだ》いたことはなく、やはり一人の怖《こわ》い校長先生でしかなかった。従って、この場合は、相手が伯父ではあったが、贔屓といったような見方が二人の間に成立するすきはなかった。生徒たちはみんな怖い校長が洪作の伯父であることなど考えたこともなかった。

しかし、怖い校長ではあったが、時々正面から顔を合わせると、石守森之進は口髭《くちひげ》の生《は》えている口許を少し尖《とが》らせるようにして、

「洪作、勉強しとるか」

と、睨《にら》みつけるようにして言った。

洪作は蛇《へび》に睨まれた蛙《かえる》のように小さくなって答えた。すると、

「しています」

「いつか一度遊びに来なさい」

伯父はいつも命令するように言った。しかし、洪作は一里程離れた部落の父の実家へは一度しか行ったことはなかった。父の父、つまり祖父にあたる林太郎が病気の時、本家の祖母に連れられて、その見舞に行ったことがあるだけである。

校長が朝礼でさき子のことを発表して二日程してから、さき子は初めて先生として学校へ姿を現したが、その日洪作は学校で一日中緊張《きんちょう》していた。上級生の一人が校庭で洪作の額を小突いて、

「お前んとこの本家のあまっちょは代用教員ずら、訊《き》いて来い」

と言った。

「ううん、先生だ」

洪作が言うと、

「先生のことは判《わか》ってらあ。先生は先生でもふたいろあるんだ。さき子は本当の先生じゃないんだ。先生の代用じゃ。――訊いて来い」

上級生はまた言った。洪作は妙《みょう》に自分が辱《はずか》しめられたような気がして不快だった。

その日、昼休みの時、洪作は教員室の前の廊下《ろうか》でさき子と顔を合わせた。

「洪ちゃ」

さき子は平生《へいぜい》の呼び方で、背後から洪作を呼び停《と》めた。周囲に何人か生徒も居たので、洪作はさき子からそんな呼び方をされるのは迷惑《めいわく》だった。聞えない振りをしてどんどん歩き去ろうとすると、

「洪ちゃ」

さき子の声はまた追いかけて来た。仕方ないので足を停めると、

「家へ行って、お弁当取って来て」

さき子は言った。洪作は命令通りにしたが、いまは女の先生になったさき子の弁当を家へ取りに行くことは、周囲の生徒たちに対して、気のひけることであった。洪作は弁

当の包みを上の家から取って来ると、それを持って、教員室へはいって行ったが、教員室の空気は、さき子一人居ることで、いつもとまるで違ったものになっていた。窓の傍のさき子の机の上には、赤い花が、細い硝子《ガラス》の花瓶《かびん》に挿《さ》されておかれてあり、さき子のえび茶の袴《はかま》の色が、薄暗い教員室の空気を、そこだけ全く違った華《はな》やかなものにしていた。そして窓の向う側には、教員室に於《お》けるさき子の動静《どうせい》を覗《のぞ》き見るために、子供たちの顔が鈴なりになっていた。

さき子は三年を受け持ったので、洪作やみつはさき子には教わらなかった。学校では教わらなかったが、学校の先生になられてみると、洪作にはさき子が今までのさき子と違ったものに見えた。何となくさき子の眼は、今までの彼女のそれとは違《ちが》って感じられた。さき子の眼の前では、それまでのように悪戯《いたずら》もできなかったし、荒《あら》っぽい口のききかたもできなかった。これは洪作ばかりでなく、幸夫、亀男、芳衛たちにも同じことらしく、彼等《かれら》もまたさき子に対して従来のように無心には振舞えなくなった。

さき子が先生になってからは、洪作たちは次第《しだい》にさき子のお供をして、西平の湯に行くことはしなくなった。さき子からは誘《さそ》われたが、極力《きよくりよく》それを避《さ》けるようにして応じなかった。それでも十回に一回は、さき子に誘われると、さき子のお供をしないわけには行かなかった。

さき子のお供をして新道を歩いて行っても、もはやはやし立てる子供の声は聞かれなかった。事情はすっかり違ってしまっていた。新道では前と同じように子供たちが屯《たむろ》して遊んでいたが、さき子の姿をめざとく見つけた一人が、

「来たぞ」

と叫ぼうものなら、それを合図《あいず》に、子供たちは世にも怖《おそろ》しいものでもやって来たように、それまでやっていた遊びは中途《ちゅうと》でほうってしまって、口々に、

「来たぞ、来たぞ」

と喚《わめ》きながら、街道を上手の方へ逃げた。真剣な逃げ方だった。そして逃げ遅れた一年坊主《ぼうず》は、怯《おび》えたような眼をして、その場に立ち竦《すく》んだ。

「何してたの」

さき子が笑いながら声をかけると、声をかけられた子供は大抵叱《たいていしか》られたと思い込んで、ありったけの声を張り上げて泣き出した。

こうしたことはさき子の場合だけではなかった。子供たちには、殊《こと》に下級生たちには、学校の先生は、世にも怖しいものと考えられていた。親たちも、子供が自分の命令に服《ふく》さないと、よく、

「学校の先生に言いつけるぞ」

と言った。学校の先生に言いつけられては堪《たま》らないので、子供たちは大抵の場合親の言うことをきいた。学校は厭《いや》なところ、学校の先生は怖《こわ》いものと、子供たちは大人たち

から教え込まれていた。

実際にまた学校は、子供たちには親しみのないところであった。八つの教室を持った校舎は頗る《すこぶ》殺風景《さっぷうけい》な建物であり、どの教室にも硝子戸《ガラスど》の替《かわ》りに障子《しょうじ》がはまっていて、障子の紙を破きでもしようものなら、徹底的《てっていてき》に糾明《きゅうめい》された。そのあげく犯人は受持教師に二つ三つ頭を小突《こづ》かれた上、家から紙を持って来て、それを張らなければならなかった。障子の張り替えは一年に一回、夏休みの終った二学期の初めに、高等科の女生徒が受け持ってやった。

教室と教室の前の廊下《ろうか》は、授業が終った時、毎日のように生徒たちが掃除した。箒《ほうき》で掃《は》き終ると、バケツに水を汲《く》んで来て、雑巾《ぞうきん》で拭《ふ》いた。その間教室の入口で、先生が監《かん》視《し》していたので、生徒たちは咎《とが》められないように絶えず体《からだ》を動かしていなければならなかった。

掃除の時が、洪作は一番嫌《きら》いであった。洪作は自分でも意識しないで、時折ぼんやりと手を休めて突《つ》っ立っている時があったが、その度《たび》に、容赦《ようしゃ》なく怒鳴《どな》りつけられた。二年の受持の教師は、一里半程離《ほどはな》れた山村から毎日のように徒歩《とほ》で通勤して来る老人で、教師の中では一番年長であり、いかなる小さい過失《かしつ》も、この教師は決して許さなかった。

洪作は一年生として初めて登校し、初めて小さい教室の自分の机の前に坐《すわ》った時、

「こら」

という大きい怒鳴り声を浴せられ、耳を引っ張られて、教室の前の廊下に立たせられたことがあった。洪作は自分がいかなる理由でそのように罰《ばつ》せられたか、ついにその原因は判らなかった。その日は、しかし、洪作ばかりではなく、三人の子供たちが頰《ほお》を殴《なぐ》られ、生れて初めて浮世《うきよ》の風のきびしさを知って震《ふる》え上ってしまったのであった。

校舎や先生ばかりでなく、校庭もまた決して生徒たちには親しみ易《やす》いところではなかった。校庭には黒土の地面の間から石が到《いた》るところに頭を出していて、体操のしにくいのは勿論《もちろん》、遊ぶ場合も遊びにくかった。転ぶとひどく痛かった。樹木が少かったので、夏は樹蔭《こかげ》もなく暑かったし、冬は北風が吹き通して、風のある日はひどく寒かった。遠くに形のいい小さい富士が見えるということ以外何一つ取得《とりえ》はなかった。しかし、子供たちはここから見る富士が日本で一番美しいのだと、大人たちから言われ、それをその通り信じていた。

さき子が学校の先生になってから、またたく間に一学期は終った。一学期の終る最後の日は、いつもこの日に通知簿（成績表）を貰《もら》うので洪作はよそ行きの着物を着せられ、袴《はかま》を穿《は》かされ、先生から貰った通知簿を包む大型のハンケチを持たされた。

洪作にとっては学期末の通知簿を貰う日は辛《つら》い日であった。袴を穿くのは全校で二人しかなかった。穿く者は決っていた。洪作と上の家のみつだけであった。それからお役所という呼び方で村人から呼ばれている帝室林野管理局天城出張所の所長に子供のある人が赴任《ふにん》して来ると、大抵《たいてい》そこの子供たちが袴を穿いたが、しかし、洪作が二年になった時は、子のない所長が在任していたので、袴を着けるのはみつと洪作の二人だけだった。

洪作もみつも袴を着けるのは厭《いや》だったが、何となく自分たちは袴を着けなければならぬもののように思い込まされていた。従って、厭ではあったが、免《まぬか》れぬ宿命ででもあるかのように、その日は素直に袴を穿いた。又《また》、他の生徒たちも、洪作とみつは袴を着けるものと思い込んでおり、その日の朝はいつも女生徒たちはみつの家へ、男の生徒たちは洪作の土蔵の前へ集るのが常だった。

その朝、洪作は眼覚めると、明日から長い夏休みだという嬉《うれ》しさと、今日は袴を穿いて登校しなければならぬという煩《わずらわ》しさと、二つの気持の入《い》り混《まじ》った複雑な感情に包まれている自分を発見した。床《とこ》から起き上ると、袴と着物は既に枕許《まくらもと》にきちんと畳《たた》まれたまま出されてあった。

洪作が顔を洗う頃《ころ》から、子供たちは土蔵の前へ集り始めていた。洪作は大急ぎで朝食をすませると、おぬい婆さんの手で着物を着せられ、袴を穿かされた。

「いやだな、袴なんて穿くのは」

洪作が言うと、おぬい婆さんはめっそうなといった顔をして、

「坊は大きくなると豪《えら》い人になるんじゃ。ひいおじいさんのあと継《つ》ぎじゃ」

こうした場合、おぬい婆さんは決して洪作の父親も祖父も引き合いに出さなかった。父親にも祖父にも多かれ少かれ恨《うら》みがあったからである。自分の保護者であり、自分の一生というものを決定した曾祖父《そうそふ》だけが、彼女には大きい存在に見え、その後継者《こうけいしゃ》は洪作以外にないと一人ぎめしている風《ふう》だった。

「袴なんて穿くのは、みっちゃと坊だけだ」

「ぐずのおみつこそ袴なんて穿かんでもいいんじゃ。袴を穿く資格のあるのはこの村で坊だけじゃ。だが、まあ、辛抱《しんぼう》しておやり。みつの袴はどうせろくでなしのさき子のお下りじゃ。傍《そば》へ行ってよく見てごらん。もうはげちょろじゃろう」

おぬい婆さんは言った。いつものことだが、おぬい婆さんは上の家でみつに袴を穿かせることを心外なことに思っていた。

この頃、子供の集り場所はお役所の正門をはいった横手の桜《さくら》の木の下に決っていた。そこにはかなり広い空地があり、一部には芝《しば》が敷《し》かれてあって、子供の遊び場所にはもってこいの所であった。蟬《せみ》は朝から啼《な》きたてていた。子供たちは蟬を探しては木に登ったが、この朝の洪作は袴のお蔭《かげ》で木の下でおとなしく待っていなければならなかった。

この日学校へ行くと、洪作は全校の生徒の視線が自分に集っているのを感じていた。みつはみつでやはり袴を穿いていることが恥《は》ずかしいらしく、すぐ教室の中へはいって行き、そのまま、運動場へは出て来なかった。朝礼が始まるまでの時間が、洪作にはひどく長いものに思われた。長野部落からの生徒の一団が校門からはいって来た時、洪作はその部落の上級生に腕白者《わんぱくもの》が揃《そろ》っていたので、自分が袴を穿いていることで何か厭なことが起るのではないかという予感《よかん》に襲《おそ》われた。

この洪作の不安はやがて現実の事件として現れた。三人の五年生が近づいて来て、桜の木の下に居た洪作を取り巻くと、その中の一人が、

「その変なものを脱《ぬ》いで、頭からかぶってみろ」

と、口を尖《とが》らせて言った。

「いやだ」

答えるや否《いな》や、洪作は胸を突かれて背後へよろめいた。そして、それと同時に洪作は自分の背の中へ、砂が流し込まれたのを知った。洪作は口をきつく結んだまま三人の上級生を睨《にら》みつけていた。腕力ではひとたまりもなかったので、何をされても手出しをしないでいるより仕方がなかった。

その時、運動場の一角でふいに喚声《かんせい》が起った。それは思いがけず袴を着けたもう一人の生徒が校門をはいって来るのが見えたからであった。何人かの子供たちがその方へ駈《か》けて行った。新田《しんでん》という一番天城の峠《とうげ》に近い部落の子供で、やはり洪作と同学年の浅井光一という少年であった。浅井光一が袴を着けて登校《とうこう》して来たのは初めてであった。洪

作は光一とは教室でも余り口をきいたことはなかった。光一は無口な目立たぬ子供であった。

新しい獲物《えもの》の出現を知ると、洪作を取り巻いていた一人が、

「光一もここへ連れて来い」

と仲間に言った。すると二人が、運動場の真ん中へ差しかかっている光一の方へ駈けて行った。やがて光一は連れられて来た。

三人は洪作の方はそのままにしておいて、光一の方に、

「なぜ、そんなもの穿いて来た」

と、口々に詰問《きつもん》した。光一は下を向いて黙《だま》っていた。すると一人が、洪作にやったように光一の胸を突いた。光一はうしろによろめいた。すると、他の二人が光一の体《からだ》を背後から抱《だ》きしめ、洪作に為《な》したと同じように、砂を衿《えり》から着物の中へ入れようとした。

光一は一言も口から出さないで身をもがいて抵抗《ていこう》し、漸《ようや》くにして三人の手から自由になると、いきなり足許の砂を摑《つか》んで自分の前にいた一人の上級生の顔にぶつけた。三人の上級生は思いがけない反抗《はんこう》でたじたじになった。

すると光一はあたりを見廻《みまわ》し、一間程隔《ほどへだ》ったところに自分の頭ほどの大きな石が転がっているのを見ると、その方へ走り寄って行った。そして両手でそれを拾い上げると、頭の上に差し上げて、三人の上級生の方へ戻って来た。ただならぬ緊迫《きんぱく》したものがその

時の光一の動作の中にはあった。光一のただならぬ血相《けっそう》に驚いて、三人の上級生は思い思いの方向に難《なん》を避《さ》けようとした。

一瞬《いっしゅん》の後、光一の手から離《はな》れた大きな石が、逃げ去りつつある一人の少年の足許に落ちるのを洪作は見た。石は足には当らなかったが、もし当っていたら、大変なことが起っている筈《はず》であった。

洪作は光一が息を弾《はず》ませて三人の方を睨んで突っ立っている姿を見守っていた。この事件は朝礼前のことであったので、衆人環視《しゅうじんかんし》の中で行われた。丁度《ちょうど》この時朝礼の鈴《すず》が鳴り響《ひび》き、二、三人の先生たちの姿も現れたので、三人の上級生たちはそのまま朝礼で整列する場所へと歩いて行った。しかし、光一は、いつまでも自分の興奮が鎮《しず》まるのを待つようにそこに突《つ》っ立っていた。

洪作にとっては、いま自分が眼にした光一の行動は充分驚歎《じゅうぶんきょうたん》に値《あたい》するものであった。洪作は朝礼の場へ行くことも忘れて光一の姿を見守っていたが、そのうちに、洪作の心を次第にある感動が充たして来た。非道や横暴に対して敢然《かんぜん》と立ち向う一人の少年の美しさを、初めて眼《ま》のあたりに見たような気持であった。大きな石をぶつけようとする行為は無謀《むぼう》なことという他《ほか》はなかったが、しかし、そうしたことを敢《あえ》て為《な》した無口な同級生の行動は洪作には美しく、みごとなものに思われた。洪作は生れて初めて、自分の卑《ひ》屈《くつ》さをその少年に依《よ》って思い知らされた気持であった。

朝礼が終って第一時間目に、生徒たちは教師の手から一人一人通知簿を渡《わた》された。通知簿を渡してから老《お》いた教師は、一学期の成績は一番が浅井光一、二番が洪作であると発表した。みつは八番であり、酒屋の芳衛は終《しま》いから三番であった。生徒たちは自分の席次が何番であろうと少しも気にかけなかった。みんな一様《いちよう》に無表情な顔で、自分の席次を親に伝えるために、教師から告げられた順位を忘れないように口の中で何回も唱えていた。一番びりだと言われた新田部落の木樵《きこり》の子供は、自分だけが何番という数字を知らされないで、〝びり〟だと言われたことに納得《なつとく》がいかないらしく、

「うらあ、何番だ、うらあ、何番だ」

と、前や背後《うしろ》の机を覗《のぞ》き込んで喚《わめ》き立てた。そしてその挙句《あげく》の果てに、短気な老教師に耳を摑まれて引っ張り上げられ、いきなり頬を二つ殴られた。

洪作は通知簿をおぬい婆さんから渡された白いハンケチに包みながら心は浮かなかった。一年の時は三学期を通して一番であった。それがこんど初めて、全く自分が意にも介《かい》していなかった山の部落の少年に追い越されたのであった。

洪作は浅井光一に自分は学校の成績でも、暴力に立ち向う態度でも敵《かな》わないという気がした。洪作はこの日初めて浅井光一という目立たない無口な少年の存在を意識し、そこから眼を離すことができなかった。洪作はハンケチに包んだ通知簿を持って、真《ま》っ直《す》ぐに家へ帰った。他の子供たちも通知簿を持っているので、この日だけは寄り道しない

で、それぞれの家へ帰った。

洪作は土蔵へ近づいて行くと、丁度土蔵の入口に立っているおぬい婆さんの姿を見てどきりとした。

「ただいま」

洪作は言ってハンケチの包みをおぬい婆さんの手に渡した。おぬい婆さんは、それを受け取ると、体を二つに折り曲げて土蔵の二階へ上って行き、神棚《かみだな》の前へそれを置いてから、洪作が袴を脱ぐのを手伝った。

「新田の光一ちゃんも袴を穿いてた」

洪作が言うと、

「坊のほかに袴穿いてたもんがあったって?!」

おぬい婆さんは聞き棄てならぬといった面持で言った。

「どこのがきじゃ」

「新田の光一ちゃん」

「ふうん」

おぬい婆さんは自尊心でも傷つけられたのか、

「人間、身の程《ほど》を知らんと、ろくでもないことになる！　袴を穿いておかしくないのはこの村じゃ洪ちゃだけじゃ」

と言った。おぬい婆さんは丁寧《ていねい》に、そしてその仕事がいかにも楽しそうに袴を畳んだ。そして袴を畳む時いつも話す曾祖父の話をした。

「曾祖父《じい》ちゃまはいつもちゃんとしたお客様が来られると、座敷へ袴を穿いて出られた。そのために、わしは日に何回となく袴を出したり畳んだりしたもんじゃ」

袴を畳んで古簞笥《ふるたんす》へ仕舞《しま》ってしまうと、それから神棚へ供えてあるハンケチの包みを取り上げて、

「どうれ、これから坊のことを近所へ触れ廻ってくべえ」

と言った。洪作は体を小さくして、おぬい婆さんがハンケチの包みを解く手つきを見守っていた。やがておぬい婆さんは通知簿を取り出すと、それを鉄格子のはまっている北側の窓のところへ持って行って覗いてみた。そして暫《しばら》くそれを見守っていたが、

「坊、二番と書いてあるぞ」

と言った。

「光一ちゃんが一番だって、先生が言った」

「じゃ、光一が一番で、坊が二番か」

「うん」

「そんなことあるめえ」

「先生がそう言った」

「光一って、袴穿《はかまは》いて来たがきか？」

「そう」

「ふうん、ようし」

おぬい婆さんは通知簿を右手に持ったまま立ち上った。

「こんなばかなことに承知するもんかい。人をばかにしとる」

洪作はおぬい婆さんの皺《しわ》だらけの顔が異様に歪《ゆが》むのを、世にも怖《おそろ》しいものを見るような気持で眺《なが》めていた。

「ちょっくら学校へ行ってくべえ」

「おばあちゃん」

洪作はおぬい婆さんの足にしがみついた。学校へ行かれては堪《たま》らぬと思った。

「ふざけた真似《まね》をするにも程《ほど》がある。坊が温和《おとな》しいと思って、坊をさしおいて光一を一番にしおった！　大方泥棒《どろぼう》でもして金廻《かねまわ》りがよくなった木樵《きこり》の子ずら。坊、ここに居な。婆ちゃが学校へ行って文句《もんく》言って来てやる」

洪作は泣き出した。しかし、もうおぬい婆さんの耳には洪作の泣声ははいらなかった。おぬい婆さんは階段を降り、土蔵から出て行った。

洪作は、土蔵の北側の窓のところに坐《すわ》っていた。洪作は泣いていても始まらないと知ると、自分も立ち上って、階段を降り、土蔵を出て上の家へと行った。洪作はおぬい婆さんが学校へ行ったものとばかり思っていたが、彼女は上の家の上り框《かまち》のところへ腰を降して何か喚《わめ》いていた。相手になっているのは学校から帰ったばかりらしいさき子だった。さき子はまだえび茶の袴を穿いたままだった。

おぬい婆さんは喚いていたが、洪作が土間へはいって行った時の印象では、何となくおぬい婆さんの方が受太刀《うけだち》で旗色《はたいろ》が悪いようだった。

「大切な洪ちゃを預けてあるんだから、成績だけは下らせんようにして下さいよ。勉強一つ見てやらんでしょう。勉強させなけりゃ、どんな子だってできなくなるのが当り前です。勉強みてやったことありますか。見てやらんでしょう」

さき子は詰め寄るような言い方で言った。

「うちの坊は勉強なんてさせんでもできるんじゃ」

「そんなことありますか。大体うちの坊、うちの坊って言わんでちょうだい」

「うちの坊じゃからうちの坊って言うんじゃ、ろくでなし」

「ろくでなしでも結構よ。とにかく、洪ちゃの成績だけは下げないで下さいよ。これだけははっきり言っておくわ」

おぬい婆さんは洪作の成績の下ったことで、さき子のところへ捻《ね》じ込みに来たが、結果は逆になって、どうやら反対に捻じ込まれている恰好《かっこう》だった。

「うるさい。そんな世迷言《よまいごと》聞く耳持たんわい」

おぬい婆さんは顔を蒼《あお》くしていた。洪作はそこを飛び出すと、背戸《せど》へ廻《まわ》って行った。台所を覗《のぞ》いて見ると、そこには祖母たねが一人でおろおろして立っていた。祖母は時々、さき子とおぬい婆さんの居る玄関の方へ顔を向けて、その度《たび》に聞き耳を立てては、

「さきや、お前が悪い。さき子や、黙《だま》っておらんか」

そんなことを口の中で繰り返していた。しかし、その祖母の言葉はさき子の所まで届く筈《はず》のものではなかった。

「おばあちゃん」

洪作が言うと、その声で初めて洪作の来たことに気付いた風《ふう》で、祖母たねは、

「坊、お前はここにおいで。いいものやるからここにおいで」

そう言ったが、別にいいものをくれるでもなかった。気持が仏さまのように優《やさ》しくて、いかなることが起っても、自分を悪者にして、それで事が穏便《おんびん》にすむなら、すませてしまおうという主義の祖母は、おぬい婆さんとさき子の口論にすっかり気持を動顚《どうてん》させていた。そして世にも悲しい事が起ったというように、ひどく悲しい顔をしていた。洪作は、自分の好きなさき子とおぬい婆さんの二人が自分のことで争っていることが悲しかった。そして上の家の優しい祖母を悲しませていることが悲しかった。

洪作は上の家を飛び出すと、狩野川《かのがわ》の支流である長野川の〝へい淵《ぶち》〟に泳ぎに行ってみようかと思った。夏の間は、そこへ行けば必ず部落の子供たちの誰《だれ》かの姿を見出《みいだ》すこ

とができた。子供たちの泳ぎ場所は部落に何カ所かあった。本流の渓谷に沿ったところに、おつけの淵、大淵といった大きい淵があり、子供たちは毎年夏になると、そこに集った。しかし、今年はどういうものか、三年生以下の小さい子供たちはおつけの淵にも大淵にも行かないで、支流の長野川にあるへい淵に毎日のように日参した。女の子たちも例年は本流の方に泳ぎ場所を持ったが、今年はやはり支流の巾着淵《きんちゃくぶち》に集っていた。

へい淵へ行ってみると、二十人程《ほど》子供たちがそれぞれ大きな石の上に腹這《はらば》いになっている姿が見えた。幸夫、亀男、芳衛たちの姿もあった。みんな水につかり過ぎてすっかり唇《くちびる》をむらさき色にして、冷え切った体《からだ》を川の中に転がっている焼けた石に当てて暖めているのであった。裸《はだか》になると、部落の子供たちは例外なく瘦《や》せていた。海水浴と違《ちが》って川泳ぎで焼けた体は同じように黒くても、なんとなく汚《きたな》かった。

洪作はすぐ真っ裸になって瀬へ飛び込み、浅いところでばちゃばちゃやった。淵は深くて背が立たないところがあった。洪作が来たことで、幸夫も芳衛もまた瀬の中へ飛び込んで来た。洪作たちは何回も水を浴び、何回も冷えた体を石に当てて背を干した。子供たちは石で体を温めることを甲羅《こうら》を干すと言った。実際に河童《かっぱ》が甲羅を干すのに似ていた。

洪作たちは遊びに倦《あ》きると女生徒の巾着淵を襲撃《しゅうげき》した。へい淵から巾着淵まで石を一つ一つ飛び渡って降《くだ》って行く。石と石との間が開いていて飛び移れない時は水の中へはいった。巾着淵まで五分とはかからなかった。女生徒たちは手拭《てぬぐい》で頭髪を覆《おお》うように巻いていた。その手拭で彼女たちは辛《かろ》うじて自分たちを男の子たちから区別していた。

「おーい、あまっちょを追っ払え」

幸夫が大きい石の上に立って叫ぶと、男の子たちはやたらに小石を巾着淵へ投げ込んだ。雌《めす》の子河童たちは、我先にと磧《かわら》に上り、当然そうすべきであるかのように、蒼惶《そうこう》として巾着淵を引き上げて行った。といって、女の子たちは別段男の子たちを怖《おそ》れているわけではなかった。横暴な襲撃者たちの姿を見ると、そうしなければならぬものと思い込んでおり、そうすることで、自分たちが無力な女の子であることを知って、それを楽しんでいるようなところがあった。

洪作は女の子たちが真っ裸で手に手に着物を抱えて街道へと細い崖道《がけみち》を上って行くのを見るのは好きだった。崖道には白い大きな百合《ゆり》の花が咲《さ》いていて、とんぼが群をなして飛んでいた。

洪作たちはいつものことだが、日の暮れるまでへい淵で遊んだ。そして陽がすっかり落ちて、もはや甲羅を干すことができなくなると、初めてもう家へ戻《もど》らなければならぬ時が来たことを知った。洪作はすっかり水浴びで忘れていたおぬい婆さんとさき子の口論のことを、夕刻の白い光が流れ始めた街道へ出た頃《ころ》思い出した。おぬい婆さんはさき子と喧嘩《けんか》していたが、あれからどうしたろうと思った。

家へ帰ってみると長く咲き続けている百日紅《さるすべり》の薄桃色《うすももいろ》の花の下で、おぬい婆さんはライスカレーを作っていた。母屋の庭を抜《ぬ》けるとすぐライスカレーの匂《にお》いが鼻をついて来た。

通知簿を貰《もら》う日は、いつもおぬい婆さんは、彼女の最も自慢《じまん》の料理であるライスカレーを作った。ライスカレーはいつもカレーの沢山《たくさん》はいったのと、カレーの少ししかはいらないのと二種類作った。洪作はおぬい婆さんとライスカレーを食べるのが好きだった。

「坊、食べてみな。辛《から》い、辛いぞ。眼から涙が飛び出すぞ」

おぬい婆さんは言った。洪作は薄い方のライスカレーだったが、それを食べる時はそうするものであるかのように、一口口に入れてみて、すぐ、

「おお、辛い！」

と、顔をしかめてみせた。

「そうともな。ライスカレーというものは辛いもんじゃ。曾祖父《じい》ちゃまは、大《たい》そう辛いものがお好きで、おばあちゃんさえ食べれなんだ」

おぬい婆さんは言った。おぬい婆さんの作ったライスカレーは美味《うま》かった。人参《にんじん》や大根や馬鈴薯《じゃがいも》を賽《さい》の目に刻んで、それにメリケン粉とカレー粉を混ぜて、牛缶《ぎゅうかん》の肉を少量入れて煮《に》たものだが、独特の味があった。時々上の家でも作ったが、それとはまるで違っていた。

いつか洪作は上の家でさき子の作ってくれたライスカレーを食べて、

「おばあちゃんの方がずっと美味いや」

と言って、さき子の機嫌《きげん》を損《そん》じたことがあった。

「これが本当のカレーライスよ。ちゃんとお料理の先生に習って作ったんだから。おぬい婆ちゃんのはごった汁よ。味が違うでしょう」

幾《いく》ら味が違うと言われても、洪作にはおぬい婆さんと二人で土蔵で食べるライスカレーの方が真物《ほんもの》のように思われた。そして他のいかなることでもさき子の言うことは信じたが、ライスカレーに関する限り、さき子の説に承服《しょうふく》することはできなかった。上の家で作るライスカレーはライスカレーとは違うものだと信じていた。

洪作はランプの光の下で、おぬい婆さんとライスカレーを食べた。おぬい婆さんはとろろ汁とライスカレーの時は、御飯を何杯でも替《か》えて食べるものと思い込んでいた。

「たんとお食べ。お腹《なか》がいっぱいになったら、箸《はし》を置いて、うしろへ寝転んで、それからまた食べるといい」

そんなことを言った。

その晩は、おぬい婆さんはライスカレーを食べながら、やたらに上の家の悪口を言った。そしてさき子のことを口汚《くちぎたな》く罵《ののし》っては洪作に聞かせた。「おさきのばかあまが」とか「ろくでなしのさき子の奴《やつ》が」とか「白粉《おしろい》つけて学校へ行きおる」とか「生徒たちこそあんなあまっちょに教わって本当に迷惑《めいわく》だ」とか言った。いつもおぬい婆さんがさき子の悪口を言うのを聞くと、洪作は何となくさき子をかばったが、この日は黙《だま》って聞いていてやった。幾らさき子の悪口を言っても、おぬい婆さんの敗《ま》けであることははっきりしていた。昼間おぬい婆さんがさき子から徹底的《てっていてき》にやっつけられたであろうことは洪作にも想像できた。

食事が終ってから、おぬい婆さんは縫物《ぬいもの》をしながら、昼の水浴びの疲《つか》れですぐ床《とこ》にはいった洪作の枕許《まくらもと》で、洪作に三つの新しいことを告げた。一つは来学期から学校の先生のところへ毎日一時間ずつ勉強に行かねばならぬということであった。

「坊は大学まで行くんだから勉強せんとあかん。坊が一月も勉強してみい。ろくでなしの先生のさき子よりずっとできるようになる」

おぬい婆さんは言った。それからもう一つは、明日、校長で伯父さんの石守森之進が迎《むか》えに来るから、門野原《かどのはら》の石守家へ行って一晩泊《とま》って来なければならぬということだった。

「わざわざ招《よ》んでくれるくらいだから、幾らけちでも、坊の好きな御馳走《ごちそう》ぐらいしてくれるずら。——どうせ、ろくでもないこと吹き込むことずらが、婆ちゃは坊の耳へせんをしといてやる」

と言った。

「門野原へ泊りに行くなんて、いやだ」

洪作は言った。伯父の家ではあったが、あの怖《こわ》い校長の家へ行って、一晩泊って来ることなどとんでもないことであった。

「いやでも仕方がない。あんな家でも、洪ちゃの父ちゃの出た家だ。行っておやり」

おぬい婆さんはそんな風に言った。それから残りの一つは、八月にはいったら、おぬい婆さんと二人で、父母の任地豊橋へ行くことであった。

「これも約束だから、行かずばなるまい。馬車に乗って、軽便に乗って、それから大きい汽車に乗って、婆ちゃと二人で豊橋へ行って来る。そして二つ寝たらすぐ帰って来る。二つ寝ても帰ってはいかんと母ちゃが言ったら、この婆ちゃが承知せん」

本当に承知せんというように、おぬい婆さんはこの時だけ縫物の手を休めて、怖い顔をしてみせた。


翌日の午後三時頃、伯父の石守森之進が土蔵へやって来た。洪作は幸夫たちと庭で蝉《せみ》をとっていたが、母屋《おもや》の横を廻って土蔵の方へやって来る伯父の姿が見えた。

「あ、校長先生が来た」

洪作が言うと、

「校長先生？」

幸夫はその時山桃《やまもも》の木に攀《よ》じ登っていたが、木の上で顔色を変えて、しいっと言った。洪作は山桃の木の下を離《はな》れると、石守森之進の方へ、あたかも吸い寄せられでもするように近寄って行った。蛇《へび》に睨《にら》まれた蛙《かえる》が、逃げればいいのに反対に蛇の方へ引き寄せられて行くのに似ていた。

「支度《したく》できたか」

伯父はいつもの気難《きむずか》しい顔のままでいきなりそれだけ言った。顔は洪作の父に似ていたが、父よりもっと不機嫌で、口髭《くちひげ》を生やしているせいかいつも憤《おこ》っているように見えた。

「はい」

洪作は身を固くして答えた。

「婆さんは？」

その言葉で、洪作は解放されたように直《す》ぐ伯父のところから離れ、おぬい婆さんに伝えるために土蔵の中へ駈《か》け込んで行った。そして階下から、

「ばあちゃ、ばあちゃ」

と叫んだ。おぬい婆さんはすぐ出て来ると、少し表情を固くして石守森之進と土蔵の前で立ち話していた。喋《しゃべ》るのはおぬい婆さんの方で、無口な石守森之進の方は気難しい顔をして黙って立っていた。

やがて洪作はおぬい婆さんに連れられて土蔵の二階に行き、そこでよそ行きの着物に着替えさせられた。

「一晩だけじゃ、辛抱《しんぼう》おし」

おぬい婆さんは言った。

「坊は男だ。辛抱でけんことはあるまい。何も鬼の居るところへ行くんじゃなし、取っても喰《く》わんだろ」

「坊はいやだ」

洪作は本当に厭《いや》だと思った。それでなくても厭だったのが、おぬい婆さんの言葉であおられた恰好《かっこう》だった。

「いやでも行かんといかん。浮世《うきよ》の義理というもんだでの」

おぬい婆さんは、水晶玉を何個か紙にひねって、洪作の懐《ふとこ》ろに捻《ね》じ込み、今日全部食べないで、少し残しておいて、明日の朝の〝おめざ〟にしなさいと言った。それからおぬい婆さんは、何か貰った時の用心に大きな風呂敷を小さく畳《たた》んで、それを手拭と一緒《いっしょ》に洪作の帯に挟《はさ》んだ。

「とうもろこしをくれるか判《わか》らんが、〝もちとうも〟だったら貰い、そうでなかったら、そんなものは要《い》らんと断っておいで」

おぬい婆さんは言った。おぬい婆さんはかねがね、ねっとりとした粘《ねば》りを持った味の

〝もちとうも〟以外のものは、とうもろこしとして認めていなかった。〝もちとうも〟だけは人間の食べるもので、他の種類のとうもろこしはすべて馬の食べるものと見做《みな》していた。

洪作は土蔵を出て、外で待っている伯父の許《もと》へ行ったが、その時洪作は、先刻《さつき》から山桃の木の上に攀《よ》じ登ったままでいる幸夫のことを思い出し、その方へ眼を遣《や》った。幸夫は山桃の一番太い幹につかまったまま、校長に見つからぬように体《からだ》を小さくしており、その背だけが濃《こ》い緑の葉の茂みの間から見えた。

洪作は校長とおぬい婆さんと三人で土蔵を離《はな》れて、母屋《おもや》の横へ廻《まわ》って行ったが、母屋の横手へ廻る時、

「幸チャ、行ッテクルゾ」

と、節をつけて怒鳴《どな》った。しかし、それに対する幸夫の応答は聞えて来なかった。母屋の門のところでおぬい婆さんは、石守森之進の方に、

「じゃ、お願いしますよ」

と、少し改まった口調で言った。石守森之進は、

「うむ」

と頷《うなず》くと、

「じゃ、洪作、行こう」

それからちょっとおぬい婆さんの方へ眼で挨拶《あいさつ》すると、さっさと自分から先に立って歩み出した。仕方ないので、洪作もまたそのうしろについて歩いて行った。家の門からすぐだらだら坂になっていて、その坂を降りきったところに馬車の発着場である駐車場《ちゆうしやじよう》があった。坂の途中で洪作は一度うしろを振り返った。おぬい婆さんは門の前でこちらを窺《うかが》うようにして立っていたが、洪作が振り返ったのを見ると、洪作が用事でもあるのかと思ったらしく、すぐ歩き出して来た。

洪作は来なくていいのにと思った。しかし、おぬい婆さんは前屈《まえかが》みの姿勢で途中から足を交互に早く動かして、両手をやたらに振って、半ば駈《か》けるようにして近寄って来た。

「何かな、坊！」

おぬい婆さんは息を切らして言った。

「ばあちゃ、何でもない」

洪作が言うと、おぬい婆さんは用事があろうとなかろうと、そんなことはどうでもいいといった表情で、

「婆ちゃが鼠《ねずみ》に引かれるで、あすになったら、早く帰っておいで。一晩泊《とま》ってやったら、それで充分《じゆうぶん》じゃ。何もぐずぐずといつまでも門野原などに居てやる必要はない。さっさと帰っておいで」

おぬい婆さんは言った。気がつくと、石守森之進は痩身《そうしん》を真っ直ぐに立てて、もうず

っと先を歩いていた。洪作はそこへおぬい婆さんを残して、すぐ伯父のあとを追った。駐車場の前を通り抜《ぬ》けると、半丁程《ほど》のところに、市山《いちやま》部落との境界をなしているすのこ橋があった。いつの場合でもこの橋を渡《わた》ると、子供たちは他部落へ足を踏《ふ》み入れたという感を強くした。他部落へはいると、敵がいっぱいいて、警戒心《けいかいしん》を解《と》くことはできなかったが、今日の洪作は、しかし、いつもとはまるで違《ちが》った心境だった。校長の石守森之進のあとをついて歩いて行く以上、何ものをも警戒する必要はなかったが、その替《かわ》り、あらゆるところから監視《かんし》されているような気持だった。

　市山部落の真ん中を走っている下田街道を、伯父は相変らず痩身を真っ直ぐに立て、短い口髭《くちひげ》を持った気難《きむずか》しい顔を前へ向けて歩いていた。伯父は学校に於《おい》てもそうだったが、歩く時横を見るというようなことは決してなかった。そして、その伯父から二間程離れたあとを、洪作は伯父との間隔《かんかく》を詰めるために時々小走りになっては歩いていた。伯父は足が早かった。背後を振《ふ》り返るでもなく、また洪作に言葉一つかけるでもなかったので、伯父の歩調にはいささかの乱れもなかった。伯父は毎日のように朝晩こうして、門野原から湯ヶ島へと一里近い道を歩いて通っているのであった。

　人家のあるところへ来ると、洪作はその度《たび》に緊張《きんちょう》した。子供たちは不思議《ふしぎ》に一人も姿を見せなかった。普通なら子供たちは他部落の子供の匂《にお》いを嗅《か》ぎ当てる鋭敏《えいびん》な鼻を持っているので、誰かが来たとなると、すぐ集って来て、はやし立てたり、石をぶつけたりするのであったが、今日は全く子供の一人も居ない部落を通過して行くようなものであった。

しかし、洪作は、道に沿った家の横手や、路傍《ろぼう》の椎《しい》の木の繁みの中や、田圃《たんぼ》の土堤《どて》の向う側や、そうしたところに、幾《いく》つかの眼が好奇《こうき》の眼を輝《かがや》かして、こちらを睨《にら》んでいるのを感じないわけにはいかなかった。そうしたところを通り過ぎてから、もし洪作が背後を振り返ったら、洪作の眼は必ず何人かの男の子や女の子の姿を捉《とら》える筈《はず》であった。しかし、洪作は背後を振り返らなかった。振り返って、そうした眼の集中攻撃《こうげき》を受けるのは恥《は》ずかしかった。

市山部落を抜《ぬ》けると、さがさわ橋があった。この橋を渡ると門野原部落であった。門野原へはいると、洪作にとってはここは全くの異国《いこく》と言ってよかった。門野原は同じ上狩野村に属していたが、ここの部落の子供たちは、地域的な関係で隣り村の中狩野村の小学校へ通うことになっていた。従って、この部落の子供たちには洪作の知っている顔はなかった。

このさがさわ橋を渡る時、初めて石守森之進はちょっと足を停めて、橋の下の流れを覗《のぞ》き込むようにして、

「お前のお父さんは昔この橋の下で溺《おぼ》れかかった」

と、洪作に言った。洪作もまた父が溺れかかったという橋の下の流れを見降した。狩

野川は湯ヶ島部落にある時より少しだけ流れの幅《はば》を広くし、水量も多く、水の色も青味を増《ま》して見えた。

「丁度お前ぐらいの時だった。泳ぎもできんのに飛び込んだ。無鉄砲《むてっぽう》な奴だった」

それだけ言うと、また石守森之進はさっさと歩き出した。洪作は依然《いぜん》として気難しい以外の何ものでもない伯父の無表情の顔からは、伯父の心の内部の感情というものを窺い知ることはできなかった。伯父が憤《おこ》って言ったのか、笑い話として、そんなことを洪作に紹介したのか見当がつかなかった。しかし、ともかく、一里近い道を歩く間で、これが伯父の口から出た唯一《ゆいいつ》の言葉であった。

伯父の家は部落の真ん中頃《ごろ》にあって、背後に小さな山を背負っていた。洪作は伯父について、街道から折れて田圃の中を走っている道を歩いて行った。道はごく自然に伯父の家の前に出た。洪作は前に一度この家へ来たことがあったが、しかし、よくは覚えていなかった。家は低い石垣《いしがき》を廻《めぐ》らされてあり、石垣の上には山茶花《さざんか》の株《かぶ》がかなり混《こ》んで植えられてあった。屋敷は道から少し高くなっていて、左手に土蔵があり、母屋の前にはかなり広い前庭が置かれてある。その前庭の真ん中頃へ来た時、

「あれ、まあ、よく来たな、洪ちゃ」

という声と一緒《いっしょ》に、伯母が母屋から姿を現した。伯母はひどく小柄で、伯父に似て気難しそうな四十歳ぐらいの人物であった。洪作はこの前来た時伯母と会っていたが、こ

の伯母には余りいい印象は持っていなかった。こんども折角《せっかく》洪作を迎えておきながら、すぐ、

「さぞ窮屈《きゅうくつ》なこったろ。我《わ》が儘《まま》者の洪ちゃがよくここの家へ泊りに来る気になったもんじゃ」

と言った。そしてそう言ってから般若《はんにゃ》の面のような顔をして、黒く染めた歯を出して笑うと、右手で洪作の肩を押し遣《や》るような仕種《しぐさ》をした。洪作は驚いた。自分を悦《よろこ》んで歓《かん》迎《げい》してくれていることだとは思いながらも、何となく不気味《ぶきみ》だった。

「洪作、遊んでいな。いまに唐《とう》が使いから戻って来る」

伯父はそう言うと、すぐ洪作をそこへ置きっぱなしにして、自分だけ母屋の土間へはいって行った。すると、伯母も、

「洪ちゃ、唐が来るまでそこらで遊んでな」

そう言って、彼女もまた母屋の中にはいって行ってしまった。洪作は遊んでいろと言われても、一人では遊びようがないと思った。洪作は広庭に残されたまま、暫《しばら》く見慣れない周囲を見廻《みまわ》していたが、やがて土蔵の方へ行ってみた。土蔵の前へ行っても別に面《お》白《しろ》そうなことは見つからなかった。仕方ないので、それから背戸の方へ廻り、再び前庭へ戻り、家の前の道へ出て、そこに立っていた。何とつまらないところへ来たものだろうと思った。

すると、伯母が母屋から来て、

「洪ちゃ、悪させんと、温和《おとな》しくしておれや。伯母ちゃは、洪ちゃが来たお蔭《かげ》で急に忙しくなった。折角門野原へ来たというのに、何も食べさせんと帰したとあっては、おぬい婆ちゃに恨《うら》まれるで、せっせとぼた餅《もち》作らにゃならん」

と言って、また黒い歯を出して笑った。洪作は、悪戯《いたずら》なんかしたくてもできないではないかと思った。そして自分に御馳走《ごちそう》するために伯母がぼた餅を作っているらしいことは判《わか》ったが、しかし、そんなに恩に着せなくてもいいではないかという気がした。伯母はどこかへ出て行ったが、間もなく帰って来ると、門口でまた洪作の肩を押し遣るような仕種をしてから、

「洪ちゃ、腹すかせて待っとれや。門野原のぼた餅は美味《おい》しいことこの上なしじゃ。湯ヶ島のぼた餅なんどこれから食べれんようになる」

そんなことを言うと、また母屋の方へ忙しそうに歩いて行った。洪作は伯母が湯ヶ島のぼた餅の悪口を言ったことが腹立たしかった。湯ヶ島のぼた餅だっておいしいんだと言ってやりたかった。

洪作は門口に立って、足許《あしもと》まで拡《ひろ》がっている田圃を見渡して一人で立っていた。暫くそうしていると、こんどは、どこへ行くのか伯父が家から出て来て、門口に立っている洪作の爪先《つまさき》から頭のてっぺんへと、気難しい視線を当てると、

「こんなとこに立っとらんで、何かして遊びなさい」

そう言うと、そのまま門口から出て行った。叱《しか》られたのか、命令されたのか、洪作には判らなかった。伯父の姿は田圃の中の道を次第に遠ざかって行った。その伯父の姿が小さくなって農家の一つに匿《かく》れるのを見た時、洪作は急に家へ帰りたい気持に襲《おそ》われた。土蔵へ帰って、おぬい婆さんと二人で夕食を食べたかった。

そうしていると、伯父からも伯母からも〝唐《とう》〟と名前の半分を呼ばれている同年の唐《とう》平《へい》が大きな西瓜《すいか》を両手で抱《かか》えて、向うからやって来た。唐平は門口に立っている洪作の方を上眼遣《うわめづか》いに白眼をむいてちらっと見詰めると、次の瞬間《しゅんかん》つんとして横を向いて、西瓜を抱えたまま洪作の前を通り過ぎて母屋へとはいって行った。この西瓜も自分のために買って来たのであろうと、洪作は思った。

間もなく、伯母の声が聞えて来た。

「唐、洪ちゃと遊んでおやり」

「いやだ」

唐平が答えている。

「折角来たんじゃ、遊んでやんなさい」

「いやなこっちゃ」

「何のいやなことがあろうかさ」

そんな会話を聞いている時、再び湯ヶ島のおぬい婆さんのところへ帰りたいという気持が、前よりもっと烈《はげ》しく洪作の心を突《つ》き上げて来た。

洪作はふいに門口から道へ出た。そして田圃の中の道を街道の方へ向って歩き出した。街道へ一歩出た時、洪作の家へ帰ろうという気持はもはや動かし難い確固《かっこ》としたものになっていた。洪作は街道を湯ヶ島の方へ向って歩き出した。そして直ぐ駈《か》け出した。ばあちゃ、ばあちゃ、そんなことを言いながら駈けた。さがさわ橋へ来た時、息切れがして、ちょっと足を停めた。白っぽい夏の夕暮があたりに迫《せま》っていた。

洪作は駈けたり停ったりして、市山部落の真ん中を突っ切っている長い道を夢中になって歩いた。途中で日は全く暮れて夜になった。ばあちゃ、洪作は相変らず呪文《じゅもん》のように同じ言葉を口にしていた。道はひどく長く感じられた。果しなくどこまでも続いているような気がした。その長い道を洪作は何も考えず夢中で歩いた。

すのこ橋のところまで来て、漸《よう》やくにして湯ヶ島部落まで辿《たど》り着いたと思った時、洪作は背後で、

「洪作！」

と、自分を呼ぶ声を耳にした。伯父の声に違いなかった。その声を聞くと洪作はすぐ駈け出した。つかまっては大変だと思った。二声、三声、自分の名を呼ぶ声を耳にしたが、洪作は構わず駐車場まで駈け、そこから家の方へ通じている旧道の坂を一気に登っ

た。横腹が痛くなっていたが、そんなことに構ってはいられなかった。

土蔵へ帰り着いて、重い引戸を開け、

「ばあちゃ、ばあちゃ」

と、ありったけの声を出して、洪作はおぬい婆さんを呼んだ。すると直《す》ぐ階段をきしませながら、おぬい婆さんは降りて来た。そして、

「洪ちゃか」

と、驚《おどろ》いて叫《さけ》び、

「どうしたんじゃ、一体《いったい》、まあ」

と言った。そのおぬい婆さんの声が懐《なつか》しく洪作の心に滲《し》みわたって来た。丁度、そこへ、洪作を追いかけて来た伯父の石守森之進がやって来た。おぬい婆さんは何が何だか判らない顔つきで自分だけすぐ戸外へ出て行った。洪作は土蔵の階下の暗い中に息をひそめて立っていた。伯父とおぬい婆さんの話し声がひそひそと聞えていたが、時々、

「あれ、まあ」

とか、

「そりゃ、御苦労さんなことでした」

とか、

「子供ってしようがないもんです」

とか、そんなおぬい婆さんの声だけが聞えて来た。そしてやがて伯父の立ち去って行く跫音《あしおと》がして、あとは静かになった。やがて、おぬい婆さんは土蔵の内部へはいって来ると、

「洪ちゃ、ぼた餅たんと貰ったぞ。校長さんだろうと、伯父さんだろうと、洪ちゃにかかっては敵《かな》わんわ。ぼた餅持って、門野原から追いかけさせられたんじゃから」

そう言って、低い声で笑った。おぬい婆さんは寧《むし》ろ嬉《うれ》しそうな顔をしていた。洪作は二階へ上ると、石守森之進が持って来てくれたぼた餅を、おぬい婆さんと二人で食べた。

おぬい婆さんは、洪作のために寝床《ねどこ》をとり、そこへ洪作を寝かせると、

「どれ、上の家へぼた餅持ってって、洪ちゃの話披露《ひろう》してくべえ」

と言って、ランプを消して階下へ降りて行った。

洪作は土蔵に一人きりになったが、こうしたことには慣れていた。土蔵に居る限りは、洪作は自分一人きりでも淋《さび》しいと思うことはなかった。おぬい婆さんが居なくなり、洪作が一人きりになると、いつもどこからともなく鼠が出て来て枕許を走った。この夜もそうだった。

——婆ちゃおらんと、鼠が坊を守《も》りしてくれる。

おぬい婆さんはよくそう言ったが、洪作は実際に鼠が自分のところへ遊びに来るのだと思い込んでいた。だから鼠が出ても怖いとも不気味だとも思わなかった。おぬい婆さ

んは夜洪作を一人にして出て行く時は、枕許から少し離れたところへ鼠の分として、菓子を紙の上に載《の》せて置いておくのが常だった。こうしておけば、鼠は洪作に悪さをしないと思い込んでいた。実際鼠はよく出たが、洪作は鼠にかじられることも咬《か》みつかれることもなかった。鼠は洪作の枕許を走り廻り、時には蒲団の上に飛び上ったりした。洪作はそんな鼠の騒ぎの中で、いつも何の不安な思いにも駆《か》られず眠りに落ちて行った。

が、この夜の洪作は、門野原から逃げ帰ったことで多少昂奮《こうふん》しているのか、なかなか寝つかれなかった。伯父の顔や、般若の面のような歯の黒い伯母の顔や、意地の悪い唐平の顔などが眼の先でちらちらした。

翌日、洪作が上の家へ行くと、祖母のたねが、

「洪ちゃ、逃げて来たんかい。折角泊《せっかくとま》りに連れてって貰《もら》ったのに。——門野原の伯父ちゃん、伯母ちゃんえらい災難《さいなん》なことだった」

と、いつも困ったことが起きた時する悲しそうな顔をして、眉をひそめて言った。祖父は祖父で、

「黙《だま》って帰って来ちゃ駄目じゃないかい。仕様のない奴だ」

と、この方は明らかに叱責《しっせき》の口調で言った。さき子だけは多少異《ちが》った言い方をした。彼女は洪作の顔を見ると、

「やったわね、洪ちゃ」

と言って、軽く睨《にら》む真似《まね》をして、さもおかしそうに笑った。

その日、洪作とみつはさき子に連れられて久しぶりで西平の湯へ行った。西平の湯には五年受持の先生の中川基《もとい》が一人ではいっていた。中川基は東京の大学を卒業しているということで、村からも生徒たちからも、特別の眼で見られている二十八歳の若い代用教員であった。隣村《となりむら》の中狩野村《なかかののむら》の医者の息子で、学校を卒業してから家でぶらぶらしていたが、教師の数が足りないからという役場からの依頼《いらい》で、二年程《ほど》前から代用教員として湯ヶ島の小学校に勤めていた。

洪作も中川先生は好きであった。この若い先生にだけは運動場などで平気ですがりついて行けた。

「洪ちゃ」

若い先生は先生らしくない呼び方をして、いつもすがりついて行く洪作の体《からだ》を両手で抱《だ》き取って、頭の上に高く差し上げてくれたりした。こうしたことをするのは洪作の場合ばかりでなく、どの生徒にも同様であった。だから生徒たちはこの若い先生の姿を見ると、いっせいにいつも彼《かれ》の周囲に集った。

「中川先生がいらあ」

洪作が言うと、さき子は初めて中川先生に気付いた風《ふう》で、

「あら、先生!」

と、はにかんだ表情をして、

「もう出て下さい。わたしがはいるんですから」

と言った。

「よし、川へ行って泳いでこよう。その間にはいったらいい」

中川基は言った。そして中川は洪作に、

「洪ちゃ、女の人たちをここに置いて、泳ぎに行こう」

と言った。

中川基は湯から上ると、パンツ一枚の姿で、真《ま》っ裸《ぱだか》の洪作と一緒《いっしょ》に川へ出て、石の上を飛び渡りながら、半町程下流にある大淵《おおぶち》という子供の泳ぎ場になっている淵へ向った。大淵には子供たちがいっぱい群がっていたが、中川基の姿を見ると、みんな石の上に立ったり、水の中へ浸《つか》ったりしたまま、うわっと歓声を上げた。

中川基は大淵の大きな岩の上から、二本の手を揃《そろ》えたきれいなフォームで淵へ飛び込みをした。そしていったん淵の深みへ姿を消したが、やがて水面に顔を出すと、あとはこれまたきれいなフォームで抜手《ぬきて》を切って泳いだ。子供たちはみんな岩や石の上に上って、そうした中川基の泳ぎを見守った。洪作もまたある感歎《かんたん》の念をもって、若い教師の体の動きの美しさに視線を当て続けていた。

三十分程子供たちと一緒に泳いだり、甲羅《こうら》を干したりしてから、中川基は洪作に、

「洪ちゃ、帰ろう」

と言った。洪作は中川基と一緒に共同湯へ戻った。さき子とみつはとうに風呂《ふろ》から上って、着物を着て、二人の帰るのを待っていた。洪作にはさき子の湯上りの化粧《けしょう》をしている顔が美しく見えた。四人は帰路に就《つ》いたが、みつと洪作は一緒に歩き、さき子と中川基は並《なら》んで何か話しながらゆっくりと歩いた。

下田街道に出るとさき子の主張で、みんな田圃《たんぼ》の中の畦道《あぜみち》を通り、神社の方を廻《まわ》って帰ることにした。洪作は暑い日中、何の蔭《かげ》もない田圃の中の道を、わざわざ遠廻りして歩くより、早く家へ帰った方がいいと思ったが、さき子の言葉に中川基がすぐ賛成したので、これに従うよりほか仕方がなかった。

神社の前へ行くと、さき子と中川基はそこの境内《けいだい》へはいって行った。みつも洪作も二人について神社の森の中へはいった。祭礼の時以外村人はたれもこの神社を訪《おとず》れなかったので、境内には夏草がいっぱい生い繁っていて、一歩境内へ踏み込むと、蟬《せみ》の啼《な》き声が急に降るように烈《はげ》しく聞えて来た。

さき子と中川基は荒《あ》れた本殿の廻廊《かいろう》に並んで腰かけ、足をぶらぶらさせながら話していた。洪作とみつは木にたかっている蟬を探しては、それに石をぶつけていた。洪作は時折、もう帰るのではないかと思って、二人の方へ視線を投げたが、いつも二人は全く

同じ姿勢で、盛んに何かを話し合っていた。何回目かにその方へ顔を向けた時、洪作は二人のそうした様子に、何か嫉《ねた》ましいものを感じた。さき子が中川基と、自分たちのことは忘れて熱心に話していることが嫉ましくもあったし、その反対に中川基が全くさき子の言うなりになっていることにも嫉ましいものを感じた。

そうしている時、みつが蜂《はち》にさされるという小さな事件が起きた。みつは突然《とつぜん》大声を上げて泣き出し、その騒《さわ》ぎで二人の男女は漸《ようや》くいつ果てるとも判《わか》らぬ話を打ち切って二人の方へ駈《か》けて来た。みつが両手で押えていたその額の一部は、みるみるうちに大きくはれ上って行った。

「普通の蜂じゃないな。くまん蜂だな」

中川基は言って、みつの上半身を抱いて、その額のはれ上っている部分に口を当てて吸った。そんな中川の仕種を、さき子は妙《みよう》に甲斐甲斐《かいがい》しい態度で援《たす》けていた。

三　章

門野原《かどのはら》の伯父の家から逃《に》げ帰って四、五日してから、洪作《こうさく》はおぬい婆さんと一緒《いつしよ》に、豊橋市《とよはしし》に住んでいる両親の許《もと》に行くことになった。

おぬい婆さんが触《ふ》れ廻《まわ》っているせいか、洪作の豊橋行きは村中にひろまってしまい、洪作は村人の多勢からそのことについて話しかけられた。

「洪ちゃ、ええな。もう二つ寝たら豊橋へ行くそうだな」

とか、

「洪ちゃ、汽車に何時間も乗って行かんならんぞ。帰り道忘れんと、帰って来るこっちゃ」

とか、時にはまた、

「もう帰って来んと、豊橋の学校に上るがええ、おぬい婆さんの食い物にならんと、父ちゃんや母ちゃんの傍《そば》にいるこっちゃ」

そんなことを言う者もあった。しかし、村人から何を言われても、洪作はたいして気にかけなかった。洪作にとっては豊橋へ行くことは嬉《うれ》しいことに違《ちが》いなく、村人の言葉は一様に洪作の豊橋行きを祝福する好意あるものに聞えた。

洪作がおぬい婆さんに引き取られたのは、父が静岡の聯隊《れんたい》に勤めていた頃《ころ》で、その後父は十五師団の所在地である豊橋へ転じていた。洪作は静岡の町には何の記憶《きおく》も持っていなかったが、それでも静岡という町は洪作が住んだことのある町として特別の親しみを持っていた。そこへ行くと、豊橋の方は全くの未知の町であった。県も違っていて、静岡よりずっと遠く離《はな》れていたし、師団の所在地ということで、洪作には何となく静岡より遥《はる》かに大きい都市であるように思われた。

出立《しゅったつ》の前日は、洪作の眼にもおぬい婆さんは忙しそうに見えた。洪作は彼女《かのじょ》と一緒に西平《にしびら》の風呂へ行ったが、いつもは何回も出たりはいったりして、誰か話相手が来るまで浴槽《よくそう》の縁《ふち》に腰かけてねばっているおぬい婆さんも、この日ばかりは真剣な顔で洪作の体《からだ》をつかまえ、足指の一本一本に到《いた》るまでたんねんに石鹸《せっけん》を塗《ぬ》り、垢擦《あかす》りでこすり、踵《かかと》は踵で皮がむける程軽石《ほどかるいし》でこすった。洪作の体を洗い終ると、おぬい婆さんは自分の痩《や》せた体を二つに折り曲げて髪《かみ》を洗い、左手に小さな鏡を持ち、それを覗《のぞ》きながら右手で器用に日本かみそりを使って、襟《えり》あしを剃《そ》った。おぬい婆さんはそんなことをしながら二言目には忙しい忙しいと言って、

「豊橋へ行くのも楽なこっちゃない」

と口から洩《も》らした。

その夜洪作は早く寝かされた。しかし、洪作は嬉しくてなかなか寝つかれず、やっとのことで眠《ねむ》りに落ちると、あとは何回も眼覚めた。眼が覚める度《たび》に、洪作はもう起きる時刻ではないかと思って、床《とこ》の上に起き上った。

「洪ちゃ、安心して寝ていなさい」

おぬい婆さんはいつも縫物《ぬいもの》をしていたが、その度に手を休めては眼鏡《めがね》越しに洪作の方を見て言った。

洪作が何回目かに床の上に起き上った時、おぬい婆さんは呆《あき》れたような顔をして、

「寝られないのかい？　それじゃ、おまじないをしてあげよう」

そう言って彼女は戸棚《とだな》から梅干《うめぼし》を一個取り出し、それを割《さ》いて中の種を取り除いたのを、洪作の額に貼《は》りつけた。そして、

「さ、こうすれば眠れる。眼をつぶってごらん」

と言った。そのまじないが利《き》いたのかどうかは判《わか》らなかったが、とにかくそれで洪作は落ち着いて、こんどこそ完全な眠りにはいることができた。

翌朝眼覚めると、おぬい婆さんは枕許《まくらもと》でよそ行きの着物を身につけている最中であった。

「おばあちゃん、寝たのか」

洪作が床の中から声をかけると、

「寝たともさ。寝んと豊橋なんぞへ行かれるか。どうせ豊橋へ行けば、また夜具が重くて眠れんこっちゃろう。いくらおばあちゃんでも、体が堪《たま》らんからな」

おぬい婆さんは言った。彼女は豊橋の家に対して当てこすりを言っているわけだったが、しかし、その口調は決して暗いものではなかった。おぬい婆さんはおぬい婆さんで、口では何と言っていても、やはり豊橋行きは嬉しいことに違いなかった。伊豆の山村から抜け出すことは、おぬい婆さんにとっても何年ぶりかのことであった。

洪作が顔を洗っていると、上の家から祖母《そぼ》のたねがやって来た。祖母はめったに土蔵

の中へはいったことはなかったが、この朝は土蔵の二階まで上って来て、朝食の支度《したく》を手伝ったり、洪作によそ行きの着物を着せてくれたりした。

出発は十時の馬車ということになっていた。九時頃になると、土蔵の周りに近所の人たちが集って来た。上の家からも祖母のほかに祖父や、さき子や、みつがやって来た。大抵《たいてい》の人が何か豊橋の家へ託《たく》すために、風呂敷包《ふろしきづつ》みか紙包みを持って来た。中身は小豆《あずき》とか、干椎茸《ほししいたけ》とか、わさびとか、そんなものに決っていた。みんな持って行くことはできないので、おぬい婆さんはそのうちの一部を荷物に作り、他はみんな戸棚の中にしまった。

子供たちも多勢集って来ていた。子供たちはみんな洪作を遠巻きにして、妙《みよう》によそよそしい顔でねめつけていた。洪作が都会へ行くということで、それに対する羨望《せんぼう》と好奇《こうき》心《しん》が、彼等に疎遠《そえん》な態度をとらせているのだった。

「しゅっ、しゅっ、トンネル出たら、おや、まっくろけのけ」

幸夫が変な節で謳《うた》うと、みんなそれにつられたように、〃おや、まっくろけのけ。おや、まっくろけのけ〃とそれぞれでたらめな節をつけて叫《さけ》んだ。しゅっ、しゅっ、しゅっというのは汽車が蒸気を噴《ふ》き出す音で、まっくろけのけというのは、煤煙《ばいえん》で顔が真っ黒になってしまうぞという意味であった。

十時三十分前頃《ころ》になると、おぬい婆さんと洪作を先頭に立てた一団は、ぞろぞろと坂を降って馬車の駐車場《ちゅうしゃじょう》へと向った。駐車場には既《すで》にいつでも出発できるように支度を整えた馬車が待機しており、馬車曳《ひ》きの六さんという老人が、馬の鼻面《はなづら》の横に立って、いつでも出発五分前の喇叭《らっぱ》を吹《ふ》くことができるように待機していた。

子供たちは、駐車場に来た時にはいつもそうするように、六さんの周りに集り、あわよくば六さんに替《かわ》って自分たちが喇叭を吹かして貰《もら》う幸運に浴そうと、六さんの顔をじっと見守っていた。六さんは時には気まえよく、

「われ、吹いてみな」

と言って、喇叭を差し出すことがあった。しかし、そうしたことは六さんが余程《よほど》機嫌《きげん》のいい時で、大抵《たいてい》は無愛想《ぶあいそう》に、

「どいた、どいた」

と言って、子供たちを押しのけ、さっと御者台《ぎょしゃだい》に飛び乗り、車体の庇《ひさし》から紐《ひも》で吊《つ》り下げられてある喇叭を取って口に当てた。子供たちは落胆し、諦《あきら》め、そして馬車と一緒に駈け出すことで自分たちを慰《なぐさ》めるのが常だった。

この朝の乗客は、洪作、おぬい婆さんのほかは、隣部落へ行く村の男たちが二人きりであった。定員六人の馬車であるから、四人ならゆっくりと席をとれるわけで、見送りに来た近所のお内儀《かみ》さんたちは、自分のことのようにみんな、よかったよかったと言った。乗客が六人あって満員になると、小さい箱の中は文字通り膝《ひざ》つき合わせることにな

り、身動きできない程の窮屈《きゅうくつ》さであった。

この日のおぬい婆さんは、洪作の眼にも立派に品よく見えた。都会へ行っても、決して見劣《おと》りのするようなことはあるまいと思われた。

「昔は、こうして年に三回も四回も東京へ芝居を観《み》に行ったもんじゃ。金を持って行ってばら撒《ま》くんだから、これほど気持のいいことがあろうかさ」

馬車の出発を待っている間に、おぬい婆さんはそんなことを言った。実際そうしたことがあったに違いなかったが、聞く方の側にとっては、それは気持のいいことではなかった。二、三人の女がいっせいに横を向き、一人は舌を出した。上の家の祖母だけが、神さまのような顔をして、

「ほんとにな」

とか、

「そうだとも、そうだとも」

とか相槌《あいづち》を打って、おぬい婆さんの話の相手をしていた。

六さんの吹く喇叭が鳴り響《ひび》いた。洪作はあわてて第一番に馬車に乗り込んだ。それに続いて幸夫と為吉が乗り込んで来て、洪作の体をつっ突《つ》くと、すぐ御者台から降りた。幸夫はそんなことを二、三回繰《く》り返したので、六さんに叱《しか》られて頭を掻《か》いた。

二度目の喇叭が鳴ると、三人の大人たちも乗り込んで来た。さき子が窓の外から洪作

に声をかけた。

「洪ちゃ。いいね、汽車に乗れて。嬉しがって宿題やらなかったらだめよ。二学期には一番にならなければ」

それを聞いたおぬい婆さんはちょっと表情を固くしたが、さすがにこの場合は聞かんふりして、へらず口は叩《たた》かなかった。

「じゃ、みなさん」

そう言っておぬい婆さんは洪作の肩揚《かたあげ》のところを摑《つか》んで引っ張り、自分と一緒に並《なら》んで立たせた。それと同時に馬車は動き出したので、二人は反動で大きくよろめいた。おぬい婆さんは両手を大きく泳がせて、すんでに倒《たお》れるところを男の客の手に支えられた。洪作の耳には、子供たちの喚声《かんせい》が車輪の音と一緒に聞えていた。大人たちの一団はみな手を振《ふ》り、子供たちは馬車と共に駈け出していた。先頭の幸夫の歯を喰《く》いしばっている顔が、すのこ橋の袂《たもと》まで馬車のすぐうしろについていたが、そこで彼は馬車との競走を打ち切った。洪作の眼の中で、大人たちの姿は小さくなって行った。御者の六さんは、すのこ橋までの十五、六間程の間、喇叭を吹きながら馬に鞭《むち》をくれたが、橋を渡《わた》り切ると喇叭を手から離《はな》し、手綱《たづな》をゆるめて馬の歩調をゆるくした。橋のところから道は大きくカーブを切っており、市山部落の茂みにはいるまで、見送りの人たちの姿は小さく見えた。

洪作は先刻見た幸夫の顔のように、自分の顔が歪《ゆが》むのを感じていた。何かわけの判らぬ感動が胸を押しつけており、ともすれば何か大きな声を口から出しそうであった。洪作は馬車に揺《ゆ》られながら、見送りの人たちや、振り返りながら戻《もど》って行く仲間の子供たちの姿から眼を離さなかった。もはや祖母の顔も、さき子の顔も、みつの顔も、幸夫の顔も見分けはつかなかった。小さい手が二、三本上ったのを最後に、それらの人々の姿は洪作の視野から完全に消えた。馬車は早くも市山部落の真ん中を貫《つらぬ》いている下田街道のゆるい傾斜を走っていた。

洪作は御者台のすぐ背後に席を取っていたので、馬の逞《たくま》しい臀部《でんぶ》の筋肉が眼の前で大きく揺れ動き、それと一緒に金色に光る房々した尾が右に左に動くのが見えた。時々六さんは鞭を振り上げた。鞭は馬体の一部に音立てて振りおろされ、すぐ撥《は》ね返って朝顔の蔓《つる》のように宙で輪を描いた。

「洪ちゃ、楽だろ。歩かんでも馬が運んでくれる」

しかし、洪作にはそう言うおぬい婆さん自身の姿は、さして楽そうには見えなかった。おぬい婆さんはハンケチを三角に折ったものを襟《えり》の背に当てて、馬車の天井《てんじょう》からぶら下っている綱《つな》に両手でしがみついていた。

市山部落はまたたく間に過ぎ、この間伯父の石守森之進が、「おまえの父親がここで溺《おぼ》れた」と教えてくれたさがさわ橋を渡った。門野原の部落にはいり、石守家の生垣《いけがき》と土蔵が遠くの山裾《やますそ》に見え出した時、突然《とつぜん》街道の真ん中へ一人の女が出て来て両手を拡《ひろ》げた。馬車は停《と》まった。

すると女の人は馬車の横手に廻《まわ》って来て、

「洪ちゃ、洪ちゃ」

と呼んだ。歯を黒く染めた伯母であった。伯母は般若《はんにゃ》の面のように口を大きくあけて笑うと、

「洪ちゃ、この間は御苦労さん。洪ちゃも忙しかったろうが、伯母ちゃんも忙しかったよ。豊橋へ行って、たんと母ちゃの乳飲んでおいで」

そう言うと、こんどはおぬい婆さんの方に、

「なんにも上げられるもんがないんで、これ持って来た。町に住んで贅沢《ぜいたく》に慣れているんでこんなもの食べんかも判《わか》らんが、食べんかったら、洪ちゃ、ごみ箱へでも棄《す》てるこっちゃ」

あとの半分は洪作に言った。

再び馬車は動き出した。おぬい婆さんは受け取った紙包みを手の上に載《の》せて重さを計るように二、三度上下させてから、

「そば粉、二百匁《もんめ》。――洪ちゃ、覚えておいといてくれ。あとでつけんならん」

と言った。

「そば粉？　どれ」

先刻おぬい婆さんの体を支えた男の客が手を出した。そして彼もまたおぬい婆さんと同じようにそれを手に載せて上げ下げしてから、

「はったいの粉だな、これ。はったいの粉百五十匁じゃ。二百匁はあるまい」

と言った。洪作はそば粉でもはったいの粉でもどちらでもよかったが、門野原の伯母が折角《せっかく》くれたものを、おぬい婆さんが二百匁と読んだのに、それをその男が百五十匁に訂正《ていせい》したことが腹立たしく思われた。

馬車は門野原を過ぎると、竹藪《たけやぶ》の横の小さい橋を渡って月ヶ瀬部落へはいった。ここには二軒親戚《しんせき》があり、二軒共街道に沿って家を持っていた。一軒は造り酒屋で、一軒は農家であった。農家の方は洪作の父の姉が嫁《とつ》いだ先であった。ここでも伯母が待ち構えていて、道へ飛び出して来た。この伯母は女としては背の高い方であった。

「洪作。お父さんやお母さんに会ったら、よろしく言っておくれよ」

伯母は馬車の中に首を突《つ》っ込むようにして言った。それからおぬい婆さんに向って、

「御苦労さんなこってす」

と軽く頭を下げた。洪作はこの伯母がいつも自分を呼び棄てにすることに釈然《しゃくぜん》たらぬ思いを持っていた。まだ二、三回しか会ったこともないのに、どうして伯母さん風を吹《ふ》かせるのだろうと思った。馬車が動き出す時、伯母はわざわざ御者台の方へ廻って、

「洪作、これ持って行きな」

と言って、白紙で捻《ひね》ったものを差し出した。馬車が動き始めてから、洪作はそれをおぬい婆さんに渡した。

「十銭玉だろう」

おぬい婆さんが言うと、先刻とは別の男が、

「五銭ずら」

と言った。開けてみると十銭玉だった。

「洪ちゃ、覚えておきな。後でつけにゃならん」

おぬい婆さんは十銭玉を財布《さいふ》へしまった。

馬車は月ヶ瀬を過ぎると、ずっと狩野川に沿って走り、青羽根《あおはね》部落へはいった。ここには小学校と郵便局があった。この二つがあるということで、青羽根は洪作の頭の中で特殊《とくしゅ》な文化的な匂《にお》いを持った部落として映っていた。その他《ほか》に湯ヶ島にはない自転車の修繕屋《しゅうぜんや》と肉屋もあった。そんなことで多少緊張《きんちょう》させられた洪作を乗せて、馬車は青羽根部落をゆっくりと通過した。そして青羽根を出たところから、御者は腰を浮かせて馬に鞭を当てた。

馬車は次の出口《でぐち》部落の駐車場まで、街道をまっしぐらに休みなく駈けた。ここで馬車は初めて停って、六さんは御者台から降りて馬に水を与えた。老婆が盆《ぼん》の上に茶碗《ちゃわん》と土《ど》

瓶《びん》を載《の》せて持って来、それからまた別の盆に駄菓子を載せて運んで来た。みんな茶を飲みながら駄菓子をつまんだ。男たちもおぬい婆さんも、六さんが御者台に乗り込んで来ると、それぞれ銅貨を二、三枚ずつ盆の上に置いた。

ここからあとの部落は、洪作の名前を知らない部落が多かった。街道の左手に見えたり隠《かく》れたりしている狩野川は、湯ヶ島部落を流れている時より約二倍ほどに川幅《はば》を拡《ひろ》げ、磧《かわら》を右や左に抱《いだ》いていた。洪作は大きな石のごろごろしている湯ヶ島附《ふ》近《きん》の狩野川の方が、狩野川らしくて好きだった。馬車の終点である大仁《おおひと》部落へはいる手前で、馬車は大仁橋という大きな橋を渡った。この橋の下はよく身投げがあるということで有名なところであった。馬車の上から覗《のぞ》いて見ても、橋の下の淵《ふち》はどんよりと濃《こ》い緑色を呈《てい》していて、流れはなく、見るからに不気味であった。

大仁へはいると、ここは洪作にとっては全くの異郷であった。湯ヶ島の新道より賑《にぎや》かな通りがかなり長い間続いており、湯ヶ島の子供たちよりずっと都会風な顔を持ち、そしてもっときれいな服装をしている子供たちが、路傍《ろぼう》に立っているのが見えた。映画館もあり、商店には店先にのぼりのような旗を出しているところもあった。

やがて馬車は終点の大仁駅前で停った。ここから軽便鉄道が、伊豆半島の基部にある三島町へと走っていた。四人の乗客は馬車から降りると、駅の小さい待合室へはいって、それぞれほっとしたようにベンチへ腰を降し、長いこと口をきこうともしなかった。四時間というものの馬車に揺られ続けて来たので、すっかり疲《つか》れ果てて、誰《だれ》も口をきく元気はなくなっていた。

「坊、お弁当食べるかい」

おぬい婆さんは下駄を脱《ぬ》いでベンチに横たわっていたが、ふと気が付いたように洪作の方へ声をかけた。

「ううん」

洪作は首をふった。

「じゃ、軽便へ乗ってからにしよう。そのうちに胸もよくなるずら。六さんの馬車は酔《よ》うと聞いていたが、ほんとに酔ってしまった。馬車屋のぶきっちょなのにも困りもんじゃ。これからは軽便だから、もう楽なもんじゃ」

おぬい婆さんは馬車に酔って、本当に蒼《あお》い顔をしていた。男たち二人も同じように酔ったのか、いつかベンチに仰向《あおむ》けに横になっていた。軽便の発車までには二時間あったので、ゆっくりそこで休めるわけだった。

洪作は少しも疲れていなかった。空腹を感じないのは疲労のためではなく、大仁という軽便鉄道の発着する部落へ来たための昂奮《こうふん》からであった。洪作は待合室の出入口から、駅前の広場を隔《へだ》てて向うに何軒か並《なら》んでいる店舗《てんぽ》を見て、それに眼を見張ったり、待合室の横手の木柵《もくさく》のところへ行って、そこから長くどこまでも田圃《たんぼ》の中を走っている二本の鉄路を倦《あ》かず見詰めたりしていた。

いよいよ軽便が動き出した時、旅情とでもいった気持が洪作の胸に忍《しの》び込んで来た。汽笛《きてき》の音にも、駅のホームにも、駅員にも、木柵にも、木柵の間から顔を覗《のぞ》かせている大仁の子供たちにも、それからまた同じ軽便に乗り合わせている客たちにも、洪作は妙《みよう》に物哀《ものがな》しいものを感じた。

「おなかすいたずら」

おぬい婆さんは立って、家で造って来た海苔《のり》巻きのすしを取り出した。それは経木《きようぎ》の上にきれいにきちんと並べられてあった。おぬい婆さんは一番端《はし》の一つをつまむと、あとを洪作の方へ差し出し、

「お食べ」

と言った。洪作は首を振った。誰も物を食べていないのに、自分たちだけが食べるのはいやだった。

「洪ちゃ、どうしたの？　朝食べただけで何も食べとらんがな」

おぬい婆さんは洪作の額に手を当て、

「えらいこっちゃ。変だと思ったら熱がある」

と言った。洪作は早速有無《さつそくうむ》を言わさず、おぬい婆さんの膝《ひざ》を枕《まくら》に座席の上に寝かされた。外の景色を見ることもできなくなった。しかし、横になっていると、洪作は次第に

眠くなってうつらうつらとした。時々眼をあけて、自分のいるところを知った。大抵《たいてい》軽便が停車した時で、箱は大きく揺れ動き、次の瞬間《しゅんかん》駅員の駅名を呼ぶ声と、扉《とびら》をがちゃがちゃ言わせて開け閉めする音が聞えた。

いつか窓外には夜が来ていた。洪作は水がやたらにほしくなった。

「婆ちゃ、水が飲みたい」

洪作はついに堪《たま》りかねて喉《のど》の渇《かわ》きを訴《うった》えた。

「水?!」

おぬい婆さんは困ったような表情をしたが、

「待ってろや。いま水を貰《もら》ってやるからな」

そう言って、軽便が次の駅に停ると、窓から顔を突き出して大声で駅員を呼び、しきりに何か言い合っていた。乗客の多勢の眼がこちらの方を向いているのが、座席に横たわっている洪作のところからも見えた。そのうちに誰が運んで来てくれたのか、水のはいった薬缶《やかん》が車内に持ち込まれて来た。おぬい婆さんはそれを受け取ると、

「さ、坊、水が来たぞ」

そう言って洪作に起きることを促《うなが》した。洪作が体を起すと、おぬい婆さんは薬缶を傾《かたむ》けてその口から洪作に水を飲ませた。洪作はやがて眠りに落ちた。朝から長く続いた昂奮状態が洪作からすっかり食慾《しょくよく》を取り上げ、その額を火のように熱くしていた。洪作は

精も根もなく疲れ果てていた。

洪作が眼を覚したのは、沼津《ぬまづ》の駅前の旅館の一室であった。洪作は自分の横におぬい婆さんが眠っているのを見て、一体《いったい》ここはどこであろうかと思った。見なれない天井《てんじょう》や襖《ふすま》を見廻《みまわ》し、もしかしたら、豊橋へ来たのではないかと思った。洪作が床《とこ》の上に起き上ると、すぐおぬい婆さんは眼を覚した。

「洪ちゃ、おなかが空いた」

洪作は空腹を訴えた。実際我慢《がまん》できない程洪作は空腹を感じていた。おぬい婆さんは洪作の額に手をやり、熱のとれていることを知ると、すっかり安心して、昼間軽便の中で出したすしを、ここでもう一度取り出した。

洪作は、深夜、寝床の上に坐《すわ》って、すしを食べた。

「ここどこ？」

「沼津だよ」

「豊橋じゃないの？」

「めっくり玉のとび出すほどの高い汽車賃出して、こんなに早く豊橋に着いて貰っては、洪ちゃ、引き合うまいが」

おぬい婆さんは言って笑った。

洪作は腹ができると、立ち上って窓のところへ行った。窓は上下へ開閉する西洋風の窓であった。その上に垂《た》れている白いカーテンをめくって、硝子《ガラス》越しに戸外を見ると、そこには人影一つない夜更《ふ》けの駅前の広場が閑散《かんさん》として置かれてあった。汽車の蒸気の音が、どこかで聞えている。洪作は広場の向うの大きな駅の建物に眼を当て続けていた。ここは沼津であり、人のいっぱい居る町だと思った。いま人の子一人見えないのは、深夜であるために、みなそれぞれの家で眠っているのである。

「洪ちゃ、夜と昼とを間違えられては、婆ちゃが閉口じゃ」

おぬい婆さんが言ったので、洪作は寝床へ戻《もど》った。おぬい婆さんは寝床にはいった洪作の額に手をやって、

「あれさ、また熱が出た」

と言った。洪作はその晩一晩中、うつらうつらしながら汽車の蒸気の音を聞いていた。そして、ここは沼津であり、人の多勢住んでいる町であり、そしていま自分は一日に何回となく汽車の発着する駅の前の旅館に居るのだと思った。

翌朝、八時に洪作《こうさく》は眼を覚した。おぬい婆さんは枕許《まくらもと》にきちんと坐《すわ》って、きせるに刻《きざ》み煙草《たばこ》をつめては美味《うま》そうに吸っていた。煙《けむり》は口からも鼻の穴からも出た。おぬい婆さんは蒲団《ふとん》を押えて、汽車の時刻が来るまで寝ているようにと言ったが、洪作はきせるが二度目に煙草盆《ぼん》をかちかち言わせる音を聞くと、最早じっとしてはいられなくなった。

洪作は床《とこ》を離《はな》れてすぐ窓のところへ行き、戸外を覗《のぞ》いた。昨夜覗いてみた駅前の広場には、多勢の人が歩いているのが見えた。大人《おとな》も居れば、子供も居た。信玄袋《しんげんぶくろ》を持っている人もあれば、赤ん坊を背負っている人も居た。乳母車《うばぐるま》を押している人も居れば、自転車を走らせている人も居る。広場の横手には、十台近い人力車がきちんと並《なら》んでいる。

洪作はいつまでも窓から離れないで、駅の広場に眼を向けていた。おぬい婆さんが、顔を洗いに階下へ行って来なさいと二、三回促《うなが》したが、洪作はそんな言葉を受けつける余裕《よゆう》はなかった。暫《しばら》くすると、おぬい婆さんは洗面器へ湯を汲《く》んで、コップに入れた水と一緒《いっしょ》に、それを部屋の中へ持ち込んで来た。洪作はうがいをし、口の中の水を屋根の上へ吐《は》き出した。それから洗面器の湯を片手で掬《すく》って、二、三回顔の方を動かして洗顔をした。

若い女中の手で朝食が食卓《しょくたく》の上に出されると、洪作はごくりと生唾《なまつば》を呑《の》み込んだ。卵焼き、魚の干物、海苔《のり》、そんなものが一度に眼にはいって来て、これは大変なことになったと思った。立派な椀《わん》の中で湯気《ゆげ》を立てている味噌汁《みそしる》も運ばれて来た。どれから先に手をつけるべきか、箸《はし》が宙に迷う思いだった。洪作は、こうした御馳走《ごちそう》に少しも動じないおぬい婆さんに、今更《いまさら》のように感心した。おぬい婆さんは、ごく当り前のような顔をして、箸を口に運んでいた。洪作はゆっくりと長い時間をかけて朝食を食べた。四回目に茶碗《ちゃわん》を突《つ》き出した時、おぬい婆さんは、

「いくら何でも、もうやめとき」

と言った。

「だって、まだ卵焼きが残ってる」

洪作が言うと、

「それはそれだけでお食べ。——きのうは何にも食べようとしなかったくせに、今日はまたうんとこさ食べるこっちゃ」

おぬい婆さんは半分は独り言のように言った。

洪作は食事を終ると、暫く仰向《あおむ》けに倒《たお》れた。四杯目を食べなくとも、本当に腹が張って苦しくなっていた。そんな洪作の横で、おぬい婆さんは、前以《も》って手紙で報《しら》せてあるにも拘《かかわ》らず、沼津に在る親戚《しんせき》のどこもが、まだ一人も宿へ顔を出さないことに腹を立てていた。

洪作は食べ過ぎの苦しさが癒《なお》ると、部屋から出て宿屋の玄関先に立っていた。道路の向う側にも、こちら側にも、ぎっしりと家が建ち並んでいた。時々洪作の立っている前を町の子供たちが通った。大仁《おおひと》の町の子供よりまた一層、みんな小ぎれいな恰好《かっこう》をして、下駄や草履《ぞうり》を履《は》いていた。洪作もよそ行きの下駄を履かされて来たのだが、履きなれないものを履いたので、早くも鼻緒《はなお》ずれができて、足指が痛くなっていた。藁草履《わらぞうり》の方がずっと軽くて履きよかった。街の子供たちはふだんもよそ行きのようなものを履いているのであろうかと洪作は思った。

子供たちが通る度《たび》に、洪作は顔を俯向《うつむ》けた。何となく相手の顔や姿を見守ることがためらわれた。顔立ちも、着ている着物も、歩き方も、何もかも相手に及《およ》ばないものを感じた。町の子供たちの言葉は、はきはきして心地よい、明るい響《ひび》きを以って洪作の耳に聞えた。

洪作はすっかりひけめを感じて、再び宿の内部へ引っ込んでしまった。自分の部屋へ戻《もど》ると、おぬい婆さんは見知らぬ女客と話していた。三十五、六歳の痩《や》せた女の人であった。洪作の眼にも、その女の人の服装は立派に見えた。その人は振《ふ》り返って洪作を見ると、

「洪ちゃかえ」

と言った。声が静かで美しかった。

「うん」

むっつりと洪作は返事をした。するとおぬい婆さんが、

「洪ちゃ、いい、かみきのおばさまじゃぞ」

と言った。

彼女は大きな桐《きり》の菓子箱を紫色のちりめんの風呂敷から取り出すと、それをおぬい婆さんの方へ差し出し、

「よろしく言っておくんなされ」

と言った。

「はい、どうもそれはご丁寧《ていねい》さまに。ご心配おかけしまして」

おぬい婆さんは、いくらかかみきのおばさんなる人物には気圧《けお》されているのか、いつも程《ほど》意気が上らなく見えた。終始言葉少なにしていたおぬい婆さんは、かみきのおばさんが帰って行くと、

「いくら物持ちでも、あれじゃ家は潰《つぶ》れる」

と言った。そして、洪ちゃは大きくなってもあんな嫁《よめ》を貰《もら》うじゃないぞと真面目《まじめ》な顔をして言った。

「お嫁さん？　いまのおばさんが」

洪作が訊《き》くと、

「いまはおばさんだが、あれでも嫁さんだったことだってあるずらよ。あの年であんなじょべじょべしたべべ着ているようじゃ、ろくなことはあるめえ」

おぬい婆さんが口を閉じた頃、こんどは中年の夫婦者の客がはいって来た。洪作の全然知らない人物で、おぬい婆さんの遠縁《とおえん》に当る人らしかった。女の人の方は洪作のことを、

「洪ちゃ」

と呼んだが、男の方は、

「洪坊」

と言った。洪坊という呼び方をされたのは初めてのことだったので、洪作は何となくくすぐったい気持だった。

夫婦者が包みの中から菓子折を出すと、おぬい婆さんは門野原から貰った豊橋への土産物を、彼等に与えた。そして別に金を紙に包んで二人の前へ押しやるようにした。二人は固辞してなかなか受け取らなかったが、結局は男がそれを押しいただくようにして懐中《かいちゅう》へしまった。

一時間ほどしてから、おぬい婆さんと洪作は宿を引き払《はら》って駅へ向った。夫婦者が駅のホームまで見送って来た。洪作は駅へはいった時から汽車へ乗るということで昂奮《こうふん》していた。おぬい婆さんや見送りの夫婦者が何を話しかけても返事をしなかった。洪作は自分が何を言われたのか判《わか》らなかった。

やがて、きのう大仁から乗った軽便とは較《くら》べものにならない大きな怪物《かいぶつ》のような乗物が、地響《じひび》きをたててホームへ滑《すべ》り込んで来た。おぬい婆さんは洪作の手を握《にぎ》り、決して離《はな》してはいけないと言った。荷物は夫婦者が窓から入れてくれることになったが、洪作は果してうまく窓から荷物が入れられるかどうか不安な気持だった。それで洪作はおぬい婆さんに引き立てられながらも、荷物の方へ気を取られていて、汽車の上り口のとこ

ろで足を滑らせて膝《ひざ》をついてしまった。汽車へ乗り込んでから、おぬい婆さんは洪作の足許《あしもと》を見詰め、

「洪ちゃ、下駄はどうした？」

と言った。言われて初めて洪作は自分の足許に眼を落してみたが、なるほど足は両方とも下駄を履いていなかった。

おぬい婆さんはいきなり窓から首を突き出すと、大きな声で、

「下駄、洪ちゃの下駄！」

と騒《さわ》ぎたてた。洪作はそんなおぬい婆さんの態度が周囲の人たちに対して恥《は》ずかしかった。洪作がちらりと眼に収めた範囲《はんい》内だけでも、都会人らしい人が何人も居《い》て、いっせいに自分たちの方に好奇《こうき》の眼を向けているのが見えた。間もなく見送りの夫婦者が洪作の下駄を二つ揃《そろ》えて持って来て、荷物と一緒《いっしょ》に窓から入れてくれた。片方はホームに、片方はデッキの階段に落ちていたということであった。

「よかったぞ、洪ちゃ。そら」

おぬい婆さんは礼も言わずにそれを受け取ると、屈《かが》み込んで洪作の足許に置いた。それから自分は座席に下駄を脱《ぬ》いで坐《すわ》り込むと、やれやれという風に衿元《えりもと》をゆるめて団扇《うちわ》を使いながら、初めてゆっくりとホームの二人に眼をやり、

「喧嘩《けんか》せんとやんなされよ。何事も辛抱《しんぼう》、辛抱」

と言った。すると女の方が、

「そうだとも、よく聞いておき。何事も辛抱、辛抱」

と、自分の夫の方へ同じ言葉を繰《く》り返した。男は頭を掻《か》いて舌を出し、女の腰のあたりをちょっとつついた。

「あれ」

女はそんな声を出して、男を打とうとした。男は素早く飛びのいたが、そうした男女の様子が、妙《みょう》になまめかしく、気恥ずかしく洪作の眼には映った。

列車が動き出して、ホームの男女との距離《きょり》が開くと、

「ばかもんめが」

おぬい婆さんは言いながら、それでも窓から手を出してハンケチを振《ふ》った。そして長いことそれを振り続けていたが、やがて手を引っ込めると、こんどはそのハンケチを三角に畳《たた》んで自分の衿にかけ廻《まわ》した。

「洪ちゃ、もうこうなりゃ占《し》めたもんじゃ。一足も歩かんでも、汽車が豊橋へ運んでくれる。有難《ありがた》いこっちゃ。極楽《ごくらく》じゃ」

おぬい婆さんはいかにも吻《ほっ》としたような表情で言った。洪作はおぬい婆さんに倣《なら》って、自分もまた座席の上に坐った。坐り心地はそういいものではなかったが、そうするものだと思った。四人向い合せの座席がすっぽり空いていたので、荷物を網棚《あみだな》に載《の》せなくて

もゆっくり二人で占領《せんりょう》することができた。

「それにしても、ここまでくるの大変じゃったな、洪ちゃ」

話し相手が他にないので、おぬい婆さんはやたらに洪作に話しかけて来た。洪作も本当にここまで来ることは大変だったと思った。湯ヶ島を発ったのは昨日の朝だったが、それが洪作には何日も前のことのように思われた。上の家の祖父母やさき子、それから幸夫、芳衛、亀男たちと別れてからずいぶん長い時日が経っているような気がする。

洪作はそんなことを思いながら窓の外へ顔を向けた時、ふいに眼の前に立ちはだかっている大きな富士山を発見して驚いた。富士山に違いなかった。湯ヶ島で何時《いつ》も見ているのとは大きさがまるで違っていた。

「あ！　こんなとこにも富士があらあ」

洪作は叫んだ。すると周囲から笑声が起った。通路を隔《へだ》てた向う側に若い女たちが四人坐っていたが、みんな洪作の方を向いて笑った。洪作は恥ずかしかったので、すぐ窓の方を向いた。そして、どうして自分の言葉が女たちを笑わせたのであろうかと思った。自分の田舎《いなか》言葉がおかしかったのか。洪作には笑われた理由が判らなかった。

おぬい婆さんは団扇を使ったり、煙草を喫《の》んだり、窓から飛び込んで来る煤煙《ばいえん》を払《はら》ったり、絶えず体を動かしていた。洪作の着物に降りかかる煤煙をも、時々手拭《てぬぐ》いではたいてくれた。洪作は窓の方を向いたまま、体を動かさなかった。自分の眼の前を次々に未知の風景が飛んで行くので、見倦《あ》きるということは少しもなかった。

汽車が新しい駅へ停《と》まる毎《ごと》に、おぬい婆さんは小さい手帳と鉛筆を取り出して、洪作に駅名を記入するように命じた。洪作は言われるままに、ハラとか、スズカワとか、看板に書いてある駅名を書き写した。大きな川の名前も書かされた。豊橋へ行くまでに、富士川、安倍川、大井川、天竜川という四つの大きな川を越えるということは、湯ヶ島で毎晩聞かされていたので、洪作はそれらの川がいかに大きいかを自分の眼で確めることが楽しみだった。

最初に渡《わた》ったのは富士川だった。川幅《はば》は広かったが、その大部分は磧《かわら》が占めていて、水の流れている部分はほんの僅《わず》かだった。なんだ、こんな川か、と洪作は思った。水の流れの中に裸《はだか》の子供たちの姿が見えたが、洪作はそうした子供たちを軽蔑《けいべつ》した。狩野川のへい淵やおつけの淵で泳いでいる自分たちの方が、余程《よほど》位が上のような気がした。

「富士川なんて、浅い川じゃないか」

洪作がばかにしたように言うと、

「なんの、浅いことがあろうかの」

おぬい婆さんは富士川に味方した。

「へい淵の方がよっぽど深いや」

洪作が抗議《こうぎ》すると、

「ばかもん、較《くら》べものになるかや。富士川に較べれば狩野川なんて川のうちにはいらん。こんど見ていなさい。すぐ大井川がやって来るから」

おぬい婆さんは言った。その大井川はなかなかやって来なかった。汽車は駅々にゆっくり停車し、充分《じゆうぶん》休養を取り、これでもう一人の乗り残しもないと判《わか》ってから、おもむろに汽笛《きてき》を響《ひび》かせて発車した。

列車が静岡駅へはいると、いろいろなものを箱に詰めた売子がホームを往き来した。おぬい婆さんはここで弁当とお茶を買った。洪作は静岡という町は懐《なつか》しい気がした。いかなる町並《まちなみ》を持つ街であり、自分たちがそこのいかなる家に住んでいたか全く記憶《きおく》になかったが、それにしても曾《かつ》て自分が一年半という歳月《さいげつ》を送ったところだと思うと、それだけで特別の親しみがあった。駅の売子にも、駅員にも、洪作は他人でないものを感じた。

洪作は手帳に「シズオカ」と書き、その下に「アベカワモチ」と書かされた。アベ川餅《もち》がここの名物だということで、そう書いたのであった。おぬい婆さんはしかし、それを買おうとはしなかった。

「帰りのおたのしみじゃ」

そんな風に言った。汽車が静岡を出て、洪作が駅弁を開こうとした時、

「安倍川じゃ、安倍川じゃ」

おぬい婆さんは叫んだ。汽車はごうごうと音を響かせて鉄橋の上を走っていた。安倍川もまた、洪作には狩野川より小さく見えた。

「な、大きかろうに」

おぬい婆さんは言った。そして、

「さ、忘れんうちに、書いておきなさい」

と洪作を促《うなが》した。洪作は手帳を拡《ひろ》げて、「シズオカ」の隣《となり》に「アベ川」と書いた。弁当を食べ終ると、おぬい婆さんは手拭いで顔半分を包み、

「おばあちゃんは暫《しばら》く眠《ねむ》るからに」

と言った。洪作はどうしておぬい婆さんが手拭いで顔半分を包むか判らなかったが、多分煤煙が口の中へはいるのを防ぐためであろうと思った。

おぬい婆さんが寝込んだあとも、洪作は一人で手帳へ駅名を次々に書き込んで行った。洪作も途中から眠くなったが、駅名を書き込まなければならぬので眠るわけには行かなかった。もう汽車の窓から見る風景にも珍しいものは感じなかった。同じような田園や丘が、同じような間隔《かんかく》をもって向うからやって来ては、うしろに飛び去って行くだけだった。駅も静岡のような大きい駅はなく、どれも同じようなものであった。

掛川で、それまで二人で占めていた席へ、中年の肥《ふと》った女客が割り込んで来た。彼女は座席に置いてあった洪作たちの荷物を網棚《あみだな》に載《の》せ、自分の荷物をその横に並《なら》べて置い

た。洪作は女が無断で自分たちの荷物を動かしたことで、その女にうさん臭《くさ》いものを感じた。もしかしたら、掏摸《すり》ではないかと思った。おぬい婆さんがぐっすり眠り込んでいるので、洪作は自分が彼女に替《かわ》って監視《かんし》していなければならぬ気持であった。

「坊や、これあげる」

女の人は座席へ腰《こし》をおろすと、にこにこして菓子の紙包みを洪作の方へ差し出して寄越した。洪作は黙《だま》ってそれを受け取ったが、相手がうさん臭そうな女なので、これは食べない方が安全だと思った。もしかすると毒でもはいっているかも知れない。それでなくて、どうして一面識もない女の人がこのようなものを自分にくれるであろうか。

「おあがりよ、坊。食べてもいいのよ」

女の人は言ったが、洪作はその手には乗るものかと思った。女の人は洪作が相手にならないので、喋《しゃべ》ることはやめて窓の方へ顔を向けていたが、そのうちに眼をつむり、彼女もまた眠りの中にはいってしまった。彼女は眼を瞑《つむ》ったと思うとすぐ口をだらしなくあけて、正体なく眠り込んでしまった。額からも、襞《ひだ》のよった肥った首筋からも、玉の汗《あせ》がいっぱい噴《ふ》き出している。洪作はそうした女の顔を見ているうちに、自分もまた眠りに誘《さそ》われて、いつか知らないうちに眠り込んでしまった。

「坊、天竜川じゃ、天竜川じゃ」

おぬい婆さんの声で洪作は眼を覚した。なるほど汽車は、今まさに天竜川の鉄橋にかかろうとしているところだった。洪作はあわてて窓にしがみついた。この川もまた川幅《はば》は狩野川の何倍かあったが、青い水の流れは広い磧《かわら》の端の方を、細い帯のように流れているだけであった。やっぱり自分たちの泳いでいる狩野川の方が大きくて深いに違《ちが》いないと洪作は思った。

洪作が欠伸《あくび》をして視線をおぬい婆さんの方へ移すと、おぬい婆さんは膝《ひざ》の上に菓子包みを拡《ひろ》げて、そこにはいっていた煎餅《せんべい》の一枚を食べていた。洪作は自分の周囲を見廻《まわ》したが、先刻貰《もら》った筈《はず》の菓子包みは見当らなかった。

さあ、大変なことになった！　と洪作は思った。前の席を見ると、先頃《さきごろ》掛川から乗り込んで来た女客は、彼女もまたおぬい婆さんと同じように煎餅を食べていた。いつ親しくなったのか、二人は笑いながら話に夢中になっている。洪作は思わず網棚の上を見上げた。荷物は先刻女の人が並《なら》べた通り、ちゃんとそこに置かれてあった。しかし、洪作の疑念は消えたわけではなかった。

「ばあちゃ、それ、坊が貰ったお菓子か？」

洪作は念を押して訊《き》いた。

「そうさ、坊もいただき」

洪作は差し出された紙包みを押しやって首を振《ふ》った。洪作は毒がはいっているかも知れないということをおぬい婆さんに伝えたかったが、女の人が正面から見ているので、それを告げることはできなかった。

「食ベン方ガイイノニナ、食ベン方ガイイノニナ」

洪作は窓の方を向きながら、そんなことを唄《うた》うように言い続けた。

次の駅に汽車が停《とま》った時、洪作は駅名を記《しる》すために手帳を開けた。自分が眠っている間に幾《いく》つ通り過ぎたか判《わか》らなかったが、とにかく間隔《かんかく》を少しあけて置こうと思った。鉛筆を握《にぎ》った時、洪作はそこに自分の筆跡《ひっせき》でない異《ちが》った字を見出《みいだ》した。先刻の続きに、おぬい婆さんの手でちゃんと駅名が書き込まれてあるのであった。列車が浜名湖を渡り終えた時、

「坊や、もう直《じ》きですよ」

と、女の人は言った。おぬい婆さんが自分たちの下車するところを伝えたものらしかった。おぬい婆さんは煎餅をぼりぼり食べながら、ずっと女の人と話をしていた。女の人は鞄《かばん》を網棚から降すと、鞄の中からこんどは小さい箱を取り出して、

「これ、上げましょう」

と言って、洪作の方へ差し出した。煙草《たばこ》の箱を二つ合せたぐらいの大きさの箱で、箱の表の方がハート型にくりぬかれ、そこにセルロイドがはめられてあって、内部が透《す》き徹《とお》って見えるようになっていた。内部には赤や青のいろいろな色をした小さい菓子が詰まっていた。

「ゼリビンズよ。食べてごらんなさい。おいしいから」

女の人はまた言った。洪作はゼリビンズというような名前の菓子を見るのは初めてであった。それにしても、どうしてこの女の人は自分にこんなものをくれるのであろうか。洪作は手渡《てわた》された菓子の箱を、おぬい婆さんの方へ渡したが、すぐまたそれを取り返した。おぬい婆さんが箱を開けて食べかねないと思ったからである。煎餅はあたらなかったが、この方はあたりそうな気がした。

ゼリビンズをくれると間もなく、女の人は次に停った小さい駅で降りた。降りる時、彼女はおぬい婆さんに丁寧《ていねい》に挨拶《あいさつ》し、洪作の頭を撫《な》でて、それから鞄を持って席を立って行った。洪作は女に触《さわ》られた頭を自分の手で撫で直し、

「あの人、悪い人かも知れん」

と、おぬい婆さんに言った。

「何言っとる。いろんなものを貰っといて、ええ人じゃがな」

おぬい婆さんは言うと、洪作の手からゼリビンズの箱を取り上げ、それを暫《しばら》くねめ廻《まわ》していたが、

「洪ちゃ、食べるか」

「ううん」

おぬい婆さんは、それを小さい手提袋《てさげぶくろ》の中に入れた。洪作は怪《あや》しい女の降りた駅の名

を手帳に書き込んだ。鷲津《わしづ》という名前の駅であった。この頃《ころ》から洪作はすっかり汽車の旅に倦《あ》きてしまった。座席から降りて、通路を歩いたり、向う側の空いている席へ行って、そこに坐《すわ》ってみたりした。そして列車が停《とま》ると、手帳に書き込むために、あわてて窓から首を出して駅名を探した。

女の人が降りてから二つ目か三つ目の駅へ汽車が停った時、洪作は駅員が「豊橋、豊橋」と叫《さけ》んでいるのを耳にした。駅名を記してある表示板が丁度、洪作の顔を出している窓の前にあった。そこにも「とよはし」と記されてあった。

「おばあちゃん、ここ豊橋じゃないか」

洪作は訊《き》いてみた。

「どれ」

おぬい婆さんは顔を窓へ向けたが、いきなり、

「あれさ、まあ、豊橋じゃが」

と言うと、あとは「洪ちゃ、洪ちゃ」を連発してあわて出した。近所の席の人が二人立って来て荷物を降してくれたり、おぬい婆さんの下駄を探してくれたりした。大騒《おおさわ》ぎして、おぬい婆さんと洪作の二人がホームへ降り立つと、そこへ何人かの女の人が近寄って来た。洪作はそのうちの一人が母であることをすぐ見て取った。母だと思った瞬間《しゅんかん》、洪作はおぬい婆さんの背に匿《かく》れるようにした。そして更《さら》にもっと完全に自分

の身を匿すところはないかと、あたりを見廻《まわ》した。

洪作は母に眼を当てたまま、息をころしていた。そこに立っている母は、敵であるか、味方であるか、判らなかったが、とにかく、自分にとっては特殊《とくしゅ》な女性であることだけは明かであった。どのように特殊であるかは判らなかったが、ひと眼見て、自分が母だと直感するほど、それは特殊な女性であった。

「よく来てくれました。疲《つか》れたでしょう」

「なんの」

「さぞ大事《おおごと》だったことでしょうね。何年かぶりで田舎《いなか》から出て来るんだから」

「なんの」

母は笑顔を見せていたが、おぬい婆さんの方は早くも、敵地へ一歩踏《ふ》み込んだ昂奮《こうふん》と警戒心《けいかいしん》とを、その表情にも、その短い言葉にも現していた。

「洪ちゃは?」

母の声が聞えた時、洪作は自分の横を通り過ぎようとしている一団の降車客の間に紛《まぎ》れ込んで、そのまま母やおぬい婆さんの居るところから離《はな》れた。どこか母の眼の届かないところへ匿れてしまいたかった。母と言葉を交《かわ》すことは恥《は》ずかしくていやだったし、母の眼の前に自分を曝《さら》すこともいやだった。出来ることなら誰《だれ》にも気付かれないで、遠くから母という特殊な女性の様子を見守っていたかった。

「洪ちゃ！」

はっきりとおぬい婆さんのそれと判る声が、ただならぬ響《ひび》きで聞えた時、洪作は前を行く何人かの人の間を縫《ぬ》って、更に前方へと足早に歩いた。人の間に挟《はさ》まったまま、洪作は改札口を脱《ぬ》けた。沼津の駅前の広場よりもっと大きい広場が、洪作の眼にはいっていた。改札口から吐《は》き出された客は、広場に出ると、思い思いの方向へ散漫《さんまん》な散り方で散っていた。陽《ひ》はかげっていた。広場の隅《すみ》に数軒並《なら》んでいる小屋掛《が》けの氷屋の旗が神経質に風にはためいている。洪作は、自分を初めて襲《おそ》って来た理由のない孤独《こどく》な思いの中に立っていた。悲しくて淋《さび》しかった。

洪作は一人で駅から出てしまったので、さすがに不安な気持に襲われた。改札口からはまだ降車客が列を作って次々に出て来ていた。洪作はその方へ眼を向けていた。そのうちに、洪作はおぬい婆さんが、眼を八方に配りながら、改札口のところを抜けて来るのを見た。

「洪ちゃや、洪ちゃや！」

おぬい婆さんは改札口を出ていくらも歩かないところで立ち停ると、いきなり、洪作がいままで一度も耳にしたことのない唄うような奇妙《きみよう》な節をつけて洪作の名を呼んだ。

「洪ちゃや、洪ちゃや！」

再び同じ口調で、おぬい婆さんは叫《さけ》んだ。洪作は多勢の人々に見られているような気がして恥《は》ずかしかったので、おぬい婆さんの眼にはいらない場所へ匿れようとした。次の瞬間、おぬい婆さんのすぐ傍《そば》に、母の七重《ななえ》が現れて、これも眼を八方に移しながら真《しん》剣《けん》な顔で立っているのを洪作は見た。

「洪作、洪作！」

　母は呼んだ。母の声は、おぬい婆さんの声に較《くら》べるとずっと若々しく、鋭《するど》く響いた。洪作は抵抗《ていこう》し難《がた》い力に引き摺《ず》られるような形で、母の方へ歩いて行った。洪作の姿を認めると途端《とたん》に、おぬい婆さんは、

「おお、洪ちゃ！」

と顔全体を綻《ほころ》ばせ、安堵《あんど》の色を満面に浮《うか》べながら、

「心配かけるでないぞ、洪ちゃ。心配かけると、母ちゃに怖《こわ》い顔されるぞ」

と言った。実際にその時、洪作には母の顔が怖く見えた。母は、

「洪作、だめよ。一人で勝手に歩き廻《まわ》っては。ここは伊豆の田舎《いなか》と違《ちが》うからね」

と言った。その言葉は洪作には険《けん》のあるものに聞えた。

「うん」

洪作が返事をすると、

「はいとおっしゃい」

母は訂正《ていせい》した。

「うん」

洪作はまた同じ返事をしてそのことに気付くと、あわてておぬい婆さんの袂《たもと》を摑《つか》んだ。母が人力車を呼びに行っている間に、洪作は急に楽しさが消えて、湯ヶ島へ帰ってしまいたいような気持に襲われた。とんでもないところへ来てしまったものだといった気持だった。

「おばあちゃん、湯ヶ島へ帰ろうよ」

洪作はおぬい婆さんの袂を左右に振《ふ》った。

「何を言うか、折角《せつかく》生みの親のところへ来たというのに」

おぬい婆さんは言った。

母の七重は二台の人力車を呼んで来た。洪作はおぬい婆さんと一緒《いつしよ》のくるまに乗り、母の七重は荷物と共に別の一台に乗った。母と一緒に来ていた女中は歩いて帰ることになった。洪作はくるまの上で、おぬい婆さんの股《また》の間に挟《はさ》まったまま、両側をうしろに走って行く暮方の街の家並《な》みを、不安の入《い》り混《まじ》った落ち着かない気持で眺《なが》めていた。

「楽だろうが、坊！」

おぬい婆さんの声が洪作の頭の上から聞えた。

「うん」

洪作はおぬい婆さんの股の間に支えられて立っているだけだったので、必ずしも楽ではなかったが、自分の足を動かさないで街を通れるということは、やはり楽というべきことであるかも知れなかった。

　街中を十五分ほど走ると、人通りの少い静かな路地にはいり、表通りに面して格子《こうし》のはまっている一軒のしもたや風の家の前で、人力車のかじ棒はおろされた。洪作は人力車から降りると、ふらふらした。

　格子を開けると、三つ違いの妹の小夜子《さよこ》が顔を覗《のぞ》かせたが、洪作を見ると大周章《おおあわ》てにあわてて内部へ駈《か》け込もうとして、そのはずみに、敷居《しきい》につまずいて倒《たお》れた。そして大声で泣き喚《わめ》いた。すると、家の奥からよそのおばさんが現れて、小夜子を抱《だ》き起した。おばさんは顔を洪作たちの方へ向けて笑いかけながら、口先では小夜子を懸命《けんめい》になだめすかしていた。それが隣家のおばさんであることを、洪作はあとで知った。

　妹の小夜子が着ている着物は、洪作の眼にもふだん着ではないらしいことが判った。花模様の着物に、絞《しぼ》りのさんじゃくをうしろで大きく結んでいる。洪作は自分たちを迎《むか》えるために小夜子は晴着を着たのであろうと思った。

　家へはいってまだ荷物も解かないでお茶を飲んでいる時、軍服姿の父親の捷作《しょうさく》が帰って来た。洪作は小夜子に倣《なら》って、玄関へ出て行き、そこに坐《すわ》って父親を迎えた。父親は上り框《かまち》に背を向けて腰《こし》をかけると、ゆっくり靴《くつ》を脱《ぬ》いで上へ上り、洪作の頭を一つ撫でて奥へはいって行った。洪作は父親のそうした仕種《しぐさ》を、どのように解していいか判らなかった。

「父ちゃに叩《たた》かれた」

洪作が茶の間の縁側《えんがわ》で団扇《うちわ》を使っているおぬい婆さんに言いつけに行くと、それを聞き咎《とが》めた母が、

「ばかね、洪ちゃは。お父さんが何で洪ちゃを叩くものかね」

と言った。その母の眼は、洪作には咎めだてするきびしいものに見えた。

「母ちゃが睨《にら》んだ」

洪作はまたおぬい婆さんに告げた。洪作が見ていると、母の七重はこんどは本当に洪作を睨みつけて、

「あんたはほんとに変な子になったね。どうして家へ来て、ごはんも食べんうちから、あることとないことおばあちゃんに言いつけるの。わたしがあんたを睨むわけがないじゃないの」

洪作は母が憤《おこ》ったので、おぬい婆さんにしがみついた。するとおぬい婆さんは団扇を置いて、

「子供の言ったことに目に角たてて憤る親があろうかさ。因果なこっちゃ」

と、七重の方へ体を向けて言った。

「おばあちゃん」

母は立って来ると、おぬい婆さんの前に坐って、

「断っておきますけど、洪作はわたしの子供ですからね。わたしは、わたしの好きなように育てますすよ。おばあちゃんに預けて、変な子になるようだったら、こっちも考えさせて貰《もら》います」

するると、おぬい婆さんは少しあわてて、

「変な子になるわけがないじゃないか。生れつき利発な洪ちゃだもの」

と言った。

「もう変な子になってるわ。告げ口が一番いけないことです」

母は強硬《きょうこう》だった。

「判《わか》っとるがな。よくわたしが洪ちゃに言っとく。洪ちゃ、母ちゃに謝《あやま》りな。ここへ来たら謝るが一番じゃ。長いものには巻かれろじゃ」

おぬい婆さんは言った。

「いやなこと言うわ」

七重が言った時、父親の捷作が縁側伝いにやって来て、

「早々に何をやっとるのか」

と言った。が、自分は女共の話には関知しないぞと言わんばかりに、

「早く、めしにしてくれ」

と母の七重に向って言った。

やがて、八畳《はちじょう》の居間の真ん中に食膳《しょくぜん》の用意が整えられた。円卓《えんたく》を囲んで、捷作、七重、おぬい婆さん、洪作、小夜子の五人が坐った。洪作はまだ、小夜子とは一言も口をきいていなかった。小夜子は時々上眼遣《づか》いに洪作を見て、洪作と視線が合うとあわてて眼を反らせ、それからぴちゃぴちゃと音を立てて食物を口に運んだ。洪作もその真似《まね》をして、ぴちゃぴちゃと音をさせた。

「そんな音をたてると、みっともないからおやめなさい」

母が注意した。

「小夜ちゃの真似したんだ」

洪作が言うと、

「小夜ちゃがそんなことしますか！　お行儀《ぎょうぎ》が悪い」

母は言った。洪作はずいぶん不公平だと思った。それで、

「本当に小夜ちゃもやったんだ」

と言った。すると、おぬい婆さんが、

「これ、黙《だま》らんかいな。洪ちゃ、この家に来たら、仕方がないからごはんを口に入れて、嚙《か》まずにひと思いにくん呑《の》むこっちゃ」

と言いながら、自分の茶碗《ちゃわん》から御飯の小さい固まりをつまんで口の中へ入れると、そ

れを呑み込んでみせる表情をしてみせた。

七重は横を向いた。洪作にも、この両親の家に於《お》ける最初の食事の空気は、気まずいものに感じられた。捷作はそうしたやりとりをよそに、終始黙って膝《ひざ》に新聞を置きながらそれに眼を当て、時々思い出したように箸《はし》を動かしていた。おぬい婆さんと七重とのやりとりに対しては、捷作は初めから聞かないふりをしていた。

夕食をすますと、洪作は父親に連れられて戸外へ出た。あとから小夜子もついて来た。どの家の門にもガス灯がついていた。その青白い光が、洪作には珍しく、童話の国へでも来ているような気がした。

小夜子が初めて、こう洪作を呼んだ。洪作は兄ちゃんと呼ばれたので戸惑《とまど》いした。しかし、考えてみると小夜子の兄なのだから、兄ちゃんと呼ばれても少しも不思議はないわけであった。家の前は瀬戸物屋の商品置場であるらしく、土管とか、大きな火鉢《ひばち》とか、温婆《ゆたんぽ》とか、そんな雑多な陶器《とうき》製品が沢山《たくさん》置かれてあるのが、壊《こわ》れかかった黒塀《くろべい》の隙間《すきま》から見えた。

小夜子は洪作が来たことが余程《よほど》嬉《うれ》しいらしく、少し馴《な》れて来ると兄ちゃん、兄ちゃんを連発し、洪作の体に纏《まと》わりついた。そして、自分がよそ見をして遅《おそ》くなると駈《か》け出して来ては、駈け出すたびにすぐ転んだ。小夜子が転ぶと洪作は抱《だ》き起す役目を受け持っ

た。父の捷作は、そんな時少しも構おうとせず、突《つ》っ立ったまま、

「洪作、起してやんなさい」

と、顎《あご》をしゃくって言った。そうしたことばかりでなく、洪作は父という人間には、母以上に親しみを感じなかった。門野原の石守森之進と全く同じような人物に見えた。親子揃《そろ》って散歩しているわけであったが、捷作は一人でどんどん歩いて行き、ごくたまにしか背後を振《ふ》り向くことはなかった。洪作は父に追いつくために時々駈足《かけあし》になり、従ってそのたびに転ぶ小夜子を起してやらなければならなかった。最初のうちは着物についた砂を払《はら》ってやっていたが、洪作は終《しま》いには、小夜子を抱き起してやるだけにした。洪作にはこの散歩は少しも面白く感じられなかった。

八時になると、洪作は小夜子と一緒《いっしょ》に奥の部屋に寝《ね》かされた。洪作はおぬい婆さんと寝たかったが、すべては母の指図《さしず》によって動かされていた。おぬい婆さんは座敷に一人で寝るらしかった。小夜子は床《とこ》へ就《つ》くと間もなく寝息を立て始めたが、洪作は容易に寝つかれなかった。湯ヶ島の土蔵に較べると、ずっと天井《てんじょう》が高く、部屋は広かった。床に横たわって眺《なが》めると、畳《たたみ》は海のように拡《ひろ》がって見えた。

翌日から、洪作は母の命令で午前中二時間ずつ学校の勉強をさせられた。起床《きしょう》は六時で、朝食が七時、七時半に父を玄関《げんかん》に送り出すと、すぐ洪作は机に向った。そして九時

半に勉強から解放されると、家の周囲の庭を掃《は》き、それから買物に行く女中について行って、買物の籠《かご》を持つ役目を仰《おお》せつけられた。

午後は、自由に遊んでいいように母から言われていたが、しかし、洪作としては、遊びたくても遊びようがなかった。友達《ともだち》は一人も居なかったし、川も山も田圃《たんぼ》もなかった。

「小夜子と遊びなさい」

母は言ったが、洪作は小夜子を相手に遊んでも、少しも面白《おもしろ》くなかった。それに小夜子と一緒《いっしょ》に居ると、否応《いやおう》なしに神経を尖《とが》らせていなければならなかった。机の傍《そば》で遊んでいると、上に載《の》っている物を手当り次第摑《つか》んで投げつけそうであったし、縁側《えんがわ》へ行くと、縁側から転がり落ちそうであった。ちょっと眼を離《はな》すと二階への階段を登りかけて、二、三段のところで足を踏《ふ》みはずして落ちた。

おぬい婆さんは昼間は女中部屋へはいって、食事以外の時はめったにそこから出て来なかった。彼女《かのじょ》は狭《せま》い女中部屋で、煙草《たばこ》を喫《の》んだり、裁縫《さいほう》をしたりしていた。七重もおぬい婆さんもなるべく顔を合わせないように、お互《たが》いに心掛《が》けていた。顔を合わせると必ずその間に口論が起った。時々洪作は女中部屋へ行った。すると、おぬい婆さんは、あと八日とか、あと七日とかそんなことを言って、帰る日の近づきつつあることを洪作に教えた。

「洪ちゃ、子守をさせられたり、使いまくられたりして辛《つら》かろうが、もう少しじゃ。辛《しん》

とか、

「何も薬じゃ。腹が立っても口惜《くちお》しゅうないという修練じゃがな」

とか、そんなことを言った。洪作もまた毎日のように、帰郷の日の近づくのを待っていた。早く湯ヶ島へ帰って、幸夫たちとへい淵で水浴びをしたり、お宮の境内《けいだい》へ行ってとんぼをとったりしたかった。しかし、帰りたいという気持を口から出すことは、何となく母に悪いような気がして遠慮《えんりょ》していた。

ある夜、洪作は寝床《ねどこ》の中で、隣室《りんしつ》の母とおぬい婆さんの烈《はげ》しい口論を聞いていた。初め、おぬい婆さんは口汚《くちぎたな》く七重を罵《ののし》り、どうしても洪作を自分と一緒に湯ヶ島へ連れ帰るといきまいていたが、七重の方はおぬい婆さんが何と言ってもそれに応じなかった。

「あんたが何を言おうと、洪作がここに居ることはもう決ったことですからね」

七重は同じことばかりを口から出した。おぬい婆さんは七重の決心が梃《てこ》でも動かないと知ると、さんざん喚《わめ》き散らしたあとで、こんどは下手《したて》に出た。

「お願いじゃ、洪ちゃを帰してくんなさい。洪ちゃを連れてかんで、このわしを一人で帰す気かよ。あの田舎の土蔵の中へ、一人で住まわせる気かよ」

そんなことを言った。しかし、七重は受けつけなかった。すると、おぬい婆さんは、

「じゃ、洪ちゃの心を聞くべえ。洪ちゃがここに居ると言ったら、潔《いさぎよ》く、わしは洪ちゃ

をあきらめることにします。洪ちゃが湯ヶ島へ帰りたいと言ったら、洪ちゃの言う通りにしてやってくんなされ。本人の望むようにするのが一番じゃ」

しかし、何と言っても、七重は受けつけなかった。するとおぬい婆さんは再びいきり立って怒鳴《どな》り始めた。暫《しばら》くすると、そこへ二階から捷作が降りて来て、二人の間にはいり、洪作の気持を訊《き》いて一切を決めるようにと言った。母の七重は不服らしかったが、結局それに応じることにした。洪作はほっとした。おぬい婆さんだけ帰って、こんなところに残されては大変だと思った。

翌日、朝食の時、洪作は父の捷作から、

「洪作、帰るか、ここに居るか」

と訊かれた。洪作は、

「おばあちゃんと帰る」

と、躊躇《ちゅうちょ》しないで言った。すると、おぬい婆さんは、そうれ、見なされといったような顔をして、

「洪ちゃ、ものには正直に言っていいことと悪いことがある。しかし、言ってしまったことはもう取り返しがつかん」

と言った。母の七重はそんなおぬい婆さんを睨《にら》みつけたまま黙《だま》っていた。捷作は、

「まあ、いい、洪作は婆ちゃに育てられる。子供の時は田舎で育つのもいいだろう」

と言った。

あす洪作とおぬい婆さんが帰国するという前日、夕食が終ってから、洪作は、母の七重と小夜子と女中の四人で繁華《はんか》地区へ買物に出掛けた。そして若松園という大きな菓子屋へ立ち寄って、その喫茶《きっさ》部《ぶ》で菓子を食べた。こうしたところで、菓子を食べるということは、洪作には初めてのことであった。黄色のゼリーの菓子で、スプーンを入れるのが勿体《もったい》ないように、洪作にはそれが美しく見えた。口に入れると溶《と》けるように美味《うま》かった。洪作は、この美味さを上の家の祖母や、さき子や、幸夫たちに知らせることができないのが残念に思われた。言葉で幾《いく》ら説明しても、説明できるとは思われなかった。

七重は洋品店や文房具店や菓子屋など、何軒かの店へはいって、おぬい婆さんと洪作のためにいろいろな土産物《みやげ》を買った。そしてその品を女中と洪作に持たせた。七重は、洪作のためにも、美しい箱にはいっているクレヨンやらノートやらを買った。さすがに洪作は、母からそうした物を買って貰《もら》うことは嬉《うれ》しかった。

「洪ちゃ、もうこのまま豊橋に居るか」

賑《にぎや》かな街を歩きながら、七重はからかうように洪作に言った。

「ううん」

あわてて、洪作は大きく首を振《ふ》った。

「おばあちゃんはあした帰っても、夏休みだけここに居て、洪ちゃだけあとから帰ればいい」

七重はまた言った。

「ううん。――おばあちゃんと帰る」

洪作は必死な気持で言った。おぬい婆さんだけ帰って、自分があとへ残るなどということはとんでもないと思った。そして、自分の気持が母に伝わらなくては大変だと思ったので、

「おばあちゃんと帰る。洪ちゃはおばあちゃんと帰る」

を、くどく繰《く》り返した。すると、七重はそんな洪作の態度が癇《かん》に障《さわ》ったのか、

「判ってるわよ。うるさいわね」

と言った。それまでいつになく優《やさ》しく思われて好きだった七重が、その一言で、再び洪作から遠いものになった。母はやはり意地悪く冷たい人間のように思えた。

母が反物を売っている店へはいって行った時、洪作は、そんな母に幾らか反抗《はんこう》するような気持もあって、店の中へははいって行かなかった。そして暫く呉服《ごふく》屋の前に立っていたが、丁度その店の対《むか》い側に、金魚屋が店を張っており、そこで浴衣《ゆかた》の子供たちがしゃがんで、水槽《すいそう》の金魚を覗《のぞ》き込んだり、それを小さい網《あみ》ですくったりしているのを見ると、洪作はその方へ近寄って行った。そして暫くの間、子供たちの間に挟《はさ》まって、金魚を眺《なが》めていた。

「すくってごらん」

金魚屋の五十年配《ねんぱい》の主人が言った。洪作は自分に言われたものではないと思っていたが、同じ言葉が二度目にその主人の口から出た時、洪作はそれが自分に言われたものであることを知った。

「坊！　すくってごらん、一匹だけただですくわせて上げる。すくっていいよ」

洪作は言われるままに、小さい網を手にして、それを水槽の中へ入れた。金魚は網の中ではね上った。洪作がなおも他の金魚を追おうとすると、

「もう、いかん。だめ、だめ」

主人は言った。洪作は残念だったが、それで網を主人に返さなければならなかった。

洪作はそれから他の子供たちが、同じように一回ずつただですくわせてもらうのを眺めていた。湯ヶ島などでは見たくても見られない色の白い目鼻立ちの整った少女が、金切声《かなきりごえ》を張り上げて、大きな金魚を追い廻《まわ》したり、やはり同じように湯ヶ島では想像もできない神経質な顔をした少年が、眉《まゆ》をしかめて、一匹《いっぴき》の小さい斑点《はんてん》のある金魚を追いかけたりしているのを眺めていた。都会の子供たちは、どうしてこのように利口そうで、はきはきものを言うのだろうかと思った。

洪作は、金魚屋の前で、どのくらいの時間が経《た》ったか見当がつかなかった。ふと、母のことを思い出して立ち上った。いきなり、これは大変なことになったという予感が洪

作の心を鷲《わし》摑《づか》みにした。

洪作はすぐ呉服屋の店先へ行った。果して店内には母の七重の姿も、小夜子の姿もなかった。洪作は呉服屋の店から右の方へ走った。そして途中で立ち停《どま》ると、こんどは反対の方へ走った。そしてかなり走って十字路にぶつかると、そこを無我夢中《むがむちゅう》で左の方へ曲った。

その頃《ころ》から、洪作の気持は動顚《どうてん》していた。母の姿を見つけることができなかったら、一体、自分はどのようなことになるのであろうかと思った。洪作はやたらに道を曲った。そしてめったやたらに走ったり、疲《つか》れ切って、のろのろ歩いたりした。

「おばあちゃん、おばあちゃん！」

洪作は口の中で、おぬい婆さんを呼びづめに呼んでいた。

洪作は、そのうちに列車の機関車の吐《は》く蒸気の音を身近に聞いた。そこはひどく淋《さび》しいところで、人通りというものは全くなかった。どうしてこんな暗い淋しいところへやって来たものか、自分ながら見当がつかなかった。洪作はそれから木柵《もくさく》に沿って、いつ果てるとも判らぬ長い道を歩いた。途中でよほどあとへ引き返そうと思ったが、あとへ引き返すより、まだ前へ進む方が怖《こわ》さが少いような気がした。

洪作は半ば泣きながら駈《か》けた。機関車の蒸気の音は聞えなくなった替《かわ》りに、こんどは蛙《かえる》の声があたりを埋《う》めていた。いつか洪作は田圃の中の道を歩いているのであった。

暗い田圃の中を、洪作は低く泣き声を口から出しながら歩いた。ただやたらに前へ向って歩いた。漠然《ばくぜん》と道が行き尽《つ》くところまで、自分は歩いて行かなければならぬかのようなそんな気持だった。どこまで行っても蛙の声が稲田《いなだ》を埋めていた。

洪作は泣き声を出すことと、足を運ぶことを同時にやめた。遥《はる》か前方にぼうっとした小さい光の玉が揺《ゆ》れ動いているのを見たからである。一瞬《いっしゅん》、総身に水を浴びせられたような怖《おそろ》しさが洪作を襲《おそ》った。洪作は引き返そうと思ったが、そうすることも怖かったし、ましてやそれ以上前に進むことはなお怖しかった。洪作は竦《すく》んだように立ったまま、その光に眼を当てていた。提灯《ちょうちん》の火らしいことが判ったが、それを持っている者が何者であるかと思うと、洪作は言いようのない恐怖《きょうふ》に包まれた。

洪作は灯火がかなり近くまで近寄って来るまで棒のように突《つ》っ立っていたが、いよいよ自分は取って喰《く》われてしまうだろうと思った。自分が喰われてしまったら、おばあちゃんもさき子姉ちゃもどんなに悲しむだろうと思うと、それが辛かった。

「おばあちゃん！」

突然、洪作は精いっぱいの声を張り上げた。

「おばあちゃん、おばあちゃん」

いったん声が出ると、声は続いて飛び出して来た。すると、急に人声が起って、灯は一層早く近づいて来た。

「うわあ！」

洪作はこんどは、ありったけの声を出して泣いた。断末魔《だんまつま》の悲鳴であった。ああ、もう捉《とら》えられる。自分は喰われてしまう。足は地面に張りついて動かなかった。喰われる、喰われる！

「何してるんや、この子は」

そんな声と一緒に、提灯の灯火が差し出された。田圃の畦道《あぜみち》とそこを埋めている草と、両側の稲田の一部と、そして自分の素足《すあし》とが照し出された。洪作はいつかはだしになっていたのであった。提灯を持っているのは、男二人、女三人の一団であった。くるりと洪作を取り巻き、口々に何かがやがやと言い合っていた。洪作は身を固くしていた。喰われる！　喰われる！　いつか声も出なくなっていて、そして悲しい境遇《きょうぐう》の子の持つ悲しさが、心に滲《し》み渡《わた》って来るようなそんな充《み》たし方で、洪作の心を充たしていた。洪作は今はしくしく泣いた。

「あんた、どこの子？」

一団の中から女の声がかかった時、洪作の泣声はまた一段と大きくなった。

「どこへ行くんだ？」

こんどは男の声がした。

「おばあちゃん、おばあちゃん」

洪作はただ叫んだ。

「狐《きつね》に騙《だま》されたんか？」

別の声が言った。

「おばあちゃん、おばあちゃん」

「家はどこや」

「おばあちゃん、おばあちゃん」

「一体、どうしたんや」

「おばあちゃん、おばあちゃん」

何を訊《き》かれても、洪作はおばあちゃん、おばあちゃんを連発した。

「こら！」

突然大喝《とつぜんだいかつ》と共に、洪作は男の一人に衿首《えりくび》を摑《つか》まれて宙吊《ちゅうづ》りにされ、それから地面へおろされると、あとはめったやたらに振《ふ》り廻《まわ》された。そしてその挙句《あげく》の果てに、衿首を取られたまま、続けさまに二つ頰《ほお》を殴《なぐ》られた。

「うわあっ！」

洪作は必死だった。毛をむしられ、腕《うで》をもがれ、ばらばらにされて喰われる時は来たのである。喰われてなるものか。生きておぬい婆さんのところへ帰らなければならぬ。洪作は満身の力をこめて、手足を振り廻し喚《わめ》き散らした。

男は三つ目に洪作の頰を張ると、

「どうだ、これで堕《お》ちたろう」

そう言って、

「お前、どこから来た？」

と顔を覗《のぞ》き込むようにして訊いた。洪作にはその顔が学校の先生の中川基のそれのように見えた。中川先生ではないかと本気で思った程《ほど》だったが、やはり違《ちが》っていることを発見した。それでも、相手を中川基ではないかと思ったことで心は幾《いく》らか落ち着いた。洪作が静かになったのを見て相手はまた訊いた。

「どこから来たんだい」

「湯ヶ島」

洪作は初めて言葉を口から出した。

「湯ヶ島？」

相手は湯ヶ島という地名が判らないらしく、

「お前、一人で来たんか？」

と言った。

「おばあちゃんとだ」

「おばあちゃんはどこへ行った？」

「豊橋」

「豊橋のどこさ」

「母ちゃんのところ」

「母ちゃんはどこさ」

「豊橋」

一団の男女は、それから何かがやがや喋《しゃべ》り合っていたが、その中の一人が、

「迷子《まいご》か、狐に騙されたか知らんが、とにかく交番まで連れて行ってやれ」

と言った。すると女の一人が、

「坊、歩きんさい」

そう言って洪作の手を取った。洪作は一団の男女に挟《はさ》まれて歩き出した。歩いている中に、心は次第に落ち着いて来た。

「坊、なんでこんなところにいた？」

女は訊いたが、洪作自身にもどうしてこんな田圃の真ん中まで来てしまったか見当がつかなかったので、返事ができなかった。その時、

「うわっ！」

という声と一緒に、女は洪作の背を力まかせに叩《たた》いた。瞬間前にのめろうとする洪作の体は、女の他の腕で支えられた。

「こんどこそ、コンチャン堕ちたやろ」

女は洪作にではなく、他の男女に向って言った。洪作はしかし、いつまた背中をどやされないものでもないので、提灯の光に足許《あしもと》を照らされながら用心して歩いた。一団の男女たちは、狐に騙されるとこんな遠方まで歩くものかといったような話を、がやがや話し合っていた。実際田圃の中の畦道は幾ら歩いても尽きなかった。洪作は自分でもこんなに遠くまで歩いて来たことが不思議に思われた。

漸《ようや》くにして商店の並《なら》んでいる一画へはいった時、洪作は歩き疲《つか》れて、足は棒のようになっていた。町へはいってから、洪作はこの一団から逃《に》げ出さなければならぬと思った。男女が口々に交番という言葉を口から出していたので、洪作は自分が交番へ連れて行かれるであろうことに薄々《うすうす》感付いていた。交番へ連れて行かれたら、もうおぬい婆さんにも、母の七重にも二度と会えないに違《ちが》いない。湯ヶ島にも帰れないだろう。そんなことになったら大変である。

洪作はどうしても逃げなければならぬと思った。そして自分を連れて来た男女がひと固まりになって、通行人の一人に交番の在《あ》り場所を訊いている時、洪作はするすると路地にはいり、はいったばかりのところからすぐ右の方へ曲った。こんどは細い道がどこまでも続いていた。洪作は足の向いている方へ夢中で駈けた。交番につかまっては大変だという気持だけが、今の洪作を支配していた。

道はいつかまた広くなっていた。が、こんどは一軒の商店も見当らず、普通の住宅だけが並んでいた。ガス灯は消えていたので、あたりは暗く、通行人も殆《ほとん》どなかった。洪作はその頃《ころ》からまた、思い出しでもしたように低く泣き声を出しながら歩いた。口からは泣き声を出し、鼻は鼻汁《はなじる》をすすり、全く機械的に足を動かしていた。洪作はそれからいろいろなところを歩いた。木柵があって、その向うに二頭の馬が居て裸《はだか》の男たちが馬体を洗っているところも通った。それからまた神社の前も通った。社務所のようなところで、二、三十人の男たちが酒盛りをしているのが、幻灯《げんとう》の中のひとこまのように見えた。

それからだらだら坂を上ったり、そこを下ったりした。途中で二、三回通行人から声をかけられたが、洪作は一切受けつけなかった。自分に声をかける者は、みんな交番に連れて行こうとするか、でなければ人さらいに違いないと思われた。

洪作はいつか泣くことは機械的になり、口から声を三回出しては、一回鼻をすすり上げていた。そうすると歩調とちょうどよく合った。そして心の中で、おばあちゃん、おばあちゃん、おばあちゃんとおぬい婆さんを呼び続けた。どれだけ歩き、どれだけ経《た》ったただろう。洪作は向うから来る人物と正面からぶつかった。

「あんた、洪ちゃじゃないかな」

相手は言った。洪作は聞き覚えのある声にはっとした。すると、

「もしや、あんた、湯ヶ島の洪ちゃじゃないかな」

また声がした。

「おばあちゃん」

洪作が言うと、

「やっぱり洪ちゃかな」

次の瞬間、生暖い相手の掌《てのひら》がいきなり自分の頬を押えるのを、洪作は感じた。そのうちにその手はいきなり肩先《かたさき》を摑《つか》むと、

「洪ちゃ、おう、洪ちゃ」

そう呻《うめ》くように言って、次の瞬間大声を発して、

「母ちゃんや、父ちゃんや、洪ちゃはいたぞ」

と、鶏《にわとり》がときでもつくるような、一種独特な調子で叫んだ。すると、道の前方から人の駈けて来る跫音《あしおと》がした。駈けて来たのは女中のときであった。ときは洪作の前で地面にひざまずいて、

「坊ちゃん」

と言うと、それを合図に声を出して泣き出した。洪作はときがいつも小夜子だけを可愛がって、自分に邪慳《じゃけん》にすることを知っていたので、余り好感は持っていなかったが、この時だけはときにも懐《なつか》しい気持を感じた。ときはやたらに洪作の体を抱《だ》きしめ、

「ばか坊ちゃん、ばか坊ちゃん」

と言って、自分の頬を押しつけて来た。

洪作はおぬい婆さんとときに両方から手を取られて歩き出した。家は目と鼻の先ぐらいのところにあった。ときは洪作を送り届けると玄関へははいらず、すぐまた家を飛び出して行った。洪作を探しに出ている父と母を探すためであった。

おぬい婆さんは家にはいると、洪作を客用の夏座蒲団《ざぶとん》の上に坐《すわ》らせ、菓子鉢《かしばち》を運んで来て前へ置くと、

「食べんしゃい、食べんしゃい」

とこの土地の言葉で言った。

この時一人で隣室《りんしつ》に寝《ね》ていた小夜子が起き出して来た。小夜子の方は洪作の迷子事件で無理矢理に寝かせつけられていたらしく、大きな眼をしたまま黙って洪作の隣に坐った。

「小夜ちゃは、だめ。迷子にならんと菓子にありつこうったって、そうは問屋《とんや》がおろさん」

おぬい婆さんは言った。そして、洪作だけに食べろ食べろと言った。そうしているところへ、母の七重がときと二人で帰って来た。七重は部屋へはいって来ると、いきなり畳《たたみ》の上にべたりと坐った。そして、

「ああ、よかった！」

と言って大きな吐息《といき》をつき、

「一体、洪ちゃ、どこへ行ったの？——それにしても、よく一人で家へ帰れたものだわね」

と感歎《かんたん》の声を洩《も》らした。

「利発な子というものはこういうもんじゃ。どこへ置きっぱなしにしても、ちゃんと帰って来る。なあ、洪ちゃ」

おぬい婆さんは言った。

「置きっぱなしとはひどいことを。でも、今日はいろいろ言うのやめましょう。——何にしてもこれで一安心。よかった、よかった」

母は台所から西瓜《すいか》の切ったのを持って来て、菓子鉢をずらしてそこへ置いた。

そこへこんどは巡査《じゅんさ》と父の捷作がやって来た。この方は二人とも家まで来て初めて洪作が戻《もど》って来ていることを知ったらしく、玄関で、それはそれは、とか、本当か、とか大きな声を出していた。洪作はお巡《まわ》りさんに何と言って叱《しか》られるかも知れないと思い、体を小さくしてじっとしていた。やがて巡査が帰って行く気配《けはい》がして、捷作と、玄関へ出て行った七重とおぬい婆さんの三人が一緒に部屋へはいって来た。

「洪作、よく帰って来たな。どこをどう歩いて来た？　言ってみなさい」

捷作は真顔で言った。しかし、洪作は自分が経験したことを答えることはできなかった。どこから話し出したらいいか判らなかったし、それに自分が経験したことすべてが、どこからどこまでが夢であり、現実であるか、はっきりとは判らなかった。洪作は田圃の畦道を歩いたとか、馬がいたとか、そんなことを断片的に語った。思い出すことを半分も話さないうちに、洪作は強制的に寝かされた。

床に就《つ》くと、さすがに昂奮《こうふん》しているらしく、洪作は遅《おそ》くまで寝つかれなかった。隣室では、捷作、七重、おぬい婆さんの三人の間で、洪作の迷子事件の話が花を咲《さ》かせていた。洪作が無事に戻り、それから明日はおぬい婆さんと洪作が伊豆へ帰るということで、一座は何となく和《なご》やかだった。おぬい婆さんの笑い声も、母の七重の笑い声も聞えていた。洪作はそれを聞いているうちに自分も何となく安心して、いつしか深い眠《ねむ》りにおちいって行った。

翌朝、洪作は出勤する父の捷作を玄関《げんかん》へ送り出し、そこで挨拶《あいさつ》した。

「こんどは正月の休みに来るか」

捷作は言ったが、洪作の答えないうちに、

「こんどは来年の夏じゃ、な、洪ちゃ」

と、おぬい婆さんは洪作に代って答えた。洪作は何となく父に対して悪いような気が

したので、

「お正月来てもいい」

と小さい声で言うと、

「ほんとか」

捷作は念を押すように言って声を出して笑うと、

「おばあちゃんの言うことをよく聞いて、勉強しなさい」

そう言って玄関を出て行った。

捷作が出て行ってから一時間ほどして、洪作とおぬい婆さんは、七重と一緒《いっしょ》に駅へ向うために家を出ることになった。荷物は朝早く起きたおぬい婆さんが、朝食前にすっかり纏《まと》めて持ち出すばかりになっていた。来た時よりもずっと持物はふえていた。母から買って貰《もら》ったクレヨンやノートなど、洪作自身の土産《みやげ》もかなりあったが、それよりも湯ケ島の隣《となり》近所に配る土産物がその大部分を占《し》めていた。

おぬい婆さんは帰る二、三日前から、やたらに物を買い集めた。

「こりゃ、ちっと値がはるが、仕様がない」

そう言いながら本家の祖母のたねと曾祖母《そうそぼ》のしなのために半襟《はんえり》を買ったり、

「みつの奴《やつ》には土産もんなぞやらんでもええが、まあ、やっとくとすべえか」

そんなことを言って、ビー玉やおはじきを買ったりした。それから金物屋や、その隣のさどやや、母屋の医者や、村の多少でも口をきき合う関係の家には、いくらかずつでも土産物を整えた。勿論《もちろん》、洪作の両親からも土産物が用意されたが、おぬい婆さんは、自分の知っている限りの村人へ、自分の見たてた土産を配りたいらしかった。

洪作はそうした土産物の中に、果して上の家のさき子の分も忘れられないではいっているかどうかということが心配だった。しかし、おぬい婆さんにそれを確かめるのはためらわれた。それよりもっと身近な問題は、遊び友達《ともだち》の幸夫や、芳衛や、亀男たちに、何を土産にやったらいいかということだった。おぬい婆さんがそれを用意する筈《はず》はなかったので、洪作は自分が買って貰ったクレヨンや鉛筆の中から、彼等《かれら》にその一部を分けてやらなければなるまいと思った。

湯ヶ島を発った時、子供たちの一団が洪作の乗った馬車を追い、特にすのこ橋の袂《たもと》まで歯を喰《く》いしばってついて来た幸夫の顔を思い出すと、洪作は時々胸をしめつけられるような気持になった。平常の喧嘩《けんか》仲間が、一人残らず懐《なつか》しく思われた。そして、彼等はきっと自分の帰りを首を長くして待っているに違いないと思った。洪作は、あのような盛大な見送りを受けて豊橋までやって来たのだから何とかして土産を持って帰りたいと思った。

洪作は帰る間際《まぎわ》になってそうしたことを考えると、俄《にわ》かに心細くなって来た。自分の買って貰った土産だけでは、とても足りそうには思えなかった。

人力車が門口につけられると、来た時のように洪作はおぬい婆さんと一緒に一台に乗り、母の七重が他の一台に乗った。おぬい婆さんが人力車に乗ろうとする時、小夜子がいきなり飛び出して来て、

「おばあちゃん、帰っちゃいや」

と、おぬい婆さんの足にしがみついた。

「おお、おお」

おぬい婆さんはこの家へ来て初めて小夜子にかける、いかにも可愛《かわい》げな声を出した。

先にくるまに乗っていた七重が、

「おばあちゃん、子供ってものは可愛いもんですね。いくら邪慳《じゃけん》にされてもなつくんですから」

そんなことを言った。おぬい婆さんは聞かないふりをしていた。洪作は妹に別れの挨拶をしようと思って、

「小夜ちゃ」

と声を掛《か》けると、小夜子の方は洪作が来た時と同じようにはにかんでしまって、上眼《うわめ》遣《づか》いに洪作を見るだけで、洪作の方へは近寄っては来なかった。洪作はそんな小夜子に兄としての愛情を感じた。ここに居る間、もっと優《やさ》しくしてやればよかったと思った。

人力車が動き出すと、洪作はおぬい婆さんの膝《ひざ》に挟《はさ》まったまま体をねじ曲げて、門口

に立っている女中のときと小夜子の方へ手を振《ふ》った。二人の姿が小さくなり、もうこれ以上背後を向いていられないというところまで、洪作は体を曲げ続けていた。

初めて前を向いた洪作の眼に、自分たちと同じように人力車に揺《ゆ》られている母の姿が映った。母は日傘《ひがさ》を拡《ひろ》げていた。母の姿は洪作のところからでは肩《かた》から上しか見えなかったが、母は若く美しく見えた。伊豆中探しても、いまの母ほど立派な女の人はいないだろうと思われた。洪作はそうした母から視線を外さないでいた。

「母ちゃん」

二台のくるまの間隔《かんかく》がせばまった時、洪作は母に呼びかけてみた。すると、母はちょっと振り返るようにして、右手を翳《かざ》してみせた。水色の日傘の下の涼《すず》しげな顔に影《かげ》が出来て、母を一層美しく見せた。

「坊、正月、また来る」

洪作は母を呼んでも言うことがなかったので、そんなことを口に出してみた。すると、

「来んでもいい。湯ヶ島で正月の餅《もち》食べるこっちゃ。町の餅なんぞ、湯ヶ島で育った洪ちゃの口に合いっこなかべ」

おぬい婆さんは強く言った。

駅へ着くと、車夫の手で荷物は順々に下され、待合室の一角に積み上げられた。

「七つですよ。信玄袋《しんげんぶくろ》が一つ、鞄《かばん》が二つ、風呂敷《ふろしき》包みが四つ。洪ちゃもよく覚えておき。

おばあちゃんが忘れると困るからね」

七重は言って、乗換《のりか》えの時必ず数を確かめるようにと洪作に命じた。

「うん」

洪作はうわの空で返事をした。赤帽《あかぼう》が来てそれらを一度に纏《まと》めて列車の方へ運んで行くのを、感歎《かんたん》の眼《め》で見守っていたからである。洪作の眼から見ると、その赤帽は相当な老人であったが、沢山《たくさん》の重い荷物を器用に両肩に振り分けにして事もなげに運んで行った。

ホームへ出ると、間もなく上り列車が滑《すべ》り込んで来た。

「洪ちゃ、下駄脱《ぬ》がんようにな」

おぬい婆さんはデッキを上りながら注意した。

洪作はしかし、汽車に乗るのは二度目なので、気持は悠々《ゆうゆう》としていた。いまや下駄を落す心配などなかった。それに豊橋という都会に僅《わず》か居ただけで、洪作はいくらかでも都会人の空気を身につけているような気がした。都会人は汽車に乗る時にも少しもあわてなかったし、大きな声を出したりはしない筈《はず》だった。

列車に乗り込むと、既《すで》に赤帽の手で、荷物は網棚《あみだな》の上に一列に並《なら》べられてあった。おぬい婆さんは先刻七重から受け取ったばかりの銅貨を、赤帽に渡《わた》した。赤帽は礼を言って車外へ出て行った。洪作は自分たちが急に豪《えら》くなったような気がした。赤帽に荷物を運ばせるなんて、普通の人には出来ることではないと思った。事実、車内の人間が、みんな感心したように自分たちの方を見ているように思われた。確かに沼津で乗り込んだ時自分たちを見た乗客の好奇《こうき》の眼の色とは違《ちが》っていた。

発車のベルが鳴り渡ると、列車の窓のところに居た七重が、車内に顔を突《つ》っこむようにして、

「それじゃ、洪ちゃ、上の家の人によろしくね。体を気をつけるんですよ。おばあちゃんもね」

と言った。おぬい婆さんの方へはつけ足りだった。それでもおぬい婆さんは、

「お世話さんでした。どうも、有難《ありがと》うござんした」

と、何遍《なんべん》も何遍もお辞儀《じぎ》をした。

洪作は母と別れることに、さすがに淋《さび》しいものを感じた。列車が動き出すと、洪作は窓から体をのり出して手を振った。母の姿が見えなくなるまで手を振っていようと思った。

「洪ちゃ、何てまた危いことをするんじゃ」

洪作はおぬい婆さんの手で、うしろから引っぱられた。しかし、引っ張られていることで安心して、洪作はなおも体を乗り出し続けていた。

「洪ちゃ、いい加減にしなさい。きりがないに」

おぬい婆さんは遂《つい》に強引に、洪作を座席の上に引き摺《ず》り入れた。

「洪ちゃ、お腹《なか》すいた！」

座席に落ち着くと、洪作は俄《にわ》かに空腹を感じた。

「朝ごはんはどうした？　食べなかったのかい」

おぬい婆さんは驚《おどろ》いたような顔をして言った。

「食べたけど、腹すいた！」

「そうだろうな。豊橋じゃろくな物食べれんかったからな」

豊橋を離《はな》れると洪作はまたもとのように、おぬい婆さんの子に戻《もど》り、おぬい婆さんは洪作のただ一人の庇護者《ひごしゃ》になった。

四章

洪作とおぬい婆さんを乗せた馬車が村の駐車場《ちゅうしゃじょう》へはいる日は、既《すで》に秋を思わせるひんやりした風が吹《ふ》いている日の夕方であった。洪作とおぬい婆さんの二人は沼津に一泊《いっぱく》し、この日早朝沼津を発《た》って、大仁《おおひと》まで軽便で来、大仁でおぬい婆さんの遠縁《とおえん》に当る人の家に立ち寄り、そこで昼食を食べて、それから懐《なつか》しい湯ヶ島行きの馬車に乗ったのであった。

洪作は馬車へ乗ってから、馬車がのろいことが絶えず気になっていた。この前に乗った時は、馬車はもっと早かった筈《はず》だと思った。馬が出口部落で中休みした時も、洪作は不機嫌《ふきげん》になっていた。おぬい婆さんや、一緒《いっしょ》に乗り合せている女たちが何か話しかけて来ても、洪作は口を尖《とが》らせ、体をくねらせてすねていた。

「どうした？　洪ちゃ、折角《せっかく》村へ帰るというのに」

おぬい婆さんは時には心配そうに言ったが、しかし、おぬい婆さんの心は、馬車に乗ってからずっと他のことに奪《うば》われていた。おぬい婆さんは豊橋のことを自慢《じまん》しづめに自慢していた。

「何しろ、あんた、豪勢《ごうせい》なもんじゃ、駅へ着けば、人力車ですうっと家まで行っちまう。一足も歩かんと家の前へ横付けじゃ。それからガス灯と言うてな、門の前にあかりのつく機械があって、それもあんた、ガス屋がちゃんと火を入れに来てくれる。自分の家のものだから、自分でつけるものだとだれでも考える。ところがそうじゃなくて、これもちゃんとつけに来る。と言って、あんた、ただじゃない。毎月高い銭《ぜに》を払わんならん。貧乏人は町の生活はできん」

おぬい婆さんは、次から次へと豊橋の町で見聞きして来たことを話した。毎朝、箱入の見本を持って菓子の注文を取りに来る若松園のことや、七重に連れられて見物に行った高師《たかし》ヶ原《はら》の練兵場や豊川稲荷《いなり》のことや、話はあとからあとから湧《わ》いて来て尽《つ》きなかった。

「豊橋って、三島より大きいかよ」

女の一人が訊《き》こうものなら、おぬい婆さんは地団駄踏《ふ》むような勢で、これだから田舎《いなか》者《もの》は困るといった顔つきをして、

「三島に師団があるかや。静岡だって聯隊《れんたい》だけじゃ。な、そうだべ。豊橋というところは、あんた、師団がある。師団というものは聯隊の寄り集ったところじゃ。それ一事考えただけでも、豊橋が三島と較《くら》べられたら、豊橋が泣くわ。なあ、洪ちゃ」

そんな風にまくし立てた。こうしたことに於《おい》ては、洪作も同じ気持だった。

馬車は青羽根を過ぎると、あとは一層のろのろと進んだ。坂道になっているので、馬は少し駈《か》けると、すぐ駈けるのをやめた。尻尾《しっぽ》が右と左に分れて振《ふ》られるのを、洪作ははがゆい思いをして眺《なが》めていた。いっそ馬車から降りて駈け出したい気持だった。

門野原《かどのはら》を通る時、石守家の土蔵の壁《かべ》が山裾《やますそ》に小さく白く見えた。洪作は門野原の部落を通過するまで体を小さくしていた。なぜ体を小さくしなければならぬか自分でも理解し難《がた》かったが、もし石守家からあの伯父の校長や、歯の黒い伯母が出て来て声をかけたら、自分は恥《は》ずかしさのために居たたまれないであろうと思った。

門野原を過ぎて市山部落へはいると、洪作は座席から腰《こし》を上げて、

「婆ちゃ、もうすぐ降りる」

と言った。

「判《わか》っとる。坊、危いから腰かけていな」

そう言ったとたん、洪作はよろめいて前の人の膝《ひざ》の上に倒《たお》れた。

「そうら、言わんこっちゃない」

おぬい婆さんは言って立ち上ったが、彼女もまた倒れた。

「この馬、性悪《しょうわる》じゃな」

おぬい婆さんが言うと、

「何が性悪なことあろうか」

御者《ぎょしゃ》は前を向いたままで言った。

「豊橋には、こんな馬一匹《いっぴき》もおらん」

おぬい婆さんが憎《にく》まれ口を叩《たた》くと、

「豊橋だって馬力は通っておろうが。もっと悪い馬がいっぱいいる筈《はず》じゃ」

御者も負けていなかった。

「そんなもの見んかった」

「見んことあるまい」

「師団のある町に、こんな痩《や》せ馬がいて堪《たま》るかい。もっと飼料《かいば》をふんぱつせんとあかん」

「なに！」

御者の六さんは赤い顔をして振り返って、おぬい婆さんを睨《にら》むと、ぴしりと馬に鞭《むち》を当てた。馬は駈け出した。鞭は絶え間なく馬の尻《しり》に打たれ、馬は全速力で駈けた。またたく間に市山部落のゆるやかな坂を駈け上り、水車のある農家の傍《そば》から大きいカーブを描いた。

洪作は見た。待ちに待ったものが、自分の眼《め》の中にはいって来るのを見た。長野川を、湯ヶ島の部落を、部落の家々の茂りを、それを取り巻く樹々《きぎ》を、白い街道を、そして天城の稜線《りょうせん》を。

「うわあっ！」

洪作は叫《さけ》んで立ち上った。おぬい婆さんが何か言ったが、洪作の耳はそれを受けつけなかった。馬車はすのこ橋を渡り、駐車場目がけて最後の坂を駈け上った。荷物が二つ三つ座席から転がり落ちた。六さんは喇叭《らっぱ》を高く高く吹《ふ》き鳴らした。いっせいに風がはいって来た。豊橋では想像もできないひんやりとした清澄《せいちょう》な秋口の風であった。

駐車場に着いた時、洪作は真っ先に馬車から降りた。桜《さくら》の木の根もとに部落の子供たちが四、五人固まって、こちらをねめつけているほか、たれの姿も見られなかった。まだ学校へ上らぬ子供たちであった。しかし、洪作はいまの六さんの喇叭の響《ひび》きで馬車の到着《とうちゃく》を知ったらしく、旧道の坂道を何人かの大人たちが駈けて来つつあるのを見た。近所の内儀《かみ》さんたちが何人か、火事場にでも駈けつけるように、大周章《おおあわ》てにあわてて坂を駈け降りて来つつあるのであった。洪作は家の方へ駈けて行きたかったが、

「洪ちゃ、待ちな」

そうおぬい婆さんに言われて、そこに立っていた。おぬい婆さんは六さんの手で荷物を地面へ降して貰《もら》うと、その傍に立ったまま、出迎《むか》えの人たちの到着するのを待った。

上の家の祖母が息をはあはあ弾《はず》ませてやって来ると、

「これは、これは、お帰んなさいまし。遠いところを、よく、まあ――」

と、外国からの帰国者でも迎えるようなことを言った。駈けつけた近所の人たちも、久しぶりで会うためか、ひどく丁寧《ていねい》な言葉で挨拶《あいさつ》を取り交《かわ》した。お変りなくて何よりですとか、これからもまたよろしくお願いしますとか、初対面の人に対するようなことを言い、それから例外なくみんな、おぬい婆さんの足許《あしもと》の荷物の方をじろじろと見廻《まわ》した。おぬい婆さんの方は豊橋へ行って来たことで、位でも一段上ったかのように、

「お前さん方も丈夫《じょうぶ》で結構じゃ。村には変ったことはなかったろうね」

と、何となく横柄《おうへい》な口をきいた。

「鍛冶屋《かじや》の嫁《よめ》っこが双生児《ふたご》を生みましたじゃ」

一人が言うと、

「あれ、まあ、呆《あき》れた」

おぬい婆さんは、豊橋では決して見せなかった大袈裟《おおげさ》に驚《おどろ》いてみせる表情を作って、

「しようもない嫁じゃ。あのあまっ子は、いつか、わしに憎《にく》まれ口をききおった！　天《てん》罰《ばつ》というものは怖《おそろ》しいもんじゃ」

「それから酒屋の犬が役場の小使の武さんを咬《か》みましての」

他の一人が言うと、

「あれ、まあ」

おぬい婆さんは、また複雑な表情をして、

「ろくでもない犬を飼《か》うと、人さまに迷惑《めいわく》じゃ。酒屋でも少しはこりたべ」

その時、

「柿《かき》の木が折れたぞ、根もとから」

駄菓子屋の一年生の平一が大人たちの間から顔を出して口を挟《はさ》んだ。平一はいつかやって来て、大人たちの間に混《まじ》っていた。

「柿の木って、どこの柿の木じゃ」

「洪ちゃとこの柿の木よ」

「あれ、まあ」

おぬい婆さんは聞き棄《ず》てならぬといった表情をすると、

「川っぷちのか、さるすべりの傍のか」

「川っぷちのだ」

「川っぷちのなら、甘柿《あまがき》じゃがな。どうして折れた」

「おらあ知らん」

「あの木が折れたらことじゃ、洪ちゃの大事な柿の木じゃがな——。お前、登って折ったんじゃないか」

「おらあ、知らん」

平一は首をひっこめた。

「まあ、とにかく、家へ落ち着かんことにゃ」

上の家の祖母が横から口を出し、自分で荷物の一つを取り上げた。それに倣《なら》って、みんながそれぞれ荷物の方へ手を出した。荷物を持たないと肩身《かたみ》でも狭《せま》いように、みんな争って荷物を持とうとした。持つ荷物に当らない者は、おぬい婆さんのコーモリ傘《がさ》を持ったり、手提《さ》げ袋を持ったりした。十人程《ほど》の一団は土蔵へと向った。平一は先を駈けて行き、時々立ち停《どま》っては、顔を天の方へ向けて、

——洪チャ、帰ッタゾ。洪チャ、帰ッテ来タゾ。

と洪作の帰村を大声で報じた。

洪作はそんなことをする平一が恨《うら》めしかった。それでなくてさえ久しぶりで帰って来たということで、妙《みょう》に肩身が狭い気持になっていた。眼にするあらゆるものが懐しくも

あれば、またそれに対して気恥ずかしくもあった。村人の顔も、坂道も、坂道に沿った家々も、小川も、小川を覆《おお》うようにして生えている雑草も、石ころも、みんな洪作は懐しく、それを眼にするのが妙に気恥ずかしかった。

平一の叫びで、子供たちはどこからともなく集って来た。しかし、子供たちは決して近寄って来なかった。遊び仲間の顔ばかりであったが、みんな洪作を警戒《けいかい》しているように、洪作には近寄らないで、遠くの方に固まっていた。

洪作も洪作で、仲間の方へは接近して行かなかった。洪作は大人たちの間に挟まったまま、土蔵へとはいった。土蔵へはいってから、

——洪チャ、遊ボウ、洪チャ、遊ボウ。

という子供たちの合唱が聞えて来た。幾《いく》つかの聞き憶《おぼ》えのある声が混っていた。その声を聞いただけで、洪作はたれとたれが戸外に居るかが判《わか》った。

洪作は着替《きが》えすると、上の家の祖母から菓子を貰《もら》って、それを食べ、お茶を飲み、それから外へ飛び出して行った。すると、子供たちはうわっという喚声《かんせい》を上げて四方へ散った。洪作はまた土蔵へ引き返した。

二度目に洪作が外へ出た時は、もう近くに子供たちの姿は見えなかった。夏の白っぽい夕暮が来ていて、みんな夕食のために、それぞれの家へ引き上げたものらしかった。

洪作は上の家へ行った。さき子に会って、豊橋の話をしたかった。豊橋の話をする場合、

一体何から話すべきであろうかと思った。話さなければならぬことは沢山《たくさん》あった。洪作は上の家の石段を上ったが、妙にはいりにくいものを感じた。祖母のほかに誰《だれ》ともまだ顔を合わせていなかったので、みんなからいっせいに声をかけられると思うと、何となくはいって行くのが気が重かった。洪作は家にはいらないで、その替りに玄関《げんかん》のすぐ横にあるあすなろの木に登った。

家の内部からは、祖母とさき子が話している声が聞えた。祖父の声も聞えた。おぬい婆さんとか、洪ちゃとか、そんな声が耳にはいって来た。祖母がおぬい婆さんと洪作が帰って来たことを伝え、それを話題にしているらしかった。

そのうちに不意に玄関の戸が開く音がして、さき子が姿を現した。さき子は何か小声で歌を口誦《くちずさ》みながら、石段を降りて、往来へ出たが、そこでいきなり振り返ると、

「だれ、そこに居るのは？」

と、声をかけて来た。洪作が返事をしないでいると、

「一体、だれなの。降りなさいよ。こんな暗くなってから木に登ったりして」

それから、

「降りなさい」

と、強い教師の口調で言った。洪作が木から降りかけると、

「あれ、洪ちゃ？」

さき子は驚《おどろ》いて声を大きくして言った。

「洪ちゃ？」

「うん」

「何してるの、あんた」

洪作は地面へ降り立つと、久しぶりでさき子の顔を見上げた。夕闇《ゆうやみ》は深くなろうとしていたが、まださき子の色白の顔ははっきりと見えた。その瞬間《しゅんかん》、洪作はさき子が別人ではないかと思った。どこが変ったというのではないが、豊橋へ行く前のさき子とはどこかが異《ちが》っているような気がした。

「あんた、家にもはいらんと、木に登って何してたの？」

何していたかと言われても、洪作には答えることはできなかった。

「さ、家へはいんなさい。そしてみんなに豊橋のことを話して上げなさい。わたしは、ちょっとそこまで行って来るが、洪ちゃは家へはいってなさい」

「洪ちゃもついて行く」

洪作はさき子について行こうと思った。

「だめよ、家へはいって、おじいちゃんに御挨拶しなさい」

「洪ちゃも行く」

洪作がまた言うと、

「だめ、だめ」

さき子は突《つ》きはなすように言った。

「どこへ行くの？」

「どこでもいいでしょう」

そのさき子の言葉には、洪作が今まで感じたことのない冷たい響きがあった。洪作は思わずさき子の顔を見上げた。すると、自分の言葉の調子に気付いたのか、さき子はいきなり、

「洪ちゃって、意気地なしね」

そう言うと一緒に、両手を洪作の頰《ほお》へぴたりと当てると、それで洪作の顔を押し包むようにした。

「おうちへはいっていなさい。直《じ》きに戻《もど》って来て上げる」

こんどのさき子の口調は優《やさ》しかった。

「うん」

言ってから、洪作はさき子の手を払いのけるようにして、

「おしろい臭《くさ》いから嫌《きら》いだ」

と言った。

「ばかね、香水《こうすい》よ」

言うが否《いな》や、さき子は洪作から離《はな》れると、石段を降り、往来の闇の中へはいると、右手の方へ足早に歩き去って行った。

洪作はこの夜、上の家で風呂にはいり、夕食を食べた。おぬい婆さんは旅の疲《つか》れで寝《ね》込《こ》んだということで、遅《おそ》くまで上の家で遊んでいた。十時頃《ごろ》、洪作は祖母に送られて土蔵へ帰った。その時刻までさき子は夕方出て行ったまま帰って来なかった。

土蔵へ帰ってみると、本当におぬい婆さんは蒲団《ふとん》を敷いて寝ていた。枕許《まくらもと》には上の家から届けられた食膳《しょくぜん》が手をつけられぬまま置かれてあった。洪作は土蔵の匂《にお》いを嗅《か》ぎながら、祖母におぬい婆さんの横に床をとって貰って、そこへはいった。豊橋でずっと一人で寝るくせがついたので、おぬい婆さんと床を並《なら》べて寝るのが窮《きゅう》屈《くつ》に感じられた。

九月になって二学期が始まると、洪作は榎本《えのもと》という新しく湯ヶ島の小学校に赴任《ふにん》して来た師範《しはん》出の教員のところへ、毎夜のように勉強にやらされた。榎本は部落に三軒ある温泉旅館の中で一番大きい渓合楼《たにあいろう》の一室に寝泊りしていたので、洪作は毎晩のように夕食後渓合楼へ通った。おぬい婆さんの言い草だと、湯ヶ島の小学校には校長の石守森之進を初めとして、一人も正式に教員の資格を持っている者はないが、こんど来た榎本先生だけは県庁所在地である静岡の師範学校を出ているので立派なものだということであった。

「洪ちゃ、あの先生の言うことだけは当てになるがな。何しろ師範出じゃ。門野原の伯父さんが幾《いく》ら校長だと言って威張《いば》ったって始まらんこっちゃ。あの伯父ちゃはどこも出ておらん。検定じゃ。十のうち五つは嘘《うそ》を教えているずら。中川基にしても同じこっちゃ。東京の大学出たとか何とか言ってるが、大学で何をしておったか判《わか》ったもんじゃない。そこへ行くと、洪ちゃ、洪ちゃの先生は師範を出とる。同じ師範といっても、二部じゃない。ほんとの師範を出た。おばあちゃんの気に入った先生が初めて来おった！」

おぬい婆さんは大変ないき込みであった。毎夜、洪作が榎本のところへ教わりに行くことはすぐ部落中にひろまってしまった。おぬい婆さんが会う人ごとに、洪作は将来大学へ行くので、もうそろそろ勉強させなければと、そんなことを言った。

榎本は生真面目《きまじめ》な気難《きむずか》しい教員であった。洪作は毎夜二時間ずつ、榎本の前にきちんと坐《すわ》っていなければならなかった。そして彼《かれ》の出す問題に答えたり、書き取りをしたり、作文を書いたりした。洪作はそうした勉強が厭《いや》ではなかった。師範出の若い教員に教わることで、自分が今までとは違《ちが》った優秀な子供になって行くような気がした。同級生も部落の子供たちも、洪作が榎本のところへ教わりに行くことについては、特に反感は示さなかった。洪作は大学へ行くのでそうしなければならぬのだと、本当に思い込んでいるようであった。

「洪ちゃ、われ、いつ大学へ行く？」

そんなことを真顔で訊《き》く子供もあった。しかし、洪作はそれについて答えることはできなかった。まだ随分《ずいぶん》先のことであった。小学校の卒業も何年か先であったし、それから中学校へも行かなければならなかったし、更《さら》にその上の学校へも進まなければならなかった。そして大学へ行くのはその先であった。あまり執拗《しつよう》に訊かれると、

「まだなかなかだ」

洪作はそんな風に言った。実際にまだなかなかであった。

二学期になってから洪作の厭なことは、上の家のさき子と、同じ教師の中川基とが恋《れん》愛《あい》関係にあるという噂《うわさ》が、村の大人たちの間にも、学校の生徒たちの間にも拡《ひろ》がり始めたことであった。

——さき子と基は怪《あや》しいぞ、さき子と基は怪しいぞ

子供たちは何人か集ると、歌でも唄《うた》うようにはやしながら遊んだ。それがこの秋の子供たちの間の流行であった。土蜂《つちばち》の巣《す》を取りに行く時も、鬼ごっこをする時も、川向うの〝かんざぶと〟と呼んでいる山へ滑《すべ》りに行く時も、子供たちはそれが流行歌の一つででもあるかのように、

——さき子と基は怪しいぞ

を繰《く》り返しながら群をなした。洪作はそのはやし声を耳にする度に、胸が痛むのを感じた。さき子も自分も、それに依《よ》って傷つけられているように思った。洪作は時に村の

青年たちから、

「上の家の姉ちゃんは、夜になると中川先生のところへ遊びに行くずら」

そんなことを訊かれることがあった。そして決って、そんなことをいう青年は、そのあとで野卑《やひ》な奇声を発した。洪作はまた近所の家の女たちが、さき子と中川基の噂をしているのを耳にすることがあった。大人たちは洪作の姿をみとめると、急に声をひそめるのが常だったが、そんな大人たちに洪作は烈《はげ》しい反感を持った。それまで好きだった小母《おば》さんたちでも、嫌《きら》いになった。

勿論《もちろん》こうした噂が上の家にも聞えない筈《はず》はなく、祖母のたねはそのことのために頭を痛めていた。生れてから他人を非難したことのない祖母は、子供たちのはやし声などが聞えてくると、何とも言えない悲しそうな顔をして、いかにも困ったことだというように眉《まゆ》をひそめて、子供たちをたしなめるために、家から出て行った。そして、

「これ、これ、あんたたち」

と、子供の群の方へ近づいて行った。子供たちはうわっと喊声《かんせい》を上げて散って、決して祖母にはつかまらなかった。

こうしたことのために、上の家は何となく暗い感じだった。祖父の文太と祖母のたねが、真剣な顔をして、何か相談していることがあり、そんな時、そこへ近寄って行くと、

「洪ちゃ、いい子だから、向うへ行っておいで」

と、祖母は洪作を追い払《はら》った。さき子のことを相談しているのに違《ちが》いなかった。

こうした情勢の中にあって、当のさき子は平気で学校へ通っていた。学校ではさすがに中川基と一緒《いっしょ》に居るようなことはなかったが、授業が終って、学校を退《ひ》ける時は、大《たい》抵《てい》二人は肩《かた》を並《なら》べて校門を出た。そして殆《ほとん》ど毎日のように中川基は上の家の二階のさき子の部屋へ立ち寄って、そこでさき子の運んで来るお茶を飲んだり、時にはその部屋でさき子と一緒に夕食を食べたりした。そして八時頃《ごろ》になってから、中川基は彼《かれ》が起居している普通酒屋と呼ばれている酒の醸造《じょうぞう》をしている家の離《はな》れへと帰って行った。酒屋は祖父文太の出た家で上の家とは濃《こ》い親戚《しんせき》であった。中川が帰る時、さき子はほんの二町程《ほど》の短い距離《きょり》を、その離れまで彼を送って行った。

洪作は榎本先生の勉強の帰りに、そうした二人と上の家の前でぶつかったことがあった。

「洪ちゃ、中川先生を送って行きましょう」

さき子は言った。洪作はそれに応じた。夜のことではあり、村人に見つかることもないと思われたので、さき子の言うなりになったのである。

「洪ちゃも、さき子と基は怪しいぞ、って唄ってるの？」

さき子は笑いながら訊いた。

「ううん。唄ったりしないや」

洪作は答えた。するとさき子は、

「ほんとに怪しいんですもの、怪しいって言われたって仕方がないわ。ねえ、洪ちゃ。それを中川先生ったら、男のくせにびくびくしているの。おかしいわね。洪ちゃだったら、平気よ、ね」

さき子が言った。洪作に対《むか》って言ってはいたが、明かにそれは傍《かたわら》の中川基を意識したものであった。中川はそれに対しては何も言葉を出さないで、

「星が高いな」

そう言って夜空を見上げるようにした。洪作も空を仰《あお》いだ。本当に星が高く見えた。

中川の起居している離れまで行くと、さき子は洪作と中川を外に待たしておいて、自分が先に部屋へはいって電灯を灯《とも》し、それからなおも何かごそごそやっていたが、やがて戸外へ出て来ると、中川に、

「お床《とこ》をとっておきました」

と言った。そんなさき子の言動は、洪作には、いつものさき子の持たない、いそいそとしたものに見えた。

中川と別れると、さき子は少し散歩しようと洪作を誘《さそ》った。洪作も、夜間さき子と散歩するようなことはめったになかったので、さき子のあとに従って歩き出した。道は長野部落に通じており、その長野部落へはいるまでは人家というものは一軒《いっけん》もなかった。

この道は洪作には親しいものであった。夏、へい淵へ泳ぎに行く時、いつも午刻《ひる》下《さが》りの太陽に照らされながら、藁草履《わらぞうり》をばたつかせながら通る道である。しかし、夜歩くことはめったになかった。

「洪ちゃと、この頃ちっとも遊ばないわね。勉強している？　こんどは一番にならないと駄目よ」

さき子は言った。

「うん」

洪作は頷《うなず》いた。

「中川先生は、先生になっても勉強してるわよ」

「うん」

「好きでしょう、洪ちゃも」

「何が」

「中川先生よ」

「何だ。中川先生のことか。洪ちゃ、嫌いだ」

洪作は言った。

「嘘おっしゃい。洪ちゃ、前に好きだと言ってたわ」

「嫌いだ」

「何を威張《いば》ってるの。最近あんた可愛《かわい》げがなくなったわ。さ、好きだとおっしゃい。好きだと言ったら、お土産《みやげ》買って来て上げるわ。こんどお姉ちゃん、中川先生と沼津へ行くのよ。今月の終りにお休みが二日間続くでしょう。その時行くの。——さ、おっしゃい、好き？　中川先生」

「嫌いだ」

洪作は言った。しかし、洪作は中川基が嫌いなのではなかった。何もかも話を中川基に結びつけ、中川基のことばかりを言う、そんなさき子が厭だったのである。

「よおし、憎らしいわね。洪ちゃ」

さき子の手が頬に伸《の》びそうだったので、洪作はくるりと身を翻《ひるがえ》して、もと来た道を駈《か》け出した。そして半町程走ってから立ち停《どま》って振り返ってみると、さき子は一人で先へと歩いていた。いかにもぶらぶら散歩でもしているようなそんな歩き方だった。

「姉ちゃん」

洪作が少し節をつけて呼ぶと、やがてさき子は、ちょっと右手を高く上げて合図してから、洪作の方へ戻《もど》って来た。洪作は地面にしゃがんで、さき子の近寄って来るのを待った。さき子はゆっくり足を運んでいるので、なかなか二人の距離は縮まらなかった。

洪作は、さき子の姿が近くに来た時、ふと母の七重ではないかと思った程、さき子の歩き方は母にそっくりであった。二人が姉妹であることを思えば、何の不思議もないわけであったが、洪作はひどくそのことに驚《おどろ》いた。

「男の子のくせに、すぐしゃがんだりして、――立っていなさい」

さき子は言った。その叱《しか》り方もまた、洪作には母に似ているように思えた。


十一月にはいると、村には神楽《かぐら》がやって来た。十里程離《ほどはな》れた村の人たちで、どういうものか半島を廻《まわ》る神楽は昔からその村の人たちだけの内職として見做《みな》されていた。大抵《たいてい》六、七人の団体で、獅子頭《ししがしら》をかぶって舞う若者が二人、道化《どうけ》た万歳をやるものが二人、あとは太鼓《たいこ》と笛《ふえ》と三味線《しゃみせん》の係で、必ず女が一人か二人混《まじ》っていた。

神楽は村の家を何日がかりかで一軒一軒《いっけんいっけん》廻り、金を沢山《たくさん》くれる家では長いこと演《や》った。子供たちは学校が終ると、すぐ神楽のあとについて、彼等《かれら》もまた一軒一軒村の家を廻った。神楽が村へ来ている間は、子供たちは授業を受けていても気持は落ち着かなかった。神楽の笛や太鼓の音が聞えて来ると、魂《たましい》はすっかりその方へ飛んで行ってしまった。神楽はどの家でも同じことをやるわけであったが、子供たちはそれを何回見ていても少しも倦《あ》きなかった。獅子頭は時折、大きな口を開けて子供たちに襲《おそ》いかかった。その度《たび》に子供たちは真剣に怖《こわ》がったり、必死に逃《に》げようとしたり、泣いたり、転んだり大騒《さわ》ぎであった。

おぬい婆さんはこうしたものには、いつも祝儀《しゅうぎ》をはずんだ。上の家の祖父母がたまげる程の金を出した。そのために、獅子はわざわざ土蔵の二階まで上って行って、二、三回胴《どう》ぶるいして、首を振り立て、梯子段《はしごだん》の横の柱にかぶりつき、それから階下へ降りて、土蔵の前の庭で、よその家の二倍も三倍もいろいろなことを演った。ひょっとこの面をかぶった男と、おかめの面をかぶった女とが、おかしなことを言い合っては、扇子《せんす》で頭を叩《たた》き合った。洪作は近所の人たちや子供たちが、どこの家よりも土蔵の前へ沢山集ることが満足だった。

神楽が村から去って行くと、子供たちは急に憑《つ》きものが落ちたような淋《さび》しさを感じたが、暫《しばら》くすると、子供たちは新しい楽しみを持った。それは秋の運動会である。

十一月の中旬の日曜に小学校の運動会が行われることになった。運動会の話が出始めると、子供たちは運動会熱に取り憑かれた。学校が終っても、遅《おそ》くまで校庭に残り、そこで遊んだ。別に運動会の準備があるわけでも、出場する種目の練習があるわけでもなかったが、運動会の行われる校庭から離れることは、何となく不安に思われた。自分たちが他で遊んでいる間に、何か変ったことでも起きたら大変だという気持だった。運動会となると、杉《すぎ》のアーチも作らねばならなかったし、校庭に旗も吊《つ》らねばならなかったし、観客席も設けなければならなかった。そうしたいろいろな作業はいつ始まるか判《わか》らなかった。子供たちはそれを見落したら大変だという気持だった。

運動会の最初の前触《ぶ》れは、運動会の当日全校生徒に配る饅頭《まんじゅう》を、中ノ菓子屋が引き受けたという噂《うわさ》だった。

「おらんちで饅頭を作るんだぞ。きのう先生が来た」

中ノ菓子屋の喜七郎という二年生が喋《しゃべ》ったので、その噂は忽《たちま》ちにして子供たちの間に広まり、暫くの間、喜七郎はみんなから尊敬の念をもって見られた。そして中ノ菓子屋の前には、その饅頭を作り出すのを見ようとする子供たちが、いつも数名集っていた。

運動会の開かれる三日前、子供たちにとって楽しいことは固まって一度にやって来た。中ノ菓子屋では一家全員で饅頭を作り出したし、学校は学校で、校庭に多勢の先生が出て、会場作りに取りかかったからである。中川基はアーチを作る係で、洪作たちも裏山へ杉の枝《えだ》を切りに行く手伝いをやらされた。洪作の夜の勉強の先生である榎本は旗を張り廻《めぐ》らす係で、それをさき子が手伝っていた。

生徒たちにはアーチ作りが一番人気があり、たれも中川基の周りに集り、彼に仕事を命じられると、いそいそとその命じられたことをやった。校庭に中川とさき子の姿が見え、時に二人が寄り添《そ》って立って、何か話をしていることもあったが、もう子供たちはそんな二人に好奇《こうき》の眼《め》も向けなければ、ましてはやし立てることもしなかった。子供たちの心は完全に運動会に奪《うば》われてしまって、若い男女教員が怪《あや》しかろうが、怪しくあるまいが、そんなことはどうでもよかった。

運動会の前日、洪作は眠《ねむ》れなかった。この前豊橋へ行く前夜寝《ね》つかれなかったと同じいい、ように、明日《あす》運動会だという昂奮《こうふん》が、その夜の洪作を異常にしていた。洪作は何回もおしっこに起きた。おしっこに起きるといっても大変だった。真っ暗い中を手探りで階下へ降り、土蔵の重い戸を開け、そして庭へ出て、梅《うめ》の木の根もとへ行った。土蔵の横に厠《かわや》はあったが、夜はいつも洪作は梅の木の根もとへ行った。三回目に起きた時洪作がくしゃみをしたので、そのあとはおぬい婆さんが襟《えり》まきを持って、洪作のあとに従った。そして行き帰り、それで洪作を包んだ。

梅の木の根もとから帰って寝床《ねどこ》へはいると、洪作はすぐまた梅の木の根もとへ行きたくなった。おぬい婆さんはすっかり弱り果て、

「じゃ、おまじないをしてやろう」

と言って、床の上に起き上って、口の中で何かぶつぶつ唱えていたが、

「もう、よし、洪ちゃ、これで癒《なお》った。な、もうこれで、おしっこへ行きたくなったろうが。もう当分、二、三日、おしっこは出んじゃろう」

と言った。二、三日おしっこが出ないと言われると、それはそれで、こんどはそれが洪作の心配になって来た。

「ほんとに出なくなったかどうか験《ため》してくる」

洪作は言った。

「やめとき。どうしても出さんならん時は、婆ちゃがまたおまじないを解いてやる」

た。

「解けんなんてことがあろうか」

「解けんかったら」

こんな会話を何回も繰《く》り返したあとで、おぬい婆さんが先に眠り、そして洪作も眠った。


翌日はおぬい婆さんも洪作も朝寝坊し、〝洪ちゃ、洪ちゃ〟と洪作を呼ぶ子供たちの声で眼を覚した。洪作は眼を覚し、今日は運動会だと思うと、いきなり床を出て、大急ぎで着物を着、そのまま梯子段を駈け降りた。おぬい婆さんは、一口だけでも朝飯を食べるようにと言ったが、洪作は朝御飯どころではなかった。川の水をすくって、それで顔を撫《な》で、着物の袖《そで》でふくと、そのまますでに田圃《たんぼ》に集っている子供たちの群にはいった。子供たちはいつもと違《ちが》ってすぐ学校へ行った。学校はすっかり面目を改めていた。洪作たちはよそへお客さんにでも行ったような気持で、〝秋季大運動会〟という字のはまった杉のアーチをくぐった。日本中にこんな立派な学校はないだろうと思った。アーチをくぐると、掃《は》き清められた校庭には上級生が作った万国旗が縦横に張りめぐらされ、その一隅《いちぐう》には賞品を授与する校長の席や、村長の席などが作られてあった。

洪作たちは運動会が始まるまでに走り廻ってはいけないと思って、校庭の隅《すみ》の方に固まって温和《おとな》しくしていた。各部落の生徒たちも、いつもより早い時刻にぞくぞくとアーチをくぐってやって来た。

しかし、運動会はなかなか始まらなかった。平生の授業より一時間遅《おそ》い九時から開かれることになっていたので、生徒たちにはそれまでの時間はひどく長く思われた。生徒たちは早く集っていたが、先生たちはゆっくりやって来た。さき子は平生と同じ服装だったが、男の先生たちはそれぞれ白いランニング・シャツを着たり、白い運動帽《うんどうぼう》などを冠《かぶ》ったりしていた。一人の先生がアーチをくぐって校庭へはいって来ると、その度《たび》に、生徒たちはうわっと喊声《かんせい》を上げた。

九時に朝礼が行われた。石守校長が壇上《だんじょう》に立っている時、青年が打ち上げた花火が空で炸裂《さくれつ》した。生徒たちはみんな気をつけの姿勢をしていたが、首だけを曲げて空を見上げた。秋晴れの空の一角に花火の煙《けむり》が黒い線を引いて散りつつあった。

その花火の音で、村人たちはあわてふためいて学校へ集って来た。校長の話が終ると、運動場の一隅からオルガンの音が流れ、それに足を合わせて、生徒たちは所定の位置へと移動した。オルガンは紫《むらさき》の袴《はかま》を穿《は》いたさき子が、上半身で拍子《ひょうし》をとりながら弾《ひ》いていた。そんなさき子の姿が、洪作には美しく立派に見えた。

中川基が進行係でメガホンで出場者の名前を呼んだ。中川基の声も、洪作には村中に響《ひび》き渡《わた》るように思われた。呼び出しの声は中川先生の声が一番いいのだとさき子が言っていたのを聞いたことがあるが、なるほど本当だと思った。メガホンを持って、白いズボンを穿いた中川の姿も、洪作にはまた立派に男らしく見えた。

運動会は午前中が一部、午後が二部となっていて、午前中の一部では洪作は体操と、帽子《ぼうし》とりに出た。帽子とりでは真っ先に帽子を奪《と》られてしまったが、村人がまだ余り集っていない頃《ころ》だったので、洪作は自分の弱いところを多勢の人に見られないでよかったと思った。上の家の人たちも来ていなかったし、おぬい婆さんもまだ姿を見せていなかった。

一部が終る頃から父兄席や観覧《かんらん》席は人で埋《う》まった。隣村《となりむら》の月ヶ瀬の小学校からも、何十人かの生徒が先生に引率《いんそつ》されて参観にやって来た。遠い部落の父兄たちも、それぞれよそ行きの着物を着せた幼児たちの手を引いてアーチをくぐって詰めかけて来た。

おぬい婆さんは上の家の祖母たちと一緒《いっしょ》になって、父兄席の端《はず》れの方に座を占《し》めていた。洪作は時折自分の席を離《はな》れて、おぬい婆さんの居る近くまで行き、そしてまた帰って来た。近くまでは行ったが、決してその場所へ姿を見せることはなかった。おぬい婆さんとも、祖母とも、大三とも、どういうものか、この日は話をするのは恥《は》ずかしかった。

一部が終って二部が始まるまでの間に、生徒たちは昼食を食べた。父兄席でも、みんな坐《すわ》っている筵《むしろ》の上に弁当を開いた。洪作は弁当の海苔《のりま》巻きを食べている時、父兄席の方から運動場を横切って、こちらにやって来るおぬい婆さんの姿を見た。おぬい婆さんはゆで卵を洪作のところへ届けるためにやって来たのであったが、途中で教員の一人にメガホンで声をかけられた。

「おばあさん、そこを歩いてはいけません」

メガホンの声は大きく聞えたので、どっと笑声が起った。洪作はおぬい婆さんが足を停《と》め、あたりを見廻し、それからまたこちらに少し腰《こし》を曲げて歩き出して来るのを見た。

「運動場を歩かないで、父兄席の裏を廻って下さい」

また教員の声がメガホンにのって聞えた。おぬい婆さんは再び立ち停ったが、こんどは口に手を持って行って、何か叫《さけ》んだ。勿論《もちろん》その声は聞えなかった。おぬい婆さんはまたのこのこ歩き出した。そしてとうとう運動場を突《つ》っ切《き》ってしまうと、生徒の陣取《じんど》っている席の方へやって来て、

「お裏の洪ちゃは居るかや、お裏の洪ちゃは居るかや」

と言いながら、生徒席の前を歩き出した。

洪作はすっかり恥ずかしくなっていた。穴があったらはいりたい気持だった。洪作は仕方ないので、恥ずかしいのを我慢《がまん》して、縄《なわ》をまたいでおぬい婆さんのところへ駈け寄って行った。

「洪ちゃ、たまご」

おぬい婆さんは言った。

「洪ちゃ、卵なんて要《い》らん」

「要らんことがあろうかさ」

「早く向うへ行って！　運動場へはいったら叱《しか》られるじゃないか」

「なんの、構うことがあるべえか。ちゃんと税金払《はら》ってる」

おぬい婆さんはまた運動場を横切って自分の席の方へ歩いて行った。こんどはそれをとめる教員の声は聞えなかった。おぬい婆さんの姿が運動場を横切ってしまうまで洪作は小さくなっていた。ゆで卵を食べるどころではなかった。

二部が始まると、青年たちの楽隊が太鼓を鳴らし出した。急に会場は浮き浮きし、軍《ぐん》艦《かん》マーチの曲に乗って、競技は賑《にぎや》かに開始された。生徒たちが走ったり、父兄や青年たちが走ったりした。時には母親たちばかりが綱《つなひ》引きをやったりした。洪作は何種かの競技へ出たが、いつも等外だった。洪作は一回だけでいいから、自分が石守校長のところへ賞品を貰《もら》いに行くところを、おぬい婆さんや祖母たちに見せたいと思った。

三時過ぎに、この日の呼びものの一つである長距離競走が行われた。長距離競走は三年生以下と、四年生以上の二つに分れており、生徒の全部がそれに参加することになっていた。しかし、洪作はこのレースには全く自信を持っていなかった。いつも走り出すと、すぐ横腹が痛くなって道端《みちばた》に屈《かが》み込んでしまうのが常だった。

三年以下の長距離競走が行われる前に、洪作は便所の横でさき子と顔を合わせた。さき子は、

「これ上げる。これ呑《の》んでおきなさい。よく駈けれるから」

そう言って、カミールという清涼剤《せいりょうざい》を三粒《つぶ》掌《てのひら》の上に載《の》せてくれた。洪作はそれを呑んだ。

スタート前に、洪作がランニング・シャツ一枚になっていると、おぬい婆さんが来て、

「洪ちゃ、腹が痛くなったら、すぐやめとけや」

と言った。

「熱を出してまで駈けることはない」

実際に、洪作は少し過激な運動をやると、そのあとで熱を出した。熱は一晩で下ったが、今までに何回もそんなことがあった。

長距離競走と言っても、三年以下のことなので、そう遠い距離ではなかった。学校を出て、上の家の横の道を通り、へい淵《ぶち》へ行く道を、へい淵の方へは曲らないで真っすぐに長野部落まで走り、そこの部落の端れにある椎《しい》の老樹を廻って、また学校へ戻《もど》って来るのであった。

スタート・ラインに五十名程《ほど》の生徒が並《なら》んだ時、出発の合図の笛を吹く役の中川基が、

「洪ちゃ、一等をとれよ。死ぬまで走ってみろ」

洪作に近寄って来て、そう洪作にだけ聞える声で言った。そんなことを言っても無理だと洪作は思った。走り出さないうちから、洪作はすでに横腹が痛くなっていた。洪作

の隣《となり》で幸夫は手拭《てぬぐ》いで鉢巻《はちま》きをした緊張《きんちょう》した顔の中で、眼を輝《かがや》かせ、

「困ったな。おら、また小便がしたくなった」

と言った。幸夫は先刻から何回も便所へ行っていた。

「芳ちゃん、一緒に並んで行こうな」

洪作は、いつでも競技という競技には一番どん尻《じり》になる芳衛に話しかけた。

「うん」

芳衛は頷《うなず》いて、

「おら歯が痛くなった。家へ行って、薬を詰めてくる。一緒に行こうな」

と言った。芳衛はレースの途中家へ立ち寄って、歯へ薬を詰めるつもりらしかった。

この方には洪作は返事をしなかった。

中川基の「用意！」という声が、語尾を長く引いて、洪作の五体に滲《し》み渡った。洪作は涙ぐましい気持になっていた。遠い未知の国へ遠征《えんせい》の途《と》に上る者の気持であった。はるかな行手には見知らぬ山や川があった。幾《いく》つもの山を攀《よ》じ、幾つもの川を渡らなければならなかった。苦難は満ち溢《あふ》れていた。よし、行こう。あらゆる苦しいものに耐《た》えて行こう。洪作は眉《まゆ》を上げて、人で詰まっている観覧席の方を見た。その時合図の笛が鳴った。生徒たちはいっせいに飛び出した。

洪作は幸夫のあとについて走った。洪作は何も見なかった。いつ父兄席の前を通り、

アーチをくぐり、街道へ出たか知らなかった。横腹の痛みは早くも烈《はげ》しくなりつつあった。上の家の横を一団となって駈けている時、洪作は祖父の文太が道端《みちばた》に立っているのを見ると、文太のところへ駈け寄り、

「おなかが痛くなった！」

と訴《うった》えた。

「腹が痛くなった⁉　腹の痛いのなどは、駈けていれば直る」

文太はいつもの苦虫《にがむし》を嚙《か》みつぶしたような顔で冷たく言った。仕方ないので洪作はまた駈け出した。幸夫との距離は開いたが、すぐまた追いついた。芳衛の家である酒屋の横を通り越した。芳衛はしんがりでも駈けているのか、洪作の前後には姿を見せていなかった。

この頃から駈けるのをやめて道端に屈《かが》み込んだり、学校の方へ戻《もど》り出したりする生徒が何人か出始めた。洪作と幸夫は駈けた。へい淵の曲り角を通過し、長野部落へ通じる坂を上った。

いつか横腹の痛みは感じなくなっていた。洪作はさき子から貰《もら》ったカミールが効《き》き出したと思った。そう思うと、急に足が軽くなり、いつまでも駈けることができそうな気がした。カミールを呑んでいない幸夫は次第に弱り出した。

「洪ちゃ、おらやめる！　やめようや」

幸夫は言って、何回も足を停めかけたが、洪作が黙《だま》って駈けているので、仕方なしに彼《かれ》もまた駈け続けた。しかし、長野部落の入口まで来たところで幸夫はいきなり道の真ん中に屈み込んでしまった。

洪作は幸夫を残して駈けた。落伍者《らくごしゃ》は急速にふえつつあった。みんな駈けている洪作の方を見送って、道端から声援《せいえん》を送った。二年生もあれば三年生もあった。洪作は一人二人と前を走って行く生徒を追い抜《ぬ》いて行った。一人追い越す度《たび》に、カミールが効いていると思った。折り返し点の椎の木の近くまで行くと、洪作はすでに折り返して来た生徒とぶつかった。一番先に走って来たのは、新田部落の芳平という小柄《こがら》な二年生だった。彼は洪作とぶつかると、ちょっと足を停め、

「長距離の一等は鉛筆何本だっけ」

と訊《き》いた。彼は賞品のことを考えながら駈けているらしかった。少しも疲《つか》れを見せていなかった。

「知らん」

洪作は言うのがやっとだった。二番目に駈けて来たのは、同じく新田部落の三年生で、洪作の名を知らぬ生徒だった。彼は洪作とすれ違う時、

「こんちは」

と、真顔で言った。これも少しも疲れを見せていなかった。三番目は同級生の兼松で、

兼松は洪作とぶつかると、急に足を停め、

「おら、もう一度戻る。五銭おっことした」

と言った。

「ここと椎の木との間だ。さっきここで見た時は、ちゃんと帯に挟《はさ》んであったんだ。洪ちゃ、われも探してくれな」

「うん」

洪作は頷いたが、兼松の仕事を手伝う気持の余裕《よゆう》はなかった。兼松は自分が落した五銭玉のために三番目を駈けていた栄誉《えいよ》をあっさり捨てて、洪作と一緒にまた折り返し点へと引き返し始めた。兼松は着物を着ていた。五銭玉は帯にまきつけてあったものらしかった。

地面にきょろきょろ視線を投げながら走っている兼松のあとから洪作はついて走った。二人は間もなく数人ひと固まりになって走って来た一団とぶつかった。この方はみんな苦しそうに息を弾《はず》ませ、それぞれ必死の表情を見せていた。

兼松は、そんな生徒たちに、

「お前ら、五銭拾わなかったか」

と声をかけた。誰《だれ》も返事をしなかった。それから間もなく、兼松と洪作は椎の木のところへ辿《たど》り着いた。椎の木の傍《そば》には学校の小使のおっさんが立っていた。

「洪ちゃ、えらく早く来たじゃないか。お前、十一番じゃ」

おっさんは言った。そして兼松を見ると、

「あれ、お前、また戻って来たんか」

と、驚いて叫んだ。

「五銭、失くした」

兼松は言った。

「五銭！　ばかもんめが！」

おっさんは急に緊張した表情をして、自分の足許《あしもと》を見廻し、それから兼松と一緒にそこらを探し出した。そんな二人をそこに残して、洪作は椎の木を廻ると、いま来た道を戻り始めた。おっさんが十一番だと言ったことが洪作を元気づけた。洪作は今までより早く走った。何人かとぶつかった。みんな自分より遅い連中だった。走って来る者も、のろのろ歩いて来る者もあった。

洪作はへい淵への曲り角のあるところで、自分の前を行く三人を追い抜《ぬ》いた。三人ともすっかりへばって、道端に転がっている材木へ腰《こし》を降し、息をはあはあさせていた。洪作は休まず走った。カミールはまだ効いていると思った。酒屋の前で、更に二人抜いた。二人とももう走る気力を失ってのろのろ歩いていた。

洪作は上の家の横の道を抜けて、街道へ出た。学校の門はすぐそこに見えていた。校

門のアーチを抜けた時、上の家のみつが横から飛び出して来て、

「洪ちゃ、洪ちゃ！」

と声援してくれた。洪作は怒濤《どとう》のような喚声《かんせい》が自分を押し包むのを感じた。校庭に満ち溢《あふ》れている観衆はいっせいに立ち上り、悉《ことごと》くありったけの声を振りしぼって、自分を激励《げきれい》しているように思われた。楽隊は鳴り、万国旗ははためき、そして風は渦《うず》巻いて渡っていた。

洪作はゴールへはいった。洪作はゴールへはいった時、カミールが切れたと思った。眼《め》はかすみ、足はよろめき、今まで眼に映っていたもの総《すべ》てが、すうっと遠くへ遠のいて行った。洪作は微《かす》かに自分がさき子の腕の中に受けとめられ、そして地面に横たえられ、ランニング・シャツをまくり上げられるのを感じていた。

「洪ちゃ、あんた、五等よ。確《しっか》りなさいよ」

そう言うさき子の顔を見守っているうちに、洪作は、次第にはっきりしてくる頭の中で自分がまさしく長距離競走で入賞したことを知った。それはあり得《う》べからざることであった。しかし、そのあり得べからざることは、いま現実の事実として起っているのであった。

「洪ちゃ、夢《ゆめ》見てるのかな。これ、夢？」

洪作が言うと、

「ねぼけたみたいなこと言ってないで起きなさいよ」

洪作はさき子の手で引き起された。洪作は立ち上った。

中川基がやって来て、

「洪ちゃ、早く行って鉛筆貰って来なさい」

と言った。洪作は石守校長のところへ賞品の鉛筆を貰いに行った。伯父の石守森之進はにこりともしないで、紙に包んだ賞品を差し出した。洪作がうやうやしくそれを受取ると、

「珍しいことがあるもんだ。雨が降るだろう。豊橋のお父さんのところへ五等にはいったことを手紙で報《し》らせてやんなさい。嘘字《うそじ》を書かんように」

そう彼は言った。

「はい」

洪作ははっきりと返事して伯父の校長の前から引き退《さが》った。

その日、運動会が終って土蔵へ帰ると、おぬい婆さんは賞品の鉛筆を神棚《かみだな》へ供え、盛んに口の中で何か唱《とな》えていた。そして、上の家で赤飯をたいて持ってくるから、それまで多少空腹でも待っているように洪作に言った。

「坊がよく駈けたので、村中がさぞみんなたまげたことずら」

おぬい婆さんは手酌《てじやく》で祝いの酒を飲みながら、同じことを何回もくり返した。

翌日は、運動会の疲れ休みの意味で、学校は休校だった。洪作は長距離競走で五等へはいったので、すっかり得意だった。上の家へ行く途中、顔を合わせた村人からは例外なく声をかけられた。

——洪ちゃ、豪《えら》いな。

と素直に褒《ほ》めてくれる者もあれば、

——珍しいことがあるもんだ。地震《じしん》でもなければいいが。

と、そんな皮肉な褒め方をする者もあった。上の家でもみんな褒めてくれたが、

——これから、おぬい婆ちゃが、さぞ大変なこっちゃ。

と、祖父が言うと、それを肯定《こうてい》する言葉が多勢の口から出た。洪作は、その日何回も上の家へ出掛《か》けて行った。みつもこの日は幾《いく》らか洪作を尊敬しているらしく、いつものように意地悪をすることはなかった。

午後、洪作はさき子に誘《さそ》われて田圃《たんぼ》に散歩に出掛けた。平生なら教師のさき子と一緒に歩くのは厭《いや》だったが、この日はさして気にかからなかった。酒屋の横手から小さい田圃が何枚か渓合へ向って階段状に置かれてあったが、さき子はそこを先に立って降りて行った。どこへ行くのか判《わか》らなかったが、洪作は黙ってついて行った。どこへ行こうと、さき子と一緒なら楽しかった。

一番下の田圃にはいなむらが幾つか作られてあったが、そのいなむらの一つの横手へ

廻った時、突然《とつぜん》中川基が姿を見せた。洪作は突然の中川の出現に驚《おどろ》いたが、さき子は、

「待ちました？」

と言った。三人はいなむらを背にして腰を降した。そこはそうした休息には恰好《かっこう》な陽《ひ》だまりだった。十一月の静かな陽が落ちて、いかにも平和な感じだった。中川基がキャラメルを出すと、さき子が袂《たもと》からみかんを出した。みかんはまだ小さくて青かった。

洪作は中川とさき子をそこへ残して、崖《がけ》っぷちへ赤い椿《つばき》の花を取りに行ったり、崖っぷちの灌木《かんぼく》の繁みで鳴く小鳥の正体を見届けに行ったりした。洪作は一人で遊んでいても少しも退屈《たいくつ》しなかった。近くにさき子と中川基が楽しそうに話していることで、自分も楽しかった。心は満ち足りている気持だった。一度洪作が二人のところへ近づいて行くと、

「洪ちゃ、ここに坐《すわ》っておいで！」

と、さき子は言った。

「ううん、見張りしてて上げる」

洪作は言った。洪作は何の特別な気もなく言ったのであったが、

「あら！」

さき子が叫《さけ》ぶと、いきなり立ち上った。洪作は自分を追いかけそうなものを相手に感じて逃《に》げた。果してさき子は追いかけて来た。洪作は二枚目の田圃へ駈け上ったところ

で、さき子の手に捉《とら》えられた。さき子は洪作の帯を手で捉えたまま、息を弾ませていた。そして、暫《しばら》く呼吸《こきゆう》を静めてから、

「見張りしててくれたの。見張りも有難《ありがた》いけど、お家へ行って、らっきょう持って来て頂戴《ちようだい》！」

「らっきょう?!」

洪作は訊き返した。

「そうよ。らっきょう食べたくて堪《たま》らないの。——大急ぎで行って持って来て！」

さき子は言った。さき子の頼みが真剣だったので、洪作はそのようにした。上の家へ行って、自分で台所の戸棚《とだな》を開けて、そこにあるかめかららっきょうを三、四個つまみ出して、それを小皿に入れて田圃のさき子のところへ持っていった。

さき子のためにらっきょうを運ぶ役を洪作が受け持つようになったのは、この日からであった。洪作は学校でさき子に呼ばれてらっきょうを家へ取りに行ったり、一緒に共同湯へ行く途中、らっきょうを取るために家へ戻らされたりした。それも二回や三回ではなかった。洪作はこの奇妙《きみよう》な仕事を、さき子のために忠実に受け持ってやった。

さき子が妊娠《にんしん》したという噂《うわさ》が、村人の間にささやかれ始めたのは、十二月にはいって間もない頃《ころ》からであった。小学校の運動会もすみ、神楽もすみ、村祭りも終って、あと

は正月がやって来るまで、冬を迎《むか》える支度《したく》以外はひどく退屈《たいくつ》な時間が伊豆の山村一帯を訪れるのは例年のことであるが、この年だけは、さき子の噂が村の大人たちの全部を生き生きとさせた。さき子という名を口にする時、村の女たちは、眼《め》を輝《かがや》かせ、口を尖《とが》らせ、顔を寄せ合って声をひそめて喋《しゃべ》った。そんな村の内儀《かみ》さんや娘《むすめ》たちの姿は、村の到《いた》るところで見られた。川で大根を洗っている時の話題も、夜渓合《たにあい》の共同湯に行く時の話題も、女たちが好んで取り上げるのは、さき子の噂ばかりであった。

男たちの方は女たちとは少し違《ちが》っていた。女たち程《ほど》さき子のことはとやかく言わなかったが、その問題を口に出す時は、意地悪い言い方で、専《もっぱ》らさき子ではなくて、中川基の方を罵倒《ばとう》した。青年たちは中川基を教職から追うべきだとか、村から追放すべきだとか、そんなことを昂奮《こうふん》して喋った。ただ五十を過ぎた老人たちは、男も女も一様に顔を合わせると、さき子のさの字も言わないで、困ったことになったもんだとか、何とかまるく収めなければならぬがとか、そうしたことを眉《まゆ》をひそめた思案深げな表情で話した。それはまるで老人たちの挨拶《あいさつ》のようなものであった。寒い北風が吹《ふ》き始めた路上で、老人たちは腕《うで》を組んだり、きせるに煙草《たばこ》をつめたりしながら、お互《たが》いにお互いの眼を見入って、そうだともそうだともと頷《うなず》いたり、なんのなんのと首を横に振《ふ》ったりした。

要するに村の人たちは、老いも若きも、男も女も、さき子の話ばかりして、正月がやって来るまでの比較的閑暇《ひま》な時期を充実したものにしたのである。子供たちもさき子の噂をしたが、この方は、何となく意気が上らなかった。〃さき子と中川は怪《あや》しいぞ〃と言っていた二カ月程前の時期には、まだ自分たちが何を口から出しているか理解できたが、妊娠ということになると、それが一体どういうことなのであるか、充分《じゅうぶん》よくは納得《なっとく》できなかった。村の女たちは必ずいつもたれか大きな腹を抱《かか》えていた。それが、さき子の場合だけ、どういうわけで非難されるのか腑《ふ》に落ちなかった。それから〃さき子と中川は怪しいぞ〃というような、みんなが合唱するために適当である文句《もんく》もこの場合は浮《う》かんで来なかった。従って、子供たちはさき子の噂をする場合でも、自分たちの言葉は使わないで、大抵《たいてい》いつか自分が耳にした自分の親たちの言葉を借りて使った。

——上の家でも困ったこっちゃ

と、幸夫が言えば、

——やれやれ、厄介《やっかい》なことになりおった。あまっ子は妊《はら》むで困る

と、亀男がそんなことを親たちの表情を真似て口から出した。そして、子供たちはあとはただやたらに、うわあっ、うわあっと、大きな声を張り上げて、そこらを跳《は》ね飛んだ。

さき子は十二月の初めから学校の方は休んで、上の家の二階の自室に閉じこもってばかりいた。階下へ降りて来ることもめったになかったので、洪作はさき子の姿を眼にすることはできなかった。洪作は相変らず上の家には毎日のように遊びに出掛《か》けていたが、

何となく二階への階段へ近づくことは憚《はばか》られて、あたかも怖《こわ》いものでもいるかのように、そこへは近づかないで遠くの方から睨《にら》んでいた。

祖母のたねだけが、時折、浮《う》かない暗い顔をして二階へ上って行き、そしてまた同じ表情で二階から降りて来た。そんな時洪作が祖母の方に近づいて行きでもしようものなら、

「あっちへ行っておいで！　いい子だから」

と祖母は憂《うれ》わしげな顔を悲しそうに歪《ゆが》めて、手だけを烈《はげ》しく振《ふ》った。祖父の文太は、さき子のためかどうか判らなかったが、平生より一層気難しくなって、四六時中むっつりと押し黙《だま》り、酒焼けで赤くなっている鼻の頭を、ハンケチ替りに持っている小さく畳《たた》んだ手拭《てぬぐ》いでこすっては、何か口の中で呟《つぶや》いてばかりいた。

洪作は仲間と遊んでいる時も、大人たちが二、三人集っているのを見ると、いつもそこへ近寄ることを避《さ》けた。さき子に対する蔭口《かげぐち》を耳にするのが厭《いや》だったからである。

冬休みが明日から始まるという日、伯父の石守校長は朝礼の時に中川基が今学期限りこの学校をやめて、半島の西海岸の村の学校へ転任することになったということを発表した。校長の短い話が終ると、中川基が壇《だん》の上に立って、これもまた短い、しかし中川らしい挨拶《あいさつ》をした。中川基は終始にこにこして、こんど赴任《ふにん》する学校のある村にはみかん山が沢山《たくさん》あるので、いつか是非《ぜひ》遊びに来て貰《もら》いたい。みんなをみかん山へ案内して、

顔が黄色になるほどみかんを食べさせて上げる。そんなことを話した。

中川基が壇を降りると、何と言うことなしにそこに整列している全生徒の間から、風でも渡《わた》るような低いざわめきが起った。それは生徒たちの話し声でも笑い声でもなかった。正確に言えば、生徒の一人一人が思わず口から洩《も》らした歎声《たんせい》のようなものが、一つのざわめきの形をとって、朝礼場の隅《すみ》から隅へと、軽い波立ちを見せて渡って行ったのであった。洪作は、いま整列している生徒の全部が、自分たちの前から中川基が姿を消すことを惜《お》しんでいることを知った。しかし、このことは少しも不思議《ふしぎ》なことではなかった。生徒の一人残らずに、中川基が他の教師たちとは違《ちが》った型の人間であり、何となく自分たちの味方のような人間であることが判っていたからである。

洪作も、突然《とつぜん》の中川基の転任が堪《たま》らなく悲しく思われたが、しかし、一方で吻《ほっ》とする思いのあることも事実であった。これでさき子の立場はきっとよくなるだろうと思った。どうしてそういう考え方になるか、その間の事情は自分でもよく呑《の》み込めなかったが、洪作にはしきりにそんな風に思われた。中川基と別れることは悲しかったが、しかし、そのためにさき子に対する悪口が村人の間から消えることを思うと、それも致《いた》し方のないことだろうという気がした。

洪作には、壇上から降りた中川基が立派に見えた。中川基はきっとさき子のために犠《ぎ》牲《せい》になったのであろう。犠牲とはこのようなことを言うのに違いないのだ。中川はさき子を救うために、自らこの学校から去って行くのだ。そしてもう二度とこの村へはやって来ないだろう。洪作はこの世の中で自分だけが中川基という人間を理解しているような気がした。その思いが洪作を昂奮《こうふん》させ、妙《みょう》に悲しい思いで洪作の体《からだ》を震《ふる》わせた。

中川基の転任が発表された日、洪作はおぬい婆さんから、中川基とさき子が来年早々結婚することになったということを聞いた。

「ややこしいこっちゃ。普通《ふつう》なら嫁《よめ》っ子に行ってから嬰児《ややこ》ができる段取りだが、上の家じゃ、嬰児が先にできて、それからあわてて祝言《しゅうげん》じゃ、あまり聞いたことのない話じゃや」

おぬい婆さんの言葉には毒があった。洪作は中川基がさき子のために犠牲になって遠くへ去って行くものとばかり思っていたのに、そうでなくて、二人が結婚することになっているとは意外なことであった。さき子が中川と結婚したら、さき子は当然中川基の赴任先の西海岸のみかん山のある村へ行ってしまうであろう。そう思うと、突然眼の前が暗くなるような気がした。中川基に同情してやっていたことがばからしく思われた。中川は犠牲者であるどころか、さき子を奪《うば》い去って行く略奪者《りゃくだつしゃ》ではないか。

洪作にとって、さき子が自分の前から居なくなってしまうということは、どうしても考えることのできないことだった。さき子が学校を休んでから、もう何日も洪作はさき子とは顔を合わせていなかったが、しかし、それはさき子が居ないということではなかった。上の家の二階にちゃんとさき子は居るのであった。たださき子がそこから一歩も出て来ないというだけのことであった。洪作はさき子と顔を合わせなくても、上の家へ上り込んで、さき子の居る部屋の下で遊ぶこともできたし、上の家の前の旧道で遊んでいて、さき子の居る二階の部屋の土蔵造りの見るからに重そうな窓を下から仰《あお》ぐこともできた。

冬休みになると、子供たちはすぐ眼の前に迫《せま》って来ている正月のことを思って、そわそわと落ち着かなくなった。門松《かどまつ》を取りに行く青年たちのあとについて山へ行ったり、餅搗《もちつ》きの臼《うす》や杵《きね》を川で洗う内儀《かみ》さんたちの周囲にたかったりした。洪作もまた正月を迎《むか》えることは嬉《うれ》しかったが、その嬉しさの中に、時折一抹《いちまつ》の淋《さび》しさが顔を覗《のぞ》かせた。楽しい正月が来ると、すぐさき子は祝言をして、中川基と二人でこの村を出て行ってしまうのだ。

しかし、この洪作の心配は杞憂《きゆう》であった。正月が来ても、さき子は依然《いぜん》として二階の自室から姿を見せなかったし、二人の祝言の話は村の誰《だれ》からも聞かなかった。ただ今までと違って来ていることは、中川基が半ば公然と上の家へ出入りし始めたことであった。中川基は大みそかに酒屋の離《はな》れを引き払《はら》うと、あとは上の家へ引き移って、あたかも自分がそこの一員であるかのように振舞《ふるま》った。正月のお雑煮《ぞうに》を上の家で食べた。中川が上の家に居るようになってから、さき子は時々大きな腹を抱《かか》えて、二階から階下へ降りて来るようになった。

そんな時、洪作はさき子の顔と彼女の急に大きくなった腹部とを見較《くら》べた。どうしてさき子の腹部は暫《しばら》く見ない間にこのようなことになってしまったのかと思った。

洪作はある日おぬい婆さんに、

「さき子姉ちゃん、いつ祝言するの」

と訊《き》いてみた。すると、

「祝言はもうすんだげな」

と、おぬい婆さんは口を尖《とが》らして言った。

「振舞いもせんと、もう祝言はすんでしまったとさ。婆ちゃも、ずいぶん長く生きて来たが、こんな話は聞いたことがない。上の家のばあちゃもさぞ世間に肩身《かたみ》が狭《せま》いことずら」

祝言が終ってしまったと聞いて、洪作は張合抜《ぬ》けした気持を味わった。祝言すると同時に、さき子は居なくなってしまうのだと思い込んでいたが、祝言がもうすんでしまったというのに、いっこうにさき子の周辺には変ったことは起っていなかった。そのことが、洪作を安心もさせ、また拍子《ひようし》抜けした気持にもさせた。

中川基は三学期が始まる前日、荷物を馬車に乗せて、新しい赴任地へと出発して行った。洪作は中川がさき子を奪って行かないということで、再び彼に好感を持っていた。

洪作は幸夫や、芳衛や、亀男や、茂たちと一緒《いっしょ》に、駐車場《ちゅうしゃじょう》まで中川を送った。上の家では祖母のたねのほかに大五とみつが駐車場に姿を現した。しかし、近所の者はたれも送らなかった。洪作が、その夜、中川基を駐車場まで送ったことをおぬい婆さんに告げると、

「婆ちゃも、近所の衆も、みんな知っていたが、知らんことにして送らなかったのさ。祝言の披露《ひろう》もせんに、まさか聟《むこ》さんやと声もかけられんからな」

この場合に限らず、さき子と中川の祝言問題では、おぬい婆さんはひどく腹を立てていた。たとえ内輪で祝言の真似事をするにしても、自分はともかくとして洪作には出席を乞《こ》うべき筈《はず》であるという考えであった。

「洪ちゃは豊橋の父ちゃや母ちゃの代理じゃ。洪ちゃに声をかけんという法はあるまい」

おぬい婆さんはその話に触《ふ》れる度《たび》に息まいたが、その婆ちゃの考え方には洪作自身ぴんと来ないものがあった。豊橋の両親の代理というのも何となく大袈裟《おおげさ》であったし、またそのような問題に声をかけられる程成長もしていなかった。上の家へ行くと、文太やたねにとっては、洪作は単なる孫にしか過ぎず、孫以外の何ものでもなかった。

中川基が居なくなると、村人は以前程さき子の噂をしなくなった。噂をしても、以前程悪意のこもったものではなくなった。たとえ内輪の真似事であっても、さき子と中川

が祝言を挙げたということは、一応村人たちを納得させ、彼等《かれら》の好奇心を静めたらしかった。ただこの頃になって子供たちは唄《うた》い出した。〝さき子と中川ちゃかちゃかちゃかちゃ、祝言挙げてちゃかちゃかちゃかちゃ〟その唄を聞くと、洪作は何となく気恥《は》ずかしく、そうした歌を唄う子供たちを憎《にく》んだ。

五章

正月のあとの子供たちの楽しみは四月の馬飛ばしであった。長野部落の向うにある小さい峠《とうげ》を越えると、隣村《となりむら》の上大見《かみおおみ》部落になるが、その上大見部落にはいったところにある小さい平坦地《へいたんち》の筏場《いかだば》で、毎年四月の桜《さくら》の花の時期に、草競馬《くさけいば》が行われる習わしだった。その村では大人たちも子供たちも、競馬とは言わないで、馬飛ばしという言い方をした。その日近郷十箇村程《ほど》の青年たちは馬を持って筏場に集り、そこで小さい馬場に馬を駈《か》けさせる技《わざ》を競った。集る青年たちも農村の若者であり、連れて来る馬も平生農耕に使っている馬であった。競馬そのものは、一時間に一回ぐらいの割で三、四頭の馬が馬場を駈ける頗《すこぶ》るのんびりとしたものであったが、それを見るために集る人は夥《おびただ》しい数に上った。人々は競馬場の到《いた》るところに、筵《むしろ》を敷いて宴席《えんせき》を張り、桜を見たり、馬を見たりしながら、春の一日を楽しんだ。おでんやしんこ団子などを売る小屋もできた。食べものの店は農村の女たちの内職で、大抵《たいてい》毎年同じ顔触《ぶ》れが店を張った。大人たちにも楽しい一日に違《ちが》いなかったが、これは子供たちにとっても楽しい一日であった。ある意味では、子供たちには馬飛ばしは、お盆《ぼん》や正月よりも、もっと大きい魅力《みりょく》を持っていた。

洪作たちは三月頃《ころ》から、馬飛ばしの話ばかりした。紺屋《こんや》の次男の清さんという若者が、毎年この村から馬を引いて行った。子供たちは三月の終りになると、紺屋の前ばかりに集り、街道を駈ける時も、馬に乗ってでもいるように、体《からだ》に調子をつけて手綱《たづな》を取る恰好《かっこう》をして走った。

馬飛ばしの当日、子供たちは朝家を出る時、よそ行きの着物を着、小遣銭《こづかいせん》を帯に巻きつけ、学校の授業が終ると、すぐ競馬場へ駈けつけられるように用意して家を出た。学校もその日は特別で、午前中二時間だけ授業をやって、あとは休みになるのが慣例になっていた。

その日、洪作たち湯ヶ島部落の少年たちは、授業が終ると、校庭の一隅《いちぐう》に集り、すぐ遠い競馬場へ向けて駈け出して行った。長野部落までいっきに駈け、それからその部落を抜《ぬ》けると、国士峠《こくしとうげ》へ向って走りづめに走った。少年たちの列は背後に砂埃《すなぼこり》を上げながら街道を走ったり、山の斜面の間道を伝ったりして、ひたすら馬飛ばしのある筏場を目差した。子供たちは必死だった。一刻も早く行かないと、待ちに待った馬飛ばしが終ってしまいそうな不安が、絶えず彼等《かれら》を襲《おそ》っていた。

洪作たちは国士峠まで休まず駈け、峠へ登り着いた時、その峠付近の山の斜面を埋《う》める茅《かや》の原へ身を埋めて休んだ。この付近は茅がいっぱい生い繁っているので、普通村人たちからは茅場《かやば》という名で呼ばれていた。茅は一、二尺の長さに伸《の》びているところもあれば、正月の山焼きですっかり焼かれて黒い焼跡《やけあと》を見せているところもあった。丈《たけ》の伸びているところは、遠くから見ると銀灰色に光って、象の皮膚《ひふ》のように見えた。

洪作たちは茅の中へすっかり体を埋めて、長く駈け続けたことで荒《あら》くなっている息使いを調整しようとしていた。息使いはなかなか静まらなかった。そこから伊豆の山々が重なり合って展《ひろが》っているのが見渡《わた》せた。よくもこんなに沢山《たくさん》の山があるものだと思う程、山は無数に重なり合い、その果ては霞《かす》んでいた。そしてそうした山なみの果てに、頂きだけに雪をのせた富士が、青い姿を中空に浮《うか》べていた。置物のような小さな富士だった。

息が静まると、幸夫が、

「よし、駈け出すぞ」

と、大きな声を出して叫《さけ》んだ。その声で、十人程の子供たちはいっせいに立ち上った。横腹を押えながら立ち上った者もあった。そうした者は腹が痛いらしかったが、馬飛ばしのためには、腹が痛いなどと言ってはいられないという顔つきだった。田圃《たんぼ》から飛び出すいなごのように、少年たちは茅の原から飛び出し、再び道路の上に降り立つと、そこから下りになっている道を筏場の方へ駈けた。

峠から一丁程駈けた時、洪作は遠くから聞えて来る馬飛ばしの騒擾《そうじょう》を耳にした。人々のうわあっというざわめきが、遠く、低く、しかし力のこもった潮騒《しおさい》か何かの音のようなものとして聞えて来た。

いま馬が駈け出したに違いないと洪作は思った。馬が駈けたので、観衆はどよめきを上げたのである。そう思うと、峠で休んだばかりに大変なものを見落してしまったような気がして、それからスピードを早めて無我夢中《むがむちゅう》で駈けた。他の子供たちも同じ気持らしく、みんないっせいに周りの仲間のことは考えず、自分だけで駈けた。

やがて競馬場が眼《め》にはいって来た。峠から続いている坂道が台地へ下りきったところに、小さい平地があり、そこに多勢の人々が動いているのが見えた。人々は一人残らず馬場の真ん中の空地に集っていて、そこで酒盛りをやっている者もあれば、宴席と宴席との間を歩き廻《まわ》っている者もあった。食べ物を売る小屋掛《が》けが三つ四つできていて、その小屋の周りに何本かの桜の木が植わっており、丁度満開の花を咲《さ》かせている。

洪作たちは道から馬場へ下り、人々の群っている場所へはいって行くと、もう誰も口をきかなかった。見るものが余りにも沢山あったので、口をきく余裕《よゆう》はなかった。それでも何となくひと固まりになって、同じように人々の間を移動して行った。

「こんにゃく！」

おでんの小屋掛けの前まで行った時、幸夫がとんきょうな声を口から出した。そして、みんなの方へ顔を向けた。こんにゃくを買って食べようかという提案《ていあん》であった。誰《だれ》も返事をしなかった。眼の前の大鍋《おおなべ》に湯気《ゆげ》を立ててこんにゃくが煮《に》られているのを見ると、子供たちは喉《のど》から手が出そうなほど欲《ほ》しかったが、誰の心の中にも、まだもっといいものがあるかも知れないという気持があった。

「おらあ、こんにゃく買う」

幸夫はこんどは宣告するような口調で言って、一同の顔を見廻してから、

「おばあ、こんにゃく」

と、そこの店の主人である老婆《ろうば》の方へ声をかけた。

「あいよ」

老婆は長い串《くし》のまま、その先端《せんたん》に刺《さ》してある三角型のこんにゃくを鍋から取り出すと、味噌《みそ》のはいっているどんぶりへこんにゃくの部分を器用にくるくる廻して入れ、

「あいよ、金を出しな。金を出さんとやらん」

と言った。

「やめよかな」

幸夫は首を傾《かし》げて言った。

「何を言っとる！　この坊主」

老婆は口を尖《とが》らせた。

「向うのこんにゃくの方が大きいや」

幸夫は言った。幸夫の言うことは嘘《うそ》ではなかった。馬場への入口にも同じようなおでんの小屋掛けが建っており、そこで見たこんにゃくの方が確かに大きかった。すると、老婆は怖《こわ》い顔をして、

「この寝小便たれ！　お前どこの家のもんじゃ」

と言った。

「雑貨屋だ」

すかさず子供たちの中の一人が答えた。

「雑貨屋って、湯ヶ島の雑貨屋か？」

「うん」

こんどは幸夫が頷《うなず》いた。

「道理で、生意気言う小僧《こぞう》じゃ。――家へ帰ったら父《と》っつぁんに言いな。この間お前んとこの店で買った釘《くぎ》、三本足りなかった」

それから婆さんは、子供たちの顔を見廻していたが、ふいに洪作の方へこんにゃくの串を突《つ》き出すと、

「坊《ぼう》、お前にやる。ただでやる」

と言った。洪作は驚《おどろ》いて二、三歩後へ退《さが》った。すると、酒屋の芳衛が手を出して、老

婆が摑《つか》んでいるこんにゃくを奪《うば》い取ると、それを洪作のところへ持って来た。

「くれるって言うに、貰《もら》っておけ」

芳衛は言った。洪作は貰っていいものかどうか判《わか》らないので、また後へ退った。その時芳衛の持っていたこんにゃくは、串から抜けて地面に落ちた。

洪作たちはそれから次々に小屋掛けの店を廻った。いかの煮《に》つけを売っているところもあれば、しんこ団子を売っているところもあった。結局幸夫はいかの煮つけを、芳衛と洪作はしんこ団子を買った。三人とも一つ買って食べてしまうと、あとはもう何も買えなくなった。買えないということになると、子供たちは初めて自分たちがここへ来た目的である馬飛ばしの馬がどこに居るかという重大なことを思い出した。

馬は人々が群がって、酒宴を開いている場所から少し離《はな》れたところに五、六頭繫《つな》がれてあった。洪作たちはそこへ馬を見に行き、長い間馬の長い顔を眺《なが》めたり、背後へ廻って行って尻尾《しっぽ》の長さを較《くら》べたりした。例年は十頭以上の馬が集るのが普通であるが、今年はどういうものか数頭しか集っていなかった。そのことは馬飛ばしの賑《にぎわ》いとはたいして関係なかった。人々は時々忘れたころに二、三頭の馬が走る競馬そのものにはたいして関心は持っていなかった。四、五本の桜が満開の花をつけ、時折競馬らしいものが行われさえすればそれで充分《じゅうぶん》だった。

紺屋の次男の清さんの馬が駈ける時は、洪作も幸夫も緊張《きんちょう》した。大見部落の左官屋の辰さんの馬と競走するということなので、洪作たちは清さんを応援《おうえん》するために、人々の余り集っていない馬場の北側に席を取り、そこで頑張《がんば》ることにした。

一番難しいとされているスタートは、このレースでは成功した。二頭の馬は同時にスタートを切って、並《なら》んで駈け出した。しかし、間もなくどういうものか辰さんの馬はふいに駈けるのをやめて立ち停《どま》り、天にでも駈け上るように、後脚《うしろあし》で立って、前脚で宙を掻《か》いた。そのために、忽《たちま》ちにして辰さんは落馬した。どっと喚声《かんせい》は沸《わ》き起り、多勢の人々が宴席を離れて、辰さんの倒《たお》れている方へ走って行った。しかし、辰さんが怪我《けが》もせず起き上ったのを見ると、みんないっせいに、何だつまらないと言った顔をして、またぞろぞろと自分の席の方へ戻った。

そうしている間に、紺屋の清さんは自分だけで馬場を一周し、それで足りないのかもう一周馬を駈けさせた。清さんの姿は、洪作の眼には立派に見えた。平生は道楽者だとか、怠《なま》け者だとか、悪口を言っている大人たちも、この日ばかりは清さんを褒《ほ》めた。

「本物の騎手《きしゅ》になったら清の奴《やつ》は日本一の騎手になるずらに」

そんなことを言う老人もあった。そんな清さんについての賞讃《しょうさん》の言葉を聞くために、洪作たちは大人たちの酒盛りの場を、次から次へと廻って歩いた。

洪作たちはそうしたことに倦《あ》きると、あとは辛抱《しんぼう》強く次のレースが行われるのを待った。そして次に出走することになっている騎手の傍《そば》ばかりにくっついていた。騎手はコールテンのしゃれたズボンをぴったり身に着け、革《かわ》の鞭《むち》を手にして、いまにも出場しそうな恰好《かっこう》をしていたが、しかし、幾《いく》つかの宴席を廻ってはそこここで酒を飲んでいて、なかなか馬繋場《うまつなぎば》の方へ出掛けて行かなかった。そうしている時、洪作の傍に温泉宿の女中をしている娘が近寄って来て、

「洪ちゃ、さき子さんが嬰児《やや》産《こう》みかけているって、本当か？」

と訊《き》いた。

「ややこ？」

洪作は相手の言った言葉の意味が、よく理解できなかった。

「知らん」

洪作は首を振《ふ》り、すぐ、

「さき子姉ちゃ、ややこ、産むんか」

と逆に訊き返した。

「今朝方、産みかけたって言うじゃないか。洪ちゃ、知らんのか」

「知らん、そんなこと」

洪作はいつか胸が怪《あや》しく騒《さわ》ぎ出しているのを感じていた。女が言ったのは、恐《おそ》らく本当のことだろうと思った。さき子が嬰児を産みかけているということが本当なら、それは大変だと思った。どのように大変か判らないが、とにかく大変なことが、いまこの世

に起きかかっているということだけは間違いないことに思われた。

「ややこ！」

洪作は口の中で呟《つぶや》くと、一刻も早くさき子のところへ駈けつけねばならぬと思った。洪作は幸夫に、

「さき子姉ちゃが、ややこ産みかけてる」

そう言うと、幸夫は、

「ややこって何だ」

と一度訊いてから、

「赤ん坊か」

自分で解答を与《あた》え、洪作が、

「うん」

と言うや否《いな》や、幸夫は眼をきらきら輝《かがや》かせ、

「よし、見に行くか」

と言った。そして周囲のみんなに、さき子が赤ん坊を産みかけているのを見に行く方がいいか、このままここに居て馬飛ばしを見る方がいいか、相談を持ちかけた。子供たちは待ちに待った馬飛ばしではあったが、いっこうにレースが行われず、大人たちだけが愉快《ゆかい》そうに歌を唄《うた》ったり、踊《おど》りを踊ったりしているだけなので、すっかり馬飛ばしに

愛想《あいそ》をつかしていた。愛想をつかすと言えば、それは毎年のことであったが、それでも子供たちは一年経《た》つとそんなことは忘れてしまい、馬飛ばしの楽しさだけが誰の眼にも残っているのであった。

「赤ん坊産むの見る方が面白《おもしろ》いや。俺《おれ》見たことある。箱《はこ》の中へ産むんだ」

駄菓子屋の平一が口を尖らせて言った。

「箱ん中へなんか産むもんか。たらいだぞ」

一人が言うと、

「嘘なもんか。箱の中だ。俺ちゃんと見た」

平一は頑張った。そうしている中《うち》に、うわっという人々のどよめきが沸き起った。三頭の馬が、一列になって走り出したところだった。騎手たちはいずれも体を馬体から上げて、鞭を振り上げては馬の尻をたて続けにひっぱたいていた。

「大レースだ」

傍の大人の言葉が耳にはいって来たが、洪作もまた大レースというのはこういうものであろうかと思った。

そのレースが終ると、子供たちは思い残すことなく馬場を離《はな》れた。洪作は帰路に就くと、一刻も早くさき子の赤ん坊を産むところを見に行こうと思うことで気がせいた。早く行かないと、嬰児は生れてしまうかも知れないと思った。どんな風にさき子が赤ん坊を産むのかそれを見たかったし、それからまた、さき子の産む赤ん坊がどんな顔をしているかも見たかった。村の他の家の赤ん坊には少しも興味がなかったが、さき子姉ちゃの赤ん坊となると、事情は少し違っていた。

子供たちは二時間前に無我夢中で駈けたその同じ道を、こんどもまた真剣に駈けた。そして峠へ登りつくと、こんどもまた茅の原の中へ体を埋めて休んだ。往《い》きには風が出ていなかったが、帰りは烈《はげ》しい風が絶えず茅を揺《ゆ》り動かしていた。風のために陽《ひ》の光まで散ってしまいそうであった。陽は当っていたが、風が吹いて来ると、ひどく寒かった。

峠で一休みすると、あとは一列になって、少年たちは駈けた。丘の斜面を駈けている時風が吹いて来ると、少年たちは風に吹き飛ばされないように、身を屈《かが》めて地面へしゃがんだ。

洪作たちが長野部落を抜けて、彼等《かれら》の家のある久保田へはいった時は、白っぽい春の夕暮が部落の街道にたちこめ始めようとしていた。

洪作は芳衛の家である酒屋の古いずんぐりした建物と、その横の椎《しい》の老樹が眼《め》にはいって来た時、漸《ようや》く自分の住んでいる部落へ帰りついたといった気持であった。これは洪作ばかりでなく、芳衛や他の子供たちも同じであるらしく、

「おらあ、家へ行って来る」

口々にそんなことを言い出した。そうした家恋《こい》しさの情に取り憑《つ》かれないのは幸夫だけらしく、

「みんな、これから赤ん坊の生れるのを見に行くんだ」

幸夫は言いながら酒屋の前で立ち停《ど》まると、一年生たちをねめ廻《まわ》した。そして、

「なあ、洪ちゃ」

と、洪作に同意を求めた。洪作は勿論《もちろん》一刻も早く赤ん坊の生れるのを見たかったが、幸夫の言うように、こんなに多勢の子供たちが一度にさき子姉ちゃの分娩《ぶんべん》を見物できるものかどうか、何となくそれに関しては自信が持てなかった。

「みんなで行くんか」

洪作が言うと、

「そうよ」

当り前じゃないかといった幸夫の表情だった。

「見せてくれるかな」

洪作が疑問をさしはさむと、

「斥候《せっこう》を出して、様子を見ればいいじゃないか」

幸夫は言った。幸夫が口に出した〝斥候〟という言葉が、急にそこにいた子供たちの体《からだ》に清新なものを吹き込み、その眼《め》を生き生きとしたものにした。

「おらあ、斥候になる」

駄菓子屋の平一が真っ先に志願した。

「じゃ、われ、行って来い。――産んだか産まないか、偵察《ていさつ》して来い」

幸夫の言葉で、平一は馬でも駈《か》け出すようにちょっと飛び上って、体の調子をととのえると、そのまま上の家の方へと駈け出して行った。洪作は、幸夫のこうしたさき子の分娩を何となく遊びの対象として考えているようなところに不満を覚え始めていた。

「洪ちゃ、行ってみて来る」

洪作が歩き出すと、

「駄目だ、駄目だよ。すぐ捉《つか》まるぞ。赤ん坊を産むのを、おらっちに見せまいと、わざわざ馬飛ばしにおらっちが行ってる間に産むことにしたんだからな」

幸夫は言った。そう言えばそうかも知れないと洪作は思った。

「赤ん坊を見るなんて言ってみろ。おじちゃんやおばちゃんにぶん殴《なぐ》られるぞ。みんな見張っているからな」

洪作は仕方なく足を停《と》め、

「じゃ、どうする？」

と言った。

「みんな、そうっと上の家へ行って、誰《だれ》にも見付からんように木に登るんだ。木に登れば二階が覗《のぞ》けるよ」

そんなことができるかどうか判《わか》らなかったが、いまこの数名の一団の主導権を持っているのは幸夫だったので、洪作も幸夫の言うことに従うほかはなかった。洪作は上の家のさき子の分娩を見物する場合当然自分の特殊《とくしゅ》な立場が認められていいのに、幸夫が全くそれを無視していることが腹立たしく思われた。

平一が戻《もど》って来た。彼は息を荒《あら》くはあはあさせながら、

「生れた」

と言った。

「生れた？」

幸夫が訊《き》き返した。

「うん」

「どうして判った？」

「赤ん坊泣いてたもん」

「ほんとか」

「ほんとだ。上の家の前へ行って偵察していたら、赤ん坊の泣くのが聞えた。それで、おら、急いで飛んで来た」

この平一の報告は充分《じゅうぶん》真実性を持っていた。誰《だれ》も反撥《はんぱつ》する材料をその報告の中に見出《みいだ》

すことはできなかった。しかし、洪作は抗議《こうぎ》せずにはいられなかった。抗議しないではいられない気持だった。そんなに簡単に自分も知らない間にさき子が嬰児《ややこ》を産む筈《はず》はないと思った。

「生れるもんか」

洪作は言った。そんな洪作の言葉は受けつけないで、

「生れたっていいや。まだ箱へはいってるだろう。そいつを見に行こう。平一、ついて来い。おれが木に登るから、そうしたらお前、洪ちゃのところへ報《しら》せに来い。いいか、お前は木に登っちゃ駄目だぞ」

そう言うなり、幸夫は駈《か》け出した。それに続いて平一もまた駈けて行った。洪作は自分も駈けて行こうと思えば駈けて行くことはできたが、しかし、この時何となく上の家へ近づいて行くのが怖《こわ》いような気持に襲《おそ》われていた。これは不意に洪作を襲って来た気持だった。今の今まで、一刻も早くさき子が嬰児《かわ》を産むところを見たい気持に支配されていたのが、それがふいに別のものに取って替られた思いだった。洪作は道端《みちばた》の石の上へ腰を降した。他の子供たちは、赤ん坊を見物する自分の番がいつ廻《まわ》って来るか、そのことが不安らしく、こんどは俺《おれ》だとか、いや俺の方だとか、そんなことを言い合っていた。

やがて平一が戻って来た。

「幸ちゃんが木に登ったぞ」

声をひそめて平一は報告した。幸夫が木に登ったと聞くと、洪作は立ち上った。

「みんなあとから来い。先におらっちだけ行くぞ」

洪作は言って、平一の同行を促《うなが》した。平一が一緒《いっしょ》に行ってくれないと不安な気持だった。洪作は平一と並《なら》んで上の家の方へ歩き出した。平一が度々《たびたび》の使者で息切れして駈けることのできないせいもあったが、それより洪作の場合、怖いものに近づいて行く思いで、駈け出して行く気にはなれなかった。

上の家の横手の辻《つじ》のところまで行くと、

「な、洪ちゃ、聞えるだろう」

平一は足を停めて言った。洪作も立ち停って、聞耳を立てた。部落の夕暮は静かで、赤ん坊の泣き声どころか物音一つ聞えなかった。

「な、ほら聞えるだろう」

「聞えるもんか」

「聞えるよ、聞えるじゃないか」

平一はもどかしそうに言って自分の藁草履《わらぞうり》を脱《ぬ》ぐと、それを地面の上に並べ、それから体を俯伏《うつぶ》せに地面に横たえて、顔の部分が草履の上に載《の》るようにした。そして、顔を右や左に向き変えては、暫《しばら》くじっとしていた。それは地中の微《かす》かな物音でも聞き出そうとしている仕種《しぐさ》に似ていた。洪作にはそんなところから嬰児の泣き声が聞えて来ようとは思われなかった。

「そんなことしたって赤ん坊の声なんか聞えて来るもんか、ばかだな」

洪作が言うと、

「こうする方がよく聞えるんだ」

平一は言って、それから、

「聞える、聞える。わんわん泣いてる」

そんなことを言って、体を起した。本当に嬰児の泣き声が耳にはいっているような真剣な表情だった。

上の家への上り口の石段のところへ行くと、洪作は家の内部を窺《うかが》うようにした。しいんと静まり返っているが、別段家の内部に変ったことが起っている風にも見受けられなかった。洪作は庭の横手へ廻って行った。すると突然《とつぜん》、

「しいっ」

という声が頭上から降って来た。振《ふ》り仰《あお》ぐと、柿《かき》の木の上の方に、枝《えだ》に身を張りつかせるようにしている幸夫の姿が見えた。

「登って来い」

幸夫は低い声で言った。洪作は幸夫をまねて、すぐ藁草履を脱いで帯へ挟《はさ》むと、ざら

ざらした荒い樹幹へと体を張りつかせ、手と足を使って次第に上部へ上部へと登って行った。

柿の木へは登ってみたが、二階の窓は重く閉《とざ》されていて何も見えなかった。

「見えんじゃないか」

洪作は口では抗議したが、二階が覗《のぞ》き込めないということで、何か吻《ほっ》とする思いがあった。

「降りようや」

そう言った時、洪作は隣《とな》りの柿の木に二人と、石段の横手の槙《まき》の木に三人の子供たちが取りつこうとしているのを目に留めた。彼等は孰《いず》れも息をころして来たらしく、彼等がやって来たことにそれまで洪作は全然気付いていなかった。

「なんだ、見えんじゃないか」

一番先に隣の柿の木に登った平一が大きな声で言った。

丁度その時、

「こらあ、ばかもん共が！」

という大きな怒声《どせい》が背戸の方から聞えて来た。祖父の文太の声であった。それと一緒《いっしょ》に、いっせいに幾《いく》つかの小さい体は、われ先にとそれぞれの木から降りようとした。

平一が柿の木の中途から滑《すべ》り落ちて、地面に尻餅《しりもち》をついたまま割れ返るような大きな声を上げて泣き出した。洪作は、そんな平一の泣き声や木の枝の折れる音を耳にしながら、幸夫と殆《ほとん》ど同時に地面へ降り立った。

「逃《に》げろ！」

幸夫が叫んだ時、洪作は自分の襟首《えりくび》が祖父の手で摑まれるのを感じた。

「ばかもん！」

祖父の声が降って来て、観念してそこに突《つ》っ立っている洪作の頰《ほお》が一つ鳴った。

「ばかもん、木に登っちゃあ、いかんとあれ程《ほど》言っていたじゃないか」

文太は手拭《てぬぐ》いで赤くなっている鼻の頭をこすりながら言った。祖父の顔は平生でも気難しくて有名なので、憤《おこ》ったからと言って特別怖《こわ》く見えるわけではなかった。しかし、洪作は縮み上った。祖父から襟がみを取られたことはこれが初めてであった。

「だって、赤ん坊見たかったんだもん」

洪作は口を尖らせて小声で言った。

「赤ん坊？」

「さき子姉ちゃ、赤ん坊産んだんだろう」

すると、文太は顔をくしゃくしゃと歪《ゆが》めてから、

「まだ生れん。猫《ねこ》の子じゃあるまいし、そう簡単に生れるかい、ばかもん」

文太はばかもんを繰《く》り返してから、洪作の額を二本の指で小突いた。

その晩、洪作は深夜おぬい婆さんが起き出して、あたりをごそごそ言わせている音で眼《め》を覚した。

「婆ちゃ、何してる？」

洪作が蒲団《ふとん》の中から声をかけると、おぬい婆さんは一度は洪作の方を見たが、

「赤ちゃがいま生れるそうだ、これから行って来るから、坊は寝《ね》とんなさい」

それどころではないといった風に、身仕度《みじたく》に余念がなかった。

「洪ちゃも行く」

洪作は床《とこ》から起き上った。嬰児が生れると聞くと、それを見てみたい気持を押えることはできなかった。

「いま生れるところじゃ。行ったってまだ見られはせん。いい子だから温和《おとな》しく寝とりなさい。赤ちゃが二つ出て来たら、一つ洪ちゃに貰《もら》って来てやる」

おぬい婆さんはそんなことを言いながら、着物にたすきをかけ、頭髪《とうはつ》の乱れを防ぐために手拭を頭部に巻きつけていた。そんなおぬい婆さんの姿が、洪作の眼には甲斐甲斐《かいがい》しく見え、いまや容易ならぬ事態が上の家へ押しかけて来つつあることが感じられた。

「洪ちゃも行く」

「子供は赤ちゃの生れるところへは来るもんじゃない。おとなしく待ってなさい。その替《かわ》り、明日の朝見せて上げる」

おぬい婆さんは決めつけるように言って、

「平生豪《えら》そうなことを言っても、おばあちゃんが行かんことにゃ、嬰児一人産めんじゃからな」

そんなことを言いながらランプの火を消して、そのまま梯子段《はしごだん》を下りて行ってしまった。洪作は暗い土蔵の中に一人残されたが、さして怖いことはなかった。嬰児がいま一人生れかけているということで、闇《やみ》はいつもとは全く違《ちが》ったものに感じられた。

おぬい婆さんが出て行くと間もなく、遠くで鶏《にわとり》の鳴く声が聞えて、何となく暁方《あけがた》近い感じだった。洪作は床を出て、土蔵の窓の重い扉《とびら》を細目に開けてみた。外はまだ暗かった。

洪作はこの夜ほど朝が早く来るのを待ち遠しく思ったことはなかった。生れたての嬰児がどんな顔をしているかと思うと、早くそれを眼にしたい思いで、矢も盾《たて》も堪《たま》らぬ気持だった。本当の暁方がやって来る頃《ころ》、洪作は再び眠《ねむ》りに落ちて行った。

洪作がさき子の産んだ男児の顔を見たのは、それから一週間ほど経《た》ってからだった。洪作はこの世に突然一人の赤ん坊という小さな人間が生れ出ることも不思議だったし、どうしてさき子がそのようなものを産むような仕儀《しぎ》になったのかも、考えてみると納得《なっとく》のしかねることだった。洪作は嬰児の生れた日とその翌日へかけて、何回か上の家へ出《で》掛《か》けて行ったが、嬰児の泣き声らしいものを微《かす》かに聞いただけで、見たいという洪作の

希望は容《い》れられなかった。祖父も祖母も、その他の者たちもみんな、

「あっちへ行っていなさい」

と、同じ言葉を口から出して、洪作を追い出す態度をとった。洪作には、上の家の者がみんな、嬰児が生れた時から急に意地悪になったような気がした。

五日目に、洪作が学校から帰って上の家の前を通った時、洪作の姿を見かけた祖母のたねが、

「洪ちゃ、嬰児見るかい」

と言った。

「見たくなんかないや」

洪作は言った。余り見せられなかったので、多少気持の捻《ね》じ曲ったこともあったが、それよりいざ嬰児を見るかと向うから切り出されると、急に洪作は気恥《は》ずかしい気持に襲《おそ》われた。まだ一度も会ったことのない嬰児に初めて顔を合わせるには、まだこちらの心準備ができていないという気持だった。

「そんなことを言わないで、洪ちゃ、見て上げておくれよ」

祖母のたねは笑いながら言ったが、洪作は、

「見たくなんかないや」

そう言うほかはなかった。顔の表情も真剣であったし、口調《くちよう》も真剣だった。

一週間目の、嬰児に俊之《としゆき》という名がついた日、洪作はおぬい婆さんの使いで上の家へ行ったが、庭先から縁側《えんがわ》へ廻って行った時、茶の間で嬰児を抱《だ》いているさき子とばったりと顔を合わせた。

「洪ちゃ」

さき子は言って、自分の抱いている嬰児を洪作の方へ差し出すようにした。

洪作は怖《おそ》る怖る小さな生き物の顔を覗き込んだ。それは人間の子供とは思われぬ小さな肉の塊《かたま》りでしかなかった。自分に話しかけて来るどころか、生きているか、死んでいるかさえ、はっきりとは判らなかった。

「なんだ、これ赤ん坊か」

洪作は言って、すぐ二、三歩後退《あとずさ》りした。長く見ているのが不気味《ぶきみ》だった。

「洪ちゃのいとこよ」

「いやだい」

「いやだって、いとこだもの」

さき子は言って、それからついと立ち上ると、二階への階段を上って行った。洪作は、この時はっきりとさき子の自分への愛が、嬰児のために奪《うば》われてしまったことを感じた。さき子はもう以前《いぜん》のように自分を可愛《かわい》がってはくれぬだろう。よし、自分だって、あんな赤ん坊可愛がってやるもんか、そう洪作は思った。

その夜、洪作は夕食の時、

「おかしな赤ん坊だな」

と言った。するとおぬい婆さんは、

「そうだとも、いい赤ん坊が生れる筈《はず》がない。さき子のあまっ子が産んだがきだもの」

と言った。おぬい婆さんはさき子の分娩の時、自分が嬰児を取り上げるものとばかり思い込んで出掛けて行ったのであったが、西平《にしびら》の産婆の若い女にその役をとられてしまい、そのことでいまはさき子にも、さき子の生んだ嬰児にも好感を持っていなかった。


大滝部落の農家の子供である五年生の正吉が突然《とつぜん》姿を消したという奇怪《きかい》な事件が起ったのは、四月三日の馬飛ばしから二十日程《ほど》経《た》ってからであった。この年の四月は、洪作たちにはひどく忙《いそが》しかった。

正吉が居なくなったということで、村中は沸《わ》き返った。正吉はどこで居なくなったかはっきりしたことは判《わか》らなかったが、いろいろな人の話を綜合《そうごう》してみると、学校から帰って、裏山へ薪《たきぎ》をとりに行くと言って、一人で家を出て行ったが、そのまま家には戻《もど》らないということであった。

騒《さわ》ぎは正吉が居なくなった翌日、村中に波及《はきゅう》した。神かくしという言葉が村人の誰《だれ》の口からもささやかれた。小学校でも、生徒たちはこの事件ですっかり落ち着きというものを失ってしまった。生徒たちは運動場でも何となくひと固まりになっていて、次の犠牲者《ぎせいしゃ》になることから自分を護《まも》るようにした。洪作は正吉という少年とは口をきいたことはなかった。体《からだ》の大柄《おおがら》な、鈍重《どんじゅう》な感じの少年で、学校の成績はよくなく、特に腕白《わんぱく》というのではなかったが、小さい二つの眼《め》はいつも意地悪い光を帯びていた。

洪作は正吉に好感は持っていなかった。それは半年程前に、何の理由もなしに、校門のところで、向うからやって来た正吉に右の頰《ほお》を殴《なぐ》られたことがあったからである。一言も口をきかないで、いきなり頰を殴って、そのまま向うへ行ってしまった上級生に、洪作はいい感情を持てよう筈《はず》はなかった。だから、正吉が神かくしに遇《あ》ったと聞いても、それ程同情しなかった。あんな無法なことをする少年なので、神さまが罰《ばち》を与《あた》えたに違《ちが》いないという気がした。

その日学校が退《ひ》けると、子供たちは菜《な》の花が咲《さ》き始めた田圃《たんぼ》に集り、正月からずっとはやっている凧《たこ》揚げもしないで、それぞれ口を尖《とが》らせて、神かくしの話ばかりした。村の大人たちは朝から正吉を探しに山へ出掛《か》けて行っていたので、村内は気のせいか、ひっそりして淋《さび》しかった。子供たちは凧揚げする替《かわ》りに、関戸という家の、村人がおかねさんと呼んでいる女の人の行動を偵察《ていさつ》することにした。関戸家は洪作の家の背戸を隔《へだ》てた向うにあって、おかねさんという女の人はいつも、洪作の屋敷内に流れている小川へ、食器や洗濯《せんたく》ものを洗いにやって来ていた。おかねさんは誰とも口をきかなかった。若い時神かくしに遇って、一週間後に天城の峠《とうげ》近い雑木林《ぞうきばやし》の中で発見されたが、それ以来痴呆《ほう》になってしまったと言われていた。正吉が神かくしに遇った事件が持ち上ったので、子供たちの頭にはふいに平生は考えたこともなかったおかねさんのことが思い出されて来たのであった。

偵察の役は、いつものように駄菓子屋の平一が引き受けた。平一は田圃の畦道《あぜみち》を駈《か》けて行き、やがて水車小屋の横へと姿を消したが、まだ関戸家へ行き着くか着かないと思われる頃、息せき切って戻《もど》って来た。

「おかねさんはいま長野の方へ歩いて行ったぞ。鎌《かま》持って」

この報告は、その場に居た子供たちの関心を集めるのに充分《じゅうぶん》だった。

「長野へ何しに行くんかな」

「長野へ行くんじゃなくて、庚申《こうしん》さんの裏の山へ行くんだろう」

「山へ何しに行くんだ」

「鎌持ってたか」

「鎌持ってって首ちょん切るずら」

最後の子供の言葉で、一同は思わず息を呑《の》んだ。嘗《かつ》て神かくしに遇ったことのあるおかねさんが、鎌を持って庚申さんの裏の山へ行くということは、何かそこに正吉の事件と関連がありそうに、子供たちには思われた。

幸夫、芳衛、亀男、茂、それに洪作が先頭に立って、十数人の子供たちは、長野部落へと通じている街道を走った。彼等《かれら》の想像通り、仕事着を身につけたおかねさんの姿は、庚申さんの手前から右へ折れて裏山への間道をとった。子供たちはおかねさんの姿を見失わない程度に彼女との間隔《かんかく》を保って、一列になって山の斜面の細い道を登って行った。山は丘《おか》と呼んでもいいような低いものだったので、そこの頂上に登りつくのには何程の時間も要《い》らなかった。

おかねさんは自分のあとを子供たちが追っているのを知っているのか、知らないのか、一度も背後は振《ふ》り返らないで、山巓《さんてん》まで登って行くと、そこで背を伸《の》ばすように一息入れたが、こんどはすぐまた山の向う側の斜面を降り始めた。子供たちもおかねさんと同じようにした。一年生の一人が家へ帰りたいと言い出したが、幸夫はそれを許さなかった。

山を降り切ると、四方山に囲まれた小さな平地があって、そこに何枚かの田圃がれんげの紫《むらさき》と、菜の花の黄で彩《いろど》られて、美しい敷物のように置かれてあった。洪作はここへ来たのは初めてであった。こんな美しいところが、山と山との間に匿《かく》されてあったのかと思った。子供たちは山の斜面に立って、美しい敷物の上に降り立ったおかねさんが何をしようとしているか見守っていた。しかし、おかねさんは何もしなかった。れんげの咲いている田圃の上に自分の坐《すわ》る場所を探すと、そこに腰を降して、風呂《ふろ》敷《しき》包みからむすびを取り出すと、それを食べ出したのであった。

「なんだ、弁当喰《く》ってるんか」

茂が拍子抜《ひょうしぬ》けした口調《くちょう》で言った。

「これから正吉さんを呼び出して、首ちょん切るんじゃないか」

幸夫は言ってから、

「みんなここに匿《かく》れて見張っているんだ。いいか、おれが合図するまで出てはいかんぞ」

そう命令した。子供たちはその通りにした。それぞれそこに腰を降して、一言も口をきかないで、弁当を食べているおかねさんの小さい姿だけを見守っていた。

洪作も、おかねさんを中心にして、何事かが起ることを確信していた。何事かが起らない筈《はず》はないと思った。洪作は期待に胸をふくらませながら、おかねさんの姿から眼《め》を離《はな》さないでいた。おかねさんはむすびを口に持って行っては、あとは長いこと口を動かしていた。そして次にむすびを口に持って行くまでに、長い時間をかけた。そうした緩《かん》慢《まん》な動作から推《お》すと、弁当を食べ終るまでには、長い時間がかかりそうであった。

しかし、洪作は子供心に、そうしたおかねさんの姿を見ていて、少しも見倦《あ》きないものを感じていた。物音ひとつしない文字通りの山田の中で、おかねさんは春の陽《ひ》を浴びながら、れんげの花の上に坐って、ひどくのんびりと弁当を食べているのである。

「家へ帰ろうよ」

また先刻とは別の一人が言った。

「だめ、だめ」

こんどは亀男が言った。その時、平一が、

「ここに土蜂《つちばち》の巣《す》があらあ。いいか、つっつくぞ」

そう言ったか言わないかに、平一の口からは、

「うわっ！」

というけたたましい叫《さけ》び声が飛び出した。洪作は平一の方を振り返ったが、すぐ立ち上った。何十という蜂が群がって、ぶよでも群れるように平一の頭上を舞っているのが眼にはいったからである。

洪作は夢中《むちゅう》になって、山の斜面を駈け降りた。洪作は自分の前を転ぶように駈け降りている芳衛と幸夫のあとに続いていた。背後《うしろ》にも、多勢の子供たちが続いている筈であったが、洪作はそんなことに注意している暇《ひま》はなかった。

洪作は絶えず蜂のぶんぶんいう微妙《びみょう》な唸《うな》り声を周囲に感じていた。

「羽織をかぶれ」

たれかが叫んだ。洪作は羽織のすそをまくって、うしろから頭を覆《おお》った。

おかねさんの居る田圃へ降りた子供たちは、畦道《あぜみち》をやたら駈け廻り、それから西の方

に口を開けている一本の野良道《のら》から、山に囲まれた小さい盆地《ぼんち》を脱出《だっしゅつ》しようとした。この一本の道に依《よ》る以外、山を越えないで、この小さい盆地から脱出する方法はなかった。洪作は二回田圃の畦につまずいて転んだ。しかし、すぐ飛び起きると夢中になって駈けた。漸《よう》く行手《ゆくて》に見慣れた長野への街道の一部が見える広い田圃へ出た時、初めて洪作は自分の前と背後に気を配る余裕《よゆう》を持った。洪作は驚《おどろ》いた。自分の前を自分と同じように駈けているのがおかねさんであったからである。おかねさんの前を芳衛が駈け、そのずっと前を、何人かの子供たちが駈け、更《さら》にその前を幸夫が駈けていた。

漸くにして街道へ出たところで、幸夫は大きく息を弾《はず》ませながら立っていた。その周囲に下級生たちも、同じように息を弾ませながら立っていた。平一は額に手を当てたまま、できるだけの声を張り上げて泣いていた。泣いているのは平一ばかりではなかった。一年生の二人が平一に敗《ま》けまいとするように声を張り上げていた。

「どれ、こっちへ来な」

おかねさんは平一の袖《そで》を摑《つか》んだ。洪作がおかねさんの声を聞いたのは、この時が初めてであったと言っていい。おかねさんもやはり口をきくんだなと思った。平一は、自分の袖を摑んだ相手がおかねさんだと気付くと、急に絶望的な顔になって、手足をばたつかせ、今までよりもっと大きい声を出して喚《わめ》き立てた。

おかねさんはそんな平一を、なんなく自分の手許《てもと》に引き寄せると、平一の体《からだ》を自分の腕《うで》の中へ抱《かか》え込むようにして、平一の額に自分の口を持って行った。平一はありったけの声を張り上げた。今や必死であった。

「たすけてくれえ！」

洪作は、平一の口から出るそうした叫《さけ》びを聞いた。

おかねさんは平一の額の、蜂にさされた箇処《かしょ》を何回も口で吸うと、

「これでよかんべえ」

そう言って、平一の額を掌《てのひら》でぴしゃりと叩《たた》いた。自由になって平一は、二、三歩よろよろして、それから地面に尻餅《しりもち》をついた。それと一緒《いっしょ》に、子供たちは部落の方へ駈け出した。まごまごしていると、次には自分がおかねさんに捉《とら》えられると思った。

神かくしの正吉が見つかったのは、彼《かれ》が行方《ゆくえ》不明になった日から数えて三日目の夕方であった。湯ヶ島部落から小一里離《はな》れた新田《しんでん》部落の者が、山仕事からの帰りに、杉林《すぎばやし》の中を通って、そこの丸太に腰かけてぼんやりしている正吉の姿を発見したということであった。その日も各部落から出ている正吉の捜索《そうさく》隊は天城の山深く分け入っていたが、正吉は意外にも村とは眼と鼻の先の間の天城山の麓《ふもと》の杉林の中に居たのであった。正吉は空腹のために動けなくなっており、新田部落の者の背に負われて、取りあえず近くの百姓家《ひゃくしょうや》に収容され、一晩そこで明かし、翌日大滝部落の彼自身の家へ移されたのであ

った。

正吉が発見されたのは午後五時頃であったが、その噂《うわさ》はその夜のうちに部落部落へ伝わった。洪作もおぬい婆さんの口からそれをその夜のうちに聞くことができた。洪作は昂奮《こうふん》してその夜はなかなか眠《ねむ》れなかった。

翌日、洪作はいつもより早く眼覚《めざ》めた。おぬい婆さんが起きる時一緒に洪作もまた床《とこ》を離れた。土蔵の横の小川で顔を洗うと、洪作はそのまま母屋《おもや》の横手を廻《まわ》って、旧道へと出てみた。すると手拭《てぬぐ》いを持って小川へ顔を洗いに来た幸夫とぶつかった。幸夫もこんなに早く起きることはめったになかったが、洪作と同じように、神かくしの正吉が見つかったということで昂奮していた。

「正吉さんを見に行くべえか」

幸夫は言った。

「うん、行く」

洪作も答えた。今日は二人共特別早起きしていたので、朝食になるまでにはまだ大分時間があった。それに大滝部落の正吉の家までは駈ければ十五分ぐらいで行きつくことができた。

洪作と幸夫は、まだ表戸の閉まった家もある宿《しゅく》部落の街道を駈けた。途中で、一人二人ずつ子供が加わって、正吉の家の前まで行った時は五人になっていた。正吉の家をぐるりと廻ったが、表の方にも、背戸の方にも家人の姿は見られなかった。五人の子供たちは表口から土間へはいり、そこから背戸へと抜けた。家の内部にも誰の姿もなかった。そのうちに大滝部落の子供たちがやって来て、正吉が新田部落の農家で一晩を過し、これからここへ運ばれて来ることになっているということを告げた。

「新田まで行くか」

幸夫が言うと、他の子供たちは賛成した。子供たちは二、三人増えていた。七、八人の子供たちの一団は、それから下田街道を新田部落へと向った。駈けたり、歩いたりした。洪作は途中で、おぬい婆さんが毎朝のように作ってくれる味噌汁《みそしる》の匂《にお》いを思い出して、それと一緒に急に空腹を感じた。

新田部落へはいると、子供たちはすぐ正吉が寝ているという小さい農家へと向った。その農家の前には多勢の村人たちが集っていた。多勢の男たちに混《まじ》って、内儀《かみ》さんたちも居れば、子供たちも居た。幸夫と洪作は、男たちの真似をして、道端《みちばた》にしゃがんで、正吉がその家から出て来るのを待つことにした。しかし、いつまで経《た》っても、いっこうに正吉は姿を見せなかった。大人たちは時々家の中へはいって行っては、そこから出て来ると、また道端にしゃがんだ。そうしているうちに、炊出《たきだ》しのむすびが数人の女たちの手によって運ばれてきた。大人たちはそれを一つずつ受け取って口に運んだが、子供たちは貰《もら》えなかった。

幸夫と洪作は、むすびを食べている大人たちの間に挟《はさ》まって、ひどく退屈《たいくつ》な割の悪い時間を過した。そのうちに大人たちは正吉が昨日発見されたという杉林へ行き、神かくしが見付かったことに対するお礼の祈禱《きとう》をし、それからここへ戻《もど》って、正吉を運び出すという相談をし出した。このことを大人たちの口から聞いて、洪作と幸夫はうんざりしたが、十人程の大人たちが一団となって歩き出すと、二人もその中へはいって彼等と一緒になって歩いて行った。

杉林まではかなりの距離《きょり》があった。洪作と幸夫は、大人たちの喋《しゃべ》る言葉を一言も聞き洩《も》らすまいと、周囲の大人たちの顔を眺《なが》めては、それらを見較《くら》べながら、絶えず小走りに走っていた。走っていないと、大人たちについて行けなかった。もう少しで杉林へ到《とう》着《ちゃく》するというところまで来た時、

「お前ら、なんじゃ」

と、大人の一人が初めて洪作と幸夫の二人の存在に気付いて言った。

「どこのがきだ？」

もう一人の大人が立ち停《ど》まって訊《き》いた。

「久保田だ」

幸夫は答えた。

「久保田?!」

相手は呆《あき》れたような声を出すと、

「学校はどうした、ばかもん！」

それからすぐ、

「帰れ！」

と怒鳴《どな》った。幸夫と洪作は相手の見幕《けんまく》が余り烈《はげ》しかったので、大人たちの一団から出て路傍《ろぼう》へ移動した。この時初めて、洪作も幸夫もいつか自分たち以外《いがい》、一人の子供も居ないことに気付いた。一緒に新田まで駈けて来た子供たちも、いつか二人を残して帰ってしまっていた。

二人は仕方がないので、また正吉の寝《ね》ている農家へ帰った。農家の前には、前よりもっと多勢の大人たちが集っていて、わいわい言いながら炊出しのむすびを頬張《ほおば》ったり、お茶を飲んだりしていた。二人はなおも暫《しばら》く大人たちの間に挟まっていたが、その間学校のことが気にならないわけではなかった。もう学校の始まる時刻かも知れなかったし、あるいはもうとっくに始まっている時刻かもしれなかった。

洪作はそのことを幸夫に言いたかったが、なにか口に出すのが怖《こわ》かった。幸夫は幸夫でやはりそのことは気になっているらしく、

「先生に憤《おこ》られたって、神かくしの正吉さんを見た方がいいや、なあ、洪ちゃ」

そんなことを洪作に言った。

「そりゃあそうさ。その方がずっといいや」

洪作も言った。その方がずっといいかどうか、甚《はなは》だ自信はなかったが、しかし、そう口に出さないではいられないような心の動きがあった。幸夫と洪作は、雨が降ろうと、風《ふ》が吹こうと、いかなる日でも毎日のように連れ立って遊んでいたが、しかし、この場合のようにお互《たが》いがお互いの意見を肯定《こうてい》し合ったことはなかった。

「もう直《じ》きだぞ。見ていような」

幸夫が言うと、

「見て行かなけりゃ、損《そん》だもんな」

そんな言い方を洪作はした。また洪作が、

「いまに面白《おもしろ》いぞ。正吉さんが出て来ると、みんなうわって言って逃《に》げるぞ」

そう言うと、幸夫は、

「むすび置いて逃げるぞ。そしたら、おれ喰《く》ってやろう」

そんなことを言った。むすびを喰うというようなことを言われると、洪作は、自分の口に甘《あま》ずっぱい唾液《だえき》がたまるのを感じた。ほんとに腹が減ったと思った。

そうしている間に、洪作は次第に絶望的な救いのない気持になって行った。これから学校へ行ったら大変なことになるだろう。授業時間に遅《おく》れたことなど、これまでに一度もないことだった。心配なのは学校のことばかりではなかった。眼《め》の色を変えて自分を探し廻《まわ》っているであろうおぬい婆さんの姿も眼に浮《うか》んで来た。それでいて、洪作は地面に腰を降し、両膝《りょうひざ》を両手で抱《だ》いて頑張《がんば》っていた。幸夫も同じような姿勢をとっていたが、幸夫の方は絶えず体を細かく動かしていた。二人は立ち上らなかった。妙《みょう》に立ち上るのが億劫《おっくう》になっていた。二人は大人たちがむすびを食べるのを、何となく見倦《あ》きない眺《なが》めででもあるかのように、見守っていた。

「あのおっさん、三つ喰った」

幸夫は時々そんなことを言った。

そうしている時、杉林へ祈禱に行った大人たちの一団が帰って来たらしく、急に農家の前の大人たちの数が増えた。

「あんたら、何しとる?」

女の一人が二人を見咎《みとが》めて言った。

「学校へも行かんと、何しとる?」

先刻のこともあるので、洪作と幸夫は一緒《いっしょ》に立ち上った。この時初めて、

「帰ろうや」

と、洪作は言った。

「うん、帰るか」

幸夫も言った。二人は農家の前を離《はな》れると、街道へ出た。街道までは走ったが、街道

へ出ると、あとはのろのろと歩いた。陽《ひ》は頭の上に昇《のぼ》っていた。空腹でもあったし、何となく学校の方へ歩いて行くのが気が重かった。その頃《ころ》から二人は口をきかなくなった。黙《だま》って並《なら》んで歩いて行った。何丁か歩いて、もう一つ小さい土橋を渡《わた》ると大滝部落へはいるというところまで来た時、突然《とつぜん》幸夫は足を停《と》めた。そして、

「あれ、向うから来るの、校長先生じゃないか」

と言った。洪作はその幸夫の言葉でぎょっとした。なるほど向うから急ぎ足でやって来る人物は、伯父の石守校長に似ていた。体を前屈《かが》みにして歩くその歩き方はそっくりだった。その人物の小さい姿がひと廻り大きくなるまで、洪作と幸夫は何となくそこに立ち竦《すく》んでいた。

「校長先生だ。どうする？」

幸夫は洪作の方へ顔を向けた。どうすると言われても、洪作もどうすることもできなかった。全くどうしていいのか判断がつかなかった。道は崖《がけ》と山とに挟《はさ》まれた一本道であるし、どこへも匿《かく》れ場はなかった。このまま歩いて行ったら、石守校長とぶつかる以《い》外《がい》仕方がなかった。

「洪ちゃ、どうする？」

幸夫は半べそをかきながら、真剣な表情で言った。洪作はもと来た道を引き返すこと以外に、いまの自分たちにできることはないと思った。洪作はいきなり廻れ右をすると、

「駈けろ」

と、幸夫に命ずるように言った。

「よし」

そう答えるともう幸夫は駈け出していた。洪作も駈けた。洪作はすぐ息が苦しくなり、横腹が痛くなったが、それでも我慢《がまん》して駈けた。いくら苦しくても、この場合だけは停ってはならぬと自分に言いきかせた。しかし、二、三丁駈けると、幸夫は駈けるのをやめて、大きな息使いをしながら道端にしゃがみ込んでしまった。洪作も幸夫に倣《なら》って同じようにした。二人は暫く休んでから一緒に立ち上った。石守校長との距離が縮まったので、否応《いやおう》なく立ち上らなければならなかった。

二人はまた駈けた。そして少し駈けるとまた路上に腰を降して休んだ。そんなことを四、五回しているうちに、洪作は堪《たま》らなく気持が悪くなって来た。

「幸ちゃ、気持が悪い」

洪作が言うと、幸夫はそれまで平生の彼に似ずものも言わない程意気沮喪《そそう》していたが、洪作の言葉で急に生き生きした本来の表情をとった。幸夫は息をはあはあさせながら立ち停ると、あたりを見廻した。次々わが身に降りかかって来る苦難に、今や敢然《かんぜん》と立ち向う決意をしたかのように見えた。

「あそこへ匿れるか」

幸夫は指差した。勿論《もちろん》正吉が見つけられた杉林とは違《ちが》っていたが、やはり同じようなうっそうとした杉の林が、かなりの距離をおいて行手の崖側に見えていた。

洪作は腰を降ろしていたが、すぐ立ち上った。ともかくそこまで歩かねばならぬと思った。一丁程歩いたり駈けたりして、洪作はまた道端にしゃがみ込んだ。吐気《はきけ》を感じて吐こうとしたが、喉《のど》の奥からは何も出て来なかった。洪作は仕方なくまた歩き出した。幸夫との距離を縮めなければならなかった。杉林のところまで行くと、幸夫はあとを振り向きもしないで、道から外れて杉林の中へどんどんはいって行ってしまった。

漸《ようや》くの思いで洪作が杉林のところへ辿《たど》り着くと、

——洪ちゃ！

そう呼ぶ幸夫の声が、どこからか聞えてきた。洪作も幸夫に倣《なら》って、ゆるい傾斜をなして川の縁《ふち》まで続いている杉木立の中へはいって行った。急にひんやりした空気が身を包み、藁草履《わらぞうり》を通して落葉の散り敷いている地面の、濡《ぬ》れている冷たい感触《かんしょく》が伝わって来た。

洪作は杉の木につかまっては、次の杉の木へと自分の体を投げかけるようにした。そうしないと、体を運ぶことができなかった。洪作は何本かの杉の木につかまった時、そのままずるずると体を崩《くず》して、地面に坐った。

洪作は自分の意識が遠のくのを感じた。夥《おびただ》しい数の杉の細い樹幹が天にでも届くような高さに見えたり、それらが互に入り混ってしまって、何かわけのわからぬ形のものになってしまったりした。洪作は眼《め》を瞑《つぶ》っていた。眼を瞑っている方が楽だった。

——洪ちゃ！

幸夫の自分を呼ぶ声がどこかから聞えていたが、それに返事をすることはできなかった。

——洪ちゃ！

こんどははっきりと幸夫の声が洪作の耳に聞えた。それと一緒に、倒《たお》れている自分の頭のところに突《つ》っ立って、自分を見降《みお》ろしている幸夫の顔がはっきりと見えた。洪作は気持がずっと楽になっているのを感じた。しかし、頭を上げようとすると、眼がくらくらするような気がした。

「気持が悪い」

洪作が幸夫に訴《うった》えると、幸夫はそれには返事をしないで、黙《だま》って上から洪作の顔を見詰めていたが、やがてそれは完全な泣き顔に変った。彼《かれ》は今にも大声でも上げて泣き出しそうな顔になっては、漸くにしてそれに耐《た》えている風であった。やがて、幸夫はあたりをがさがさ言わせて洪作から離《はな》れて行ったが、すぐに戻《もど》って来ると、

「校長先生は行っちゃったぞ。正吉さんを連れに行ったんだぞ、きっと」

幸夫はそんなことを言った。そう言われれば、それに違いないと思われた。

洪作は半身を起した。依然《いぜん》として気持は悪かったが、一時ほどではなかった。しかし、立ち上って歩き出す気持にはなれなかった。そんなことをしたら、また気が遠くなりそうな不安があった。幸夫はまた洪作のところから離れて行った。幸夫が居なくなると、洪作は不安になった。

——幸ちゃ、幸ちゃ！

洪作は叫んだ。自分でもいかにもその呼び声の弱々しいのが感じられた。暫《しばら》くすると、幸夫は戻って来た。そうして、しいっというように声をひそめて、

「今に正吉さんが通るぞ。正吉さんが連れて行かれるまで、おれっち、ここに居ようや、な」

と言った。そしてまた洪作から離れて行った。幸夫は時々戻って来ては往来の情況を報告した。

「大滝の衆と、役場のじいちゃと、いま歩いて行ったぞ」

とか、

「正吉さんとこの姉ちゃが風呂敷包み持って行ったぞ」

とか、

「おれんちの母ちゃも通ったぞ」

とか、そんなことを何回にもわたって報告した。洪作は体が冷たいことをのぞけば、

あとはさほど辛《つら》いことはなくなっていた。体を伸《の》ばして長々と横たわり、時々持って来る幸夫の報告を聞いている分には、辛いことも嫌《いや》なこともなかった。むしろのびやかな気持でもあった。しかし、すっかり着物が濡れているので、体の冷たさだけはやり切れなかった。幸夫は何回目かに、

――多勢の人が正吉さんを連れて来たぞ。大工の義さんがおぶっている。いま道ばたで休んでいる。ちょっと見に来いよ。

そんなことを言った。しかし、洪作は見に行く元気はなかったし、見たいとも思わなかった。ここで寝《ね》ている方がよかった。それからまた暫くして、

――こんどは消防の組長の秀さんがおぶったぞ

とか、

――正吉さんが小便した

とか、幸夫は細かい報告を持っては、洪作のところへやって来て、すぐまた離れて行った。最後に石守校長が帰って行ったことを報告してから、

「おらっちも帰ろうや」

と、幸夫は言った。洪作は半身を起したが、また仰向《あおむ》けに横たわった。やっぱり横たわっている方が楽だった。

幸夫はそれから長いこと突っ立って洪作を見降していたが、突然大声を上げて泣き出

した。全く前触《ぶ》れのない唐突《とうとつ》な変り方だった。平生喧嘩《けんか》して涙を出しても、決して泣き声というものを出さない幸夫にしたら、このことは珍しいことであった。洪作は下からしゃくり上げては泣き声を出している幸夫の顔を見上げていたが、幸夫の泣くのが腑《ふ》におちぬ気持だった。どうして幸夫がこんなに泣くのかと思った。幸夫は泣くだけ泣いて、泣きやむと、洪作には一言の言葉もかけず、洪作の許から離れて行った。そしてこんどは幸夫はなかなか戻って来なかった。

洪作はもう決して幸夫が帰って来ないことを知ると、ふいに体を起した。一人でこんなところに置かれては堪《たま》らないと思った。立ち上ると、ふらふらした。洪作は杉木立の中をやたらに歩き出した。

洪作は気持の悪さも吐気もなくなっていたが、足だけがふらふらしているのを感じた。洪作はそのふらふらした足どりで、杉の樹幹から樹幹へと、さっきこの林の中にはいって来た時そうしたように、身を投げかけて行った。いつまで行っても街道には出なかった。洪作は時々杉の木につかまったまま休んだ。洪作はいつか泣き声を口から出していた。別段悲しくはなかったが、調子をとってそうした声を口から出しているのが自然《しぜん》に思われた。洪作は歩いたり、丸太に腰かけて休んだりした。どちらを見ても同じような杉の木が立ち並んでいるだけで、方角というものはさっぱり判《わか》らなかった。

どのくらい時間が経《た》ったろう。洪作は泣き疲《つか》れ、泣き声を口から出すこともできなくなった。やがて夜になるだろうと、洪作は思った。夜になると思うと、洪作は怖《おそろ》しさに鷲掴《わしづか》みにされた。そうしている時、洪作はふいに、〝洪ちゃ、洪ちゃ〟と自分の名を呼ぶ多勢の人の声を耳にした。その声は遠くで聞えていた。洪作は杉の木立の中に突っ立ったまま、ぼんやりと幾《いく》つかの自分を呼ぶ声を聞いていた。声は初めあちこちで小さく聞えていたが、次第にそれらは大きくなって来た。

——洪ちゃ、洪ちゃ！

洪作は黙っていた。返事をしたかったが、喉《のど》に声が詰まってでもしまったように、どうしても口から出なかった。やがて、いったん大きくなった多勢の人の声はまた小さくなって行った。その頃《ころ》から洪作は何も考えず、ただふらふらと木立の中を歩いた。考えることはできなかった。もう怖しくも悲しくもなかった。

二度目に、〝洪ちゃ〟という声を聞いたのは、それから大分経ってからであった。洪作は木の根本に腰をおろしていた。

——洪ちゃ！

——洪ちゃ！

洪作はそれに対して、ただ鼻をすすり上げては、低い泣き声を口から出していた。やがて、洪作はごく近いところで、

——洪ちゃ！

という大きな呼び声を聞いた。すると、それに続いて、

——居たぞ
という叫《さけ》びが杉木立の中にこだました。やがて落葉を踏《ふ》む多勢の足音が聞えて来た。洪作はそれを半ば夢《ゆめ》うつつで聞いていた。

——洪ちゃ！

そう言う声と共に、洪作は誰《だれ》かの手によって自分の体が抱《だ》き起されるのを知った。そして、何者かが数人自分を取り巻いて、がやがや喋《しゃべ》っているのを焦点《しょうてん》のない眼《め》で見ていた。そのうちに、洪作は自分の体がふわりと宙に浮いて、誰かの背に負われるのを知った。

洪作は長いこと夢うつつの状態でいた。洪作はどこに連れて行かれるのか判らなかったが、途中で背負われたまま自分が砂糖湯《さとうゆ》を口にむりやり含《ふく》まされるのを感じた。甘い液体が体の中に滲《し》みわたると、洪作は少し元気を取り戻した。それからなお長い間、洪作は背負われたまま揺《ゆ》られていた。何程か行った地点で、洪作はまた二回目の砂糖湯を飲ませられた。小さい茶呑《の》み茶碗《ぢゃわん》の甘い湯を飲み干した時、

「もっと」

と、洪作は初めて言葉を出した。二杯目の砂糖湯を飲んでから、洪作はずっと眼を開いていた。気が付いてみると、洪作は自分が久保田の青年に背負われて、大滝部落から

宿部落へとはいろうとしているのを知った。

洪作はまた、何人かの大人たちと、多勢の子供たちが自分につき従っているのを知った。子供たちは右にも左にも居た。その子供の中には幸夫の顔もあった。そして、幸夫と並んで幸夫の父親の顔も見えた。

——ばかもん！

幸夫は絶えず父親から罵《のの》られ、頭を小突《こづ》かれていた。そのために多勢の子供たちの中で、幸夫だけがしょんぼりして見えていた。

宿部落へはいると、洪作は眼を瞑った。どの家の前にも人が立っていて、みんなが声をかけるので堪《たま》らなく気恥《きは》ずかしかった。やがて、新道から旧道へはいった。洪作は上の家の前に、数人の男女が立っているのを見た。朝に晩に顔を合わせている近所の人たちであった。

洪作は上の家へ運び込まれた。洪作は上り框《かまち》のところに降されると、余り多勢の人が自分を覗《のぞ》き込むので、ここでも恥ずかしくて眼を瞑った。そして眼を閉じたまま、

「砂糖湯」

と言った。砂糖湯を運んで来たのはおぬい婆さんだった。

「洪ちゃ、甘い甘いおぶう」

おぬい婆さんはそんなことを言って、砂糖湯のはいった湯呑み茶碗を差し出した。

「もう忘れても幸夫などのばかたれと遊ぶんじゃないぞ」

おぬい婆さんがそう言ったところへ、当の幸夫が父親に連れられてやって来た。

「さあ、あやまんな」

父親の言葉で、幸夫はぴょこんと頭を下げた。

「もっとあやまるんだ」

祖母のたねが、幸夫にも砂糖湯を作って来てやった。幸夫は叱《しか》られると思って、周囲の多勢の人の顔を見廻してから、たねから茶碗を受け取った。そして、上眼遣《うわめづか》いに洪作の顔を見ながら砂糖湯を飲んだ。

上の家でひと休みしてから、洪作は土蔵へ運ばれた。土蔵へ運ばれた時は夕方近くになっていた。その夜は、土蔵には何人かの見舞客があった。危いことでござんした、よくまあ、さらわれんと、御無事で、とか、えりにもえって、洪ちゃみたいのが神かくしにお遇《あ》いなさって、とか、そんな挨拶《あいさつ》の言葉が、階下から洪作の耳に届いて来た。なかには二階まで上って来て、洪作の顔を覗き込んで、それから帰って行くお内儀《かみ》さんもあった。校長の石守森之進もやって来た。伯父がやって来たのを知ると、洪作は寝床《ねどこ》の中で震《ふる》え上った。石守校長は何とも言わないで、洪作の枕許《まくらもと》に坐《すわ》ってお茶をいっぱい飲み、それから見舞客の一人に、

「こんなにひ弱じゃ、将来困りもんじゃ。天狗《てんぐ》だって喰ってもうまくないと思えば見棄《す》

てますよ」

そう言ってすっと立ち上ると、そのまま帰って行った。

洪作は翌日の午後までぐっすり眠った。眼を覚すと、いつでも洪作は子供たちの騒《さわ》ぎ声が土蔵の周囲から聞えて来るのを聞いた。

洪作は起き上って自分も外へ出て行ってみたかったが、おぬい婆さんが床から出ることを厳しく禁じていた。おぬい婆さんが階下へ行った時だけ、洪作は床から這《は》い出て鉄《てっ》格子《ごうし》のはまっている小さい窓から外を覗いた。晩春の田圃を飛び廻っている子供たちの姿が、妙《みょう》に生き生きと見えた。子供たちの一人が窓から覗いている洪作の姿を発見して、それを皆に告げると、子供たちは遊びをやめてうわっと喚声《かんせい》を上げ、忽《たちま》ち窓のすぐ下へ集って来た。幸夫もその中に混《まじ》っていた。彼等はいっせいに顔を仰向けて、珍しいものでも見るように洪作を見詰めていたが、

「幸ちゃ」

洪作が声をかけると、その途《と》端《たん》に踵《きびす》を返して、子供たちはわれ先にと逃《に》げ出した。幸夫まで、頭を振り立てて一目散に駈け出して行くのが見えた。洪作はその日一日土蔵の中に寝ていた。そして時々、土蔵の内部とはまるで違った明るい陽の落ちている春の田圃を小さい窓から覗いた。

六　章

五月へはいったばかりのある日、授業時間中に小使の小父《おじ》さんが教室へはいって来ると、教師のところへ行って、何かひそひそとささやいた。すると教師は大きく頷《うなず》いて、小使が教室を出て行くと、洪作とみつの二人の名を呼んで、二人ともこれからすぐ家へ帰るように言った。

洪作もみつも、これまでにこのような取り扱《あつか》いを受けたことはなかったので、何事が起ったのかと思った。曾祖母《おおばあ》ちゃが死んだんずらとか、お裏の婆ちゃが死んだんずらとか、生徒たちは口々に騒《さわ》ぎ出した。実際に生徒が授業をやめて家へ帰る場合は、家のだれかが死んだ時だけだった。従って洪作も同級生たちが言うように、曾祖母のおしな婆さんか、おぬい婆さんか、そのいずれかの人物の急な変事が予想された。

洪作は教室を出ると、校門のところまで駈《か》け、そこであとから来るみつを待った。みつもただごとでない顔をして、教科書のはいった風呂敷《ふろしき》包みを抱《かか》えて、洪作のところまで駈けて来たが、洪作にはみつの顔が蒼《あお》く見えた。校門の附近《ふきん》のいま萌《も》え出そうとしている樹木の青葉が、みつの顔をそのように見せていたのかも知れなかった。

「おお婆ちゃが死んだんか」

洪作が言うと、みつは首を大きく振《ふ》って、

「おお婆ちゃは死んだりせんと。おぬい婆ちゃずら」

と言った。みつの口からおぬい婆ちゃの名が出ると、洪作は自分の顔から血がひいてゆくのを感じた。そんなことがあっていいだろうか。おぬい婆ちゃが自分の前から姿を消すような、そんなばかなことがあっていいものだろうか。洪作は憎《にく》しみの気持をもってみつを睨《にら》みつけると、

「死にそこないのおお婆ちゃが、やっとこさ死んだんずら。それに決っとる」

そう言って、みつから離《はな》れて歩き出した。洪作はいきなり土蔵へ駈けて行く元気はなかったので、まず上の家へ行ってみることにした。上の家の前には誰《だれ》の姿も見えなかったが、表口の戸を開けると、すぐこの家に変事が起っていることが感じられた。何人かの近所の内儀《かみ》さんたちが、何となくそこらをうろうろしていた。幸夫の母親が、洪作とみつの顔を見ると、

「おお婆ちゃが亡《な》くなられかかっている。あんたたちも早く行って、婆ちゃにお別れしておいで」

そう言った。洪作はやっぱり曾祖母だったと思った。おぬい婆ちゃでなくてよかったと思った。洪作は吻《ほっ》として、急に心が晴れ晴れして来るのを感じた。

洪作はすぐ二階へ上って行った。二階には祖父の文太、祖母のたね、さき子、それか

ら親戚《しんせき》づき合いしている何人かの男女の顔が見えた。みんな神妙《しんみよう》な顔をして、蒲団《ふとん》に横たわっているおしな婆さんの顔を覗《のぞ》き込むようにしていた。洪作とみつの二人もおしな婆さんの枕許《まくらもと》に坐《すわ》った。

「二人とも、ようくおお婆ちゃの顔を見ときなさい」

祖母のたねが言った。洪作には曾祖母の顔はいつもと少しも変らなく見えた。平生でもその皺《しわ》だらけの顔は、ひと握《にぎ》りほどの小ささになっていて、生きている人間の顔には見えず、置物か何かのようであった。

「死んだ？」

洪作が訊《き》くと、

「これさ、まあ」

と、祖母のたねはたしなめたが、

「まだだ。もうそろそろだろう」

文太の方はそんな言い方をした。一座《いちざ》のたれも神妙な顔こそしておれ、少しも悲しんでいる風には見えなかった。今か今かと、みんなおしな婆さんの息を引き取る瞬間《しゆんかん》のやって来るのを待っている風であった。十分程《ほど》、洪作も黙《だま》ってそこに坐っていた。そしてそろそろ立ち上りたくて堪《たま》らなくなった頃、親戚の小母《おば》さんの一人が、突然《とつぜん》、

「息を引きとりなされたようだ」

と、言った。その言葉でそれまで静まり返っていた一座の空気は少し動いた。祖父と祖母が替《かわ》る替《がわ》る顔を、曾祖母の顔のところへ持って行ったり、腕《うで》の脈をとったりしていたが、

「お亡くなりなされた。大往生じゃった」

そうたねは宣言するように言った。何人かの人が座を立って階下へ降りて行った。

洪作には、曾祖母が死んだようには思えなかった。一瞬の前とあとで、生と死というまるで違《ちが》った状態の中に曾祖母が置かれていることが信じられない気持だった。洪作も階下へ降りて行ったが、刻一刻、家の内部は近所の人たちで騒《さわが》しくなりつつあったので、すぐ洪作は上の家を出た。

洪作は土蔵へ行って、おしな婆さんの死をおぬい婆さんに伝えるつもりだったが、おぬい婆さんの姿は見えなかった。上の家の台所の方にでも行っていて、洪作がそのことに気付かなかったのかも知れなかった。洪作は、曾祖母の死に依《よ》って、思いがけず何もすることのない時間の中に自分が置かれたのを感じた。遊び仲間はみんなまだ学校で授業を受けており、どこへ行っても仲間の姿は発見できなかった。

洪作は土蔵の石段に腰を降して、長いことぼんやりしていた。上の家へ行けば多勢の人が詰めかけていて賑《にぎや》かだったが、しかし、自分が大人たちのたれからも相手にして貰《もら》えないことは判《わか》っていた。洪作は暑くも寒くもない五月の陽《ひ》を浴びながら、退屈《たいくつ》極《きわ》まる

時間を持っていた。そうしているうちに、洪作は、もう一度曾祖母の顔を見て来ようかと思った。本当に死んでいるか、どうか、もう一度自分の眼《め》で確かめたい気持に襲《おそ》われた。

洪作はまた上の家へ出掛《か》けた。僅《わず》かの時間の間に、上の家は弔問客《ちようもん》や手伝いの男女でごった返していた。洪作は大人たちの間からみつの姿を見付けると、

「おお婆ちゃの顔を見て来ようや」

と言った。みつはいつになく素直《すなお》に頷くと、自分が先に立って二階へ上って行った。二階も先刻とはすっかり様子が変っていた。白布で覆《おお》われた祭壇《さいだん》が作られてあり、何本かの線香の煙《けむり》が部屋にたちこめていた。洪作とみつとは弔問の男女がするように、自分たちも曾祖母の顔を覆っている白布を取って、その唇《くちびる》を濡《ぬ》れた綿でしめしてやった。おしな婆さんは今やはっきりと死者の顔をしていた。顔の色は土色に変じ、唇はやや固めに結ばれてあった。

洪作はみつに、

「おれっちへ行って遊ぼうか」

と言った。すると、この場合も、みつは素直に頷いた。

洪作が土蔵へ戻《もど》ると、みつもそれを追いかけるように直《す》ぐあとからやって来た。洪作とみつの二人が一緒《いっしょ》に遊ぶのは久しぶりのことだった。一年前までは毎日のように二人

は遊んでいたが、去年の夏頃から、それはぷっつりと改められて、洪作は男の友達《ともだち》だけと遊ぶようになり、みつの方もまた洪作を避《さ》けて女の友達とばかり遊んだ。それに、何となく二人は前から仲が悪かった。洪作にはみつのすること為《な》すことが意地悪く感じられていた。おぬい婆さんと洪作の二人の共同生活が、上の家との間に冷たい溝《みぞ》を作っていたが、みつの洪作に対する態度は、そうした〝上の家〟と〝お裏〟との間の空気の当然な反映であった。それがどういうものか、今日は違っていた。

洪作が南天の木を植え替えようと言い出すと、みつも直ぐそれに応じて、土蔵の横手に立てかけてある鍬《くわ》を持ち出して来た。二人は何本かの小さな南天の木を母屋《おもや》の庭から抜《ぬ》いて来ると、それを水車小屋の横の畑の隅《すみ》に持って来て植えた。遊び仲間の幸夫たちが学校を退《ひ》けてやって来るまで、洪作は久しぶりでみつと仲よく遊んだ。みつも洪作に逆らわなかったし、洪作もみつを小突《こづ》いたり突き飛ばしたりすることはなかった。

子供たちは上の家のおお婆さんが亡くなったことで、何となく浮《う》き浮きしていた。葬《そう》式《しき》が何日だとか、お振舞《ふるまい》に饅頭《まんじゅう》が出るとか、いや饅頭ではない、うちものの菓子だとか、そんな大人たちの間に交される会話が、そっくりそのまま子供たちの口から出た。子供たちは土蔵の横手に集って遊んでいたが、時々たれかが上の家の前へ賑いの様子を見に行った。

祝言《しゅうげん》の場合は、子供たちも振舞膳《ふるまいぜん》にありつくことができたが、葬式の時は、お振舞をして酒を飲むのは大人たちばかりで、子供たちは完全に無視された。従って、子供たちにとっては葬式は祝言ほど魅力《みりよく》がなかったが、それでも何事もないより気持は浮き浮きとして充実《じゆうじつ》した。それに、何といっても熊野山の墓地へ死者の柩《ひつぎ》を運ぶ葬列は、子供たちの心を奪《うば》うのに充分だった。子供たちは上の家のおお婆さんの葬式が明日行われることを知ると、それが行われるまでの時間の長さを思った。そしてまるでそれを待ちかねたかの如《ごと》く葬式ごっこをした。じゃんぼん、じゃんぼん、そんなことを口々に唱えながら、上の家の周辺を駈《か》け廻《まわ》った。

洪作も昼の間は、そうした遊びに加わっていたが、夕方になると、おぬい婆さんの手で着物を着替えさせられて、上の家へ出掛けて行った。洪作はみつと一緒に台所のごった返しているところで夕食を食べ、それから念仏が始まるというので、曾祖母の遺体の置かれてある二階へ行った。二階は身動きができないほど人が詰まっていた。伯父の石守森之進の顔も見えていた。

洪作とみつは大人の間に挟《はさ》まって神妙な顔で念仏の始まるのを待っていたが、念仏はなかなか始まらなかった。僧侶《そうりよ》がやって来て経《きよう》を上げ始めた頃から、洪作はみつと一緒に納戸《なんど》部屋へはいって、沢山《たくさん》の蒲団《ふとん》が積み上げられている上に上って、そこに身を横たえた。家の内部にはぎっしり人が詰まり、絶えず人声が賑かに聞えていた。そうしているうちに、洪作は眠《ねむ》った。そしてどのくらい眠ったのか、眼を覚してみると、さっきあれ程待った念仏を唱和する部落の老婆たちの声がなだらかな韻律《いんりつ》で家内を流れていた。

洪作は長い間それに聞き入っていた。するとその念仏の声の中から、二階に横たわっている曾祖母の顔が浮んで来た。一日中置物のように同じ場所に坐ったままで、めったに階下へも姿を見せなかったおしな婆さんのことが、次から次へと思い出されて来た。みつの方にばかり加勢して、ぎんなんを焼いても、みつには二つずつ与《あた》え、自分には一つずつしかくれなかったことや、座蒲団の厚いのにはみつを坐らせ、薄《うす》い方には自分を坐らせたことなど、いろいろなことが思い出されて来た。その時は、何と意地悪い婆ちゃだと思ったが、いま思い出してみると、ふしぎにそうしたことに腹が立たなかった。

洪作は積み上げた蒲団の山から降りると、納戸部屋から出た。居間は戦場のような騒ぎで、近所の内儀《かみ》さんたちが、食べ物の皿を持ったり、徳利を持ったりして右往左往していた。

「洪ちゃ、あんたどこにいたの?」

洪作はたれかにそんな声をかけられて、夜食を食べるために階下の居間の隅に坐らせられた。洪作は大きな牛蒡《ごぼう》の切れを箸《はし》でつまんだが、食欲《しょくよく》というものは全くなかった。手伝いの内儀さんたちも、めいめい適当な場所に陣取《じんど》って、それぞれ夜食の箸を取り上げた。

——おお婆ちゃくらい星廻りのいい人はなかった。薙刀《なぎなた》と朱塗《しゅぬ》りの風呂桶《ふろおけ》を持って嫁に来なさった。

とか、

――みそ汁《しる》しか作れんと、一生嫁さんで通ったお方じゃ。それでいて極楽往生《ごくらくおうじょう》なさった。

とか、そんな曾祖母に対する非難とも讃歎《さんたん》ともつかぬ言葉が、一座の人々の口から飛び出していた。洪作はそうした曾祖母に対する噂《うわさ》を聞いているうちに、ふいに大きな悲しみが心にこみ上げて来るのを感じた。必ずしも曾祖母の死に対する悲しみではなかったが、曾祖母の死に関係したものであることだけは間違いなかった。

洪作は座を立つと、再び納戸部屋にはいり、蒲団の山に上って身を横たえたが、間もなく身内からこみ上げて来る悲しみに耐《た》えかねて、泣き声を口から出した。一度声を口から出すと、間もなくそれは大声になった。洪作の泣き声で、蒲団の山の下で眠っていたみつも眼を覚した。それと一緒に納戸にさき子がはいって来て、

「どうしたの、洪ちゃ」

と、洪作のところへ近寄って来た。

「夢《ゆめ》を見たの？　夢を見たんでしょう、ばかね」

それには構わず、洪作は一層泣き声を張り上げた。近所の内儀さんの一人も納戸へはいって来て、さき子と同じように、

「大方、おっかない夢でも見なさったんずら」

と言った。そこへおぬい婆さんも顔を出して、

「さ、洪ちゃ、おうちへ帰って寝なさい」

と言った。それから洪作はおぬい婆さんと、二人が住む土蔵へ帰るために上の家を出た。往来には五月の生暖い夜風《よかぜ》が吹《ふ》いていた。おぬい婆さんは道を歩きながら、

「いい婆ちゃんじゃったが、とうとう亡くなられてしもうた」

と、そんなことを呟《つぶや》くように言った。そしてそれに続けて、

「辛《つら》いこっちゃ」

と口から出し、立ち停《どま》って、星がきらめいているビロードのような深い黒さを持った深夜の空を仰《あお》いだ。腰でも痛いのか、おぬい婆さんは背後に廻した手でしきりに腰を叩《たた》いていた。

洪作にはそんなおぬい婆さんの気持は判らなかったが、おぬい婆さんにとっては今日が一生で一番辛い日であったのである。謂《い》ってみれば、おぬい婆さんは今日亡くなった本妻のしなの手から辰之助を奪《うば》ったようなもので、その点おぬい婆さんは加害者であり、しなは被害者であった。その被害者のしなの亡くなった日に、村人の多くの非難の眼を体中に感じながら、上の家の台所で働くことは、おぬい婆さんにとっては何より辛いことであったのである。

土蔵へ帰ると、二人はすぐ寝床へはいった。おぬい婆さんは忽《たちま》ちにして鼾《いびき》をかいて眠ってしまったが、洪作は眼覚めていた。生前自分に邪慳《じゃけん》だったお婆ちゃの死に対する哀《かな》しみは、洪作の心の中でまだあとを引いていた。

翌日、洪作が眼を覚すと、おぬい婆さんは、もう上の家でひと働きして来たと言って、よそ行きの着物にたすきがけの姿で、朝食の膳を作っていた。

「今日、母ちゃが来なさるぞ」

おぬい婆さんは言った。

「母ちゃが!?」

洪作は突然、悦《よろこ》びと戸惑《とまど》いの気持が自分を襲うのを感じた。母が来るなどということは、この瞬間まで思ってもみなかったことであった。

「なんで、母ちゃが来るの？」

「お葬式に来なさるんじゃ」

母の七重が今日自分の前へ現れるということで、洪作の心は大きくふくれ上った。昨夜曾祖母のために大声を出して泣いたことなどすっかり忘れてしまって、母親がそのために来るのなら、おしな婆さんなど、とうに死んでしまえばよかったと思った。

洪作はその日も学校を休んだ。他の友達がみんな学校へ行くのに、自分だけ公然と学校を休むということは、妙に気恥《は》ずかしいものであった。洪作は自分も学校へ行くと言い出して、おぬい婆さんを困らせた。

「おお婆ちゃんが亡くなったというのに、学校へ行くなんて言う子がどこにあろうか。今日は洪ちゃもお葬式に、いいべべ着て並《なら》ばにゃならん」

おぬい婆さんは言った。そして葬式が出る時刻まで、土蔵で留守番しているように洪作に命じた。

この日は、洪作にとっては特別な日であった。おお婆ちゃんの葬式のある日であり、母の来る日であった。葬列にも参加しなければならなかったし、母にも会わなければならなかった。洪作には体が幾《いく》つあっても足りないようなひどく忙《いそが》しい日に思われた。そのくせ、何もすることのない退屈《たいくつ》な時間がのろのろと流れていた。洪作は土蔵の前で遊んでいたが、時々上の家を覗《のぞ》きに行った。上の家には昨日に増して多勢の人たちが詰めかけており、たれも洪作などには言葉もかけてくれなかった。洪作はすっかり自分が大人たちの世界からのけ者にされているのに気付くと、再び土蔵へ引き返して来た。正午頃、みつが重箱《じゅうばこ》の中に、自分と洪作の二人分の昼食を入れて、それを持ってやって来た。二人は昨日と同じように互《たが》いに親愛の情を示しながら、仲よくそれを食べた。

葬式は三時に出ることになっていたが、その一時間程前に、突然母の七重が姿を現した。その時、洪作は土蔵の前でみつを相手にめんこをやっていた。めんこは男の子の間では流行していたが、女の子たちはやらなかったので、みつは下手だった。洪作は下手《へた》ていた。

糞《くそ》なみつの手から、次々にめんこを取り上げて行くのが面白《おもしろ》く、その遊びに夢中になっていた。

「何してるの？」

その声で、洪作は初めて自分の傍《そば》に見慣れぬ女性が立っているのに気付いた。母の七重であった。

「いやねえ、田舎《いなか》で育つと、こんなことするのね」

七重はそう言ったが、

「少し、大きくなったかしら」

と、洪作をしげしげと見守るようにした。初めの言葉は洪作には冷たく邪慳に響《ひび》いたが、母の自分を見守る眼眸《まなざし》は、やはり肉親の母だけの持つ暖いものに思われた。みつは突然七重が現れたので、五、六歩後退さりすると、そのまま背を向けて駈け出して行った。

「さ、お家へはいって着物を着替えなさい」

七重が言ったので、洪作はすぐ母と一緒に二階に上った。七重は勝手の判らない箪笥《たんす》の引き出しをあちこちひっくり返していたが、洪作のよそ行きの着物を引き出すと、それを洪作に着せた。洪作は母の前に立って、母のするままに任せていた。いつもおぬい婆さんにして貰っていたが、母はおぬい婆さんよりてきぱきしていて、何か叱《しか》られているようで怖《こわ》い感じだった。

「向うを向きなさい」

とか、

「腕《うで》をちゃんと伸《の》ばして」

とか、母は言った。そして着物を着せ終ると、

「汚《よご》しちゃだめよ。それからめんこはいけません。いいね」

と、念を押すような言い方をした。

「うん」

「うんじゃない、——はい」

「はい」

洪作は言い直した。

葬式は三時の予定だったが、少し遅《おく》れて、葬列が上の家の前を出たのは四時近い時刻であった。洪作とみつは二人並んで、七重やさき子のあとについて歩いて行った。葬列はこの部落で今まで行われたどの葬式より賑かだった。隊列も長かったし、造花を捧《ささ》げ持つ人たちも多かった。

葬列はのろのろと進んで熊野山の上り口から往来を外れて、山の斜面を上って行った。葬列が部落の道を通っている間、道の両側で村人たちが多勢見物していたので、洪作と

みつは緊張《きんちょう》して、体操《たいそう》の時歩調をとるように、この場合も歩調をとって歩いた。山道へ差しかかると、子供たちが多勢葬列の中にはいり込んで来た。幸夫や芳衛や亀男たちもやって来て、洪作と並んで歩いた。子供たちは時々駈け出して、柩の前へ出たり、うしろへ廻ったりした。洪作もみんなと一緒に駈け出したかったが、今日は自分は別なのだと自分に言いきかせて、みつと二人でずっと神妙にしていた。

山巓《さんてん》の墓地に着くと、僧侶の読経《どきょう》があって、それがすむと、柩は四方の角に紐《ひも》をつけられて、大きな穴の中に落し込まれて行った。人間が葬《ほうむ》られるのを見るのは、洪作にとって初めてのことだった。洪作も大人たちに倣《なら》って、墓穴の中へひと握りの砂を落した。部落の若者たちの手で穴が埋《う》められ始めると、人々はぞろぞろと、いま通って来た同じ道を帰り始めた。洪作は、曾祖母が何とあっけなく地中へ埋められてしまったものだと思った。

「もう、これで終ったの？」

洪作はさき子に訊いたり、母の七重に訊いたりした。

その夜、洪作はいつものようにおぬい婆さんと二人で土蔵の中で眠った。洪作は七重が土蔵に来て泊《とま》るのではないかと心待ちにしていたが、幾《いく》ら夜遅くなっても、七重はついにやって来なかった。

翌日も洪作は学校を休まされた。三日間は学校へ行ってはいけないということだった。正午頃、洪作とみつは、七重に連れられて、渓合《たにあい》の共同風呂へ出掛《か》けて行った。洪作は母と一緒《いっしょ》に風呂《ふろ》にはいることが気恥《は》ずかしかった。着物を脱《ぬ》いだ母の体《からだ》は大理石か何かのように光っている感じで、それに長く眼《め》を当てていることはできなかった。

「なに、ぐずぐずしているの。早く着物をお脱ぎなさい」

母に言われて、洪作は着物を脱ぐと、いきなり、川へでも飛び込むように、たれも居ない浴槽《よくそう》の中へ飛び込んだ。烈《はげ》しくしぶきが上った。

洪作は物心がついてから母の七重と一緒に風呂にはいるのはこれが初めてだった。洪作は浴槽の端《はし》の方へ行って、母の七重の白い体からできるだけ遠ざかっていた。そしてなるべく母の体に眼を当てないようにしていた。七重はゆっくりと浴槽の中へ体を沈《しず》めると、泳ぐような恰好《かっこう》をして、二、三回両手で水平に湯を搔《か》いてから、

「洪ちゃ、泳げる？」

と訊《き》いた。洪作は自分が泳ぐことができるのを、母が知らないことが残念に思われた。

「泳げるさ、へい淵《ぶち》なんてへっちゃらだ」

「ほんとかしら、豪《えら》そうなことを言って！」

七重はそんな風に言って、洪作の言葉をそのままには信じないようだった。洪作は心外だった。

「川で泳いでみせようか」

本気になって洪作は言った。共同湯の横の大川へ、母が希望するなら飛び込んでもいいと思った。

「ばかね。今ごろ川へはいったら肺炎《はいえん》になって直《す》ぐ死んでしまうわ」

「だって、洪ちゃ、泳げるんだもの。——なあ、みっちゃ」

洪作はみつに証明して貰《もら》おうと思った。ところがみつは、

「みっちゃ、知らんと」

と、そんな憎《にく》らしいことを言った。洪作は次の瞬間《しゅんかん》、湯桁《ゆげた》を足で蹴《け》って浴槽の中に体を走らせた。いかに泳げるか母に見せるつもりだった。両足をばたばたさせたので、忽《たちま》ちにして湯しぶきが上って辺りに散った。

「ばか、おやめ！」

母は叫《さけ》ぶと、浴槽の中で立ち上った。みつも洗い場へ逃《のが》れた。洪作は母の白い体と衝《しょう》突《とつ》したと思った瞬間、自分の体がひどくすべすべした柔《やわら》かいものに触れ、忽ちにして、滑《すべ》るようにそこから離《はな》れるのを感じた。

「危いわね。髪《かみ》が濡《ぬ》れるじゃないの」

洪作が泳ぐのをやめた時、母は浴槽の中に立ち上ったまま本当に憤《おこ》った顔をしていた。

「着物も濡れたでしょう。ばかなことするにも程《ほど》があるわ」

なるほど、浴槽と着物脱場は半間とは隔《へだ》っていなかったので、湯しぶきは脱衣籠《かご》の附《ふ》近《きん》にまで飛んでいた。母の言うように着物は濡れたに違《ちが》いなかった。洪作がしゅんとしていると、

「さ、こっちへおいで！　首が真っ黒じゃないの。汚《きたな》いったらありはしないわ。おばあちゃんにろくに洗って貰ったことないでしょう」

母の顔はまだ険《けわ》しさを解いていなかった。洪作は言われるままに、母の前に立った。母の体の白い光沢《こうたく》は消えて、さっきまでは母の体に近づくのが眩《まぶ》しかったが、いまはそうした気持ではなく、邪慳《じゃけん》なものに自分の裸体《らたい》を託《たく》するような思いだった。

「お坐《すわ》り」

言われて、洪作は坐った。

「瘦《や》せっぽちね。だめよ、男の子のくせにこんなかまきりみたいな体をしていては。それ、ごらんなさい。こんなに垢《あか》が出るじゃないの。垢の固まりね」

七重は手拭《てぬぐ》いに垢擦《す》りを巻きつけて、それでごしごしと洪作の首をこすった。なるほど洪作は自分の首から垢がぼろぼろと落ちるのを見た。

「向うをお向き！」

洪作は母の方に背を向けた。背中も邪慳にこすられた。洪作は背が痛かったので何回となく母の手から逃《に》げ出そうと思ったが、それに耐《た》えていた。そのうちに母の手が脇腹《わきばら》

に当ると、こんどは堪《たま》らなくくすぐったかった。洪作が身をよじて逃げ出そうとすると、

「げたげたするんじゃないの。確《しっか》りしておいで！」

そのうちにぴしゃりと背の一部が鳴った。

「もう洗って上げない。みっちゃ、あんたこっちへおいで」

洪作は七重の手から解放されたが、心は何となく浮《う》かなかった。自分は母に嫌《きら》われているのではないかと思った。洪作はさき子と共同湯へ来たことがあり、さき子にも体を洗って貰ったが、さき子の方がずっと自分の体の取扱《あつか》いに優しいものが感じられた。それから湯から上るまで、洪作は母の信用を回復するために神妙《しんみょう》におとなしくしていた。


母はおお婆ちゃの葬式から十日程郷里に滞在《たいざい》していたが、その間一度も土蔵へ来て泊《と》らなかった。洪作は初めのうちは、七重が今夜こそ土蔵へ泊りに来るのではないかと期待していたが、いつもその期待は裏切られたので、そのうちにすっかり諦《あきら》めてしまった。

「母ちゃん、なぜこっちへ来て泊らないの？」

おぬい婆さんに訊《たず》ねると、彼女《かのじょ》の返事はいつも決っていた。

「どうして、母ちゃんがここに泊りに来ようか。土蔵はかび臭《くさ》くて嫌いだとさ」

七重が土蔵をかび臭いということで嫌っているということは初耳だったが、しかし、それは実際に七重がおぬい婆さんに言ったことに違いないと思われた。七重は病的とい

っていいくらい潔癖《けっぺき》で気難しかったので、いかにもそれは七重の言いそうなことだった。

それでも洪作は母が滞在している間、学校を引けると、すぐおぬい婆さんのところへは帰らないで、母の居る上の家の方へ行った。母が居るということで上の家の方が魅力《みりょく》があった。七重は上の家では一番権力を持っていた。さき子も大三も大五も、みんな七重の前ではぴりぴりしていた。七重の母であるたねまでが、どういうものか七重には頭が上らなかった。これは文太も同じことだった。文太は、

「お前はそう言うが」

とか、

「七重みたいにがみがみ言っても」

とか、せいぜいそんな言葉を口から出すぐらいのところだった。洪作は母の七重が、祖父母に対して、生活のきり廻《まわ》し方が下手だとか、親が甘《あま》いのでろくな子供ができないとか、いつまでも昔の大家《たいけ》のつもりで、派手なことをやっているとか、そんなことを言って、二人をとっちめているのを何回か聞いた。さき子も、大五も、大三もとっちめられた。

そうした時、祖母のたねは、そうしたことの罪を一身に引き受けた殉難者《じゅんなんしゃ》のような悲しい顔をして、

「みんなわたしが悪いんじゃ。父ちゃんにも、他《ほか》の者にも罪はない」

と、そんなことを言った。しかし、その度《たび》に七重は、

「母ちゃんが悪いことなんか今さら言わんでも判《わか》っとる」

と、たねを決めつけた。洪作にはなぜ上の家の人たちが母の七重から叱《しか》られなければならぬかよくは判らなかったが、しかし、子供心にも大体の想像はついた。それは上の家が昔ほど生活が楽でなくなって来ており、それを切り抜《ぬ》けることにたれも気を遣《つか》っていないので、そうしたことを見るに見かねる思いで、七重が事毎《ことごと》にがみがみ言っているのであった。一度七重とさき子が階下の居間で烈《はげ》しい口争いをしているのを洪作は見たことがあった。

「姉ちゃみたいに、そう理屈《りくつ》通りには行かないわ。父ちゃんや母ちゃんを弄《いじ》めては気の毒よ」

さき子が言うと、

「あんたは黙《だま》っといで。あんたなどの口を出す幕じゃないわ」

七重は言った。

「口を出す権利ぐらいわたしにだってあるわ」

「まあ、大きな口をきくわね。あんたみたいなのが居るから、家の暮しが立って行かないのよ。祝言《しゅうげん》上げたのなら、さっさと向うへ行けばいいじゃないの。いつまで実家に居るつもり？　大体、わたし、あんたの結婚《けっこん》には反対なの。子供できたから仕方ないけど、

——だらしないったらありはしないわ」

七重が言うと、この時だけはさき子が声を震《ふる》わせて言い返した。

「どんな結婚をしても姉ちゃんの指図《さしず》は受けません。家の事情も知らないで、勝手な時に帰って来て、姉ちゃんこそ大きな口きいているわ。もうお葬式もすんだんだから早く帰って頂戴《ちようだい》」

さき子は顔を蒼《あお》くしていた。

「これ、これ、あんたたち！　お願いだから荒《あら》い声は立てんといて下され。二人ともほんとに優しいいい子だったのに、どうしてこんなことになったのか。怖《おそろ》しや、怖しや」

たねはおろおろして二人の間に体を運んで行った。洪作はまばたきもしないで、そんな一家の者たちの様子を見守っていた。母の方の言い分にきっと筋の通ったものがあるに違いないとは思われたが、しかし、どちらかと言うと、祖父母やさき子の方に同情する気持が強かった。母の七重の言うことは正しいのに違いなかった。なぜなら、七重が居ない時は、現在七重が言っていることを、さき子が替《かわ》って文太やたねに言っているのを聞くことがあったからである。しかし、いずれにしても、子供の洪作にも母の七重の言い方は余りにも仮借《かしやく》なく思われた。相手の立場に立って、相手の言い分を聞いてやろうというところがないように思われた。

さき子と七重が言い争いをした時、洪作はおろおろしている祖母が、二人を鎮《しず》めてか

ら、洗濯物《せんたくもの》を取り込みに庭に出たのを見ると、何となく祖母を慰《なぐさ》めてやるような気持から、

「母ちゃんがいかん。なあ、お祖母ちゃ」

と言った。するとたねは驚《おどろ》いたように洪作の顔を見詰めていたが、やがて腰を伸《の》ばして、

「なんの、なんの」

と言った。

「洪ちゃの母ちゃはええ母ちゃじゃ。みんなこの祖母ちゃが悪い」

洪作はこの時ほど祖母が悲しそうな顔をしたのを見たことはなかった。堪《たま》らなく祖母が気の毒に思われた。おぬい婆ちゃの方は七重に対抗《たいこう》して、七重のことを悪く言ったが、たねは決してそんなことはなかった。この世の中に悪いことがあれば、それはみんな自分が到《いた》らないためだと考えていた。実際に生れながらにしてそう思い込んでいる風なところがあった。

母の七重が豊橋に帰って行く日は、土蔵の横の山吹《やまぶき》が黄色の花をいっぱい開かせている日であった。洪作は学校の昼食時間に、先生から許可を貰って、母を見送るために駐《ちゅう》車場《しゃじょう》へ行った。祖父母も、さき子も、おぬい婆さんも、この日は互《たが》いに笑顔《えがお》を見せて、七重を送るために駐車場に来ていた。近所の内儀《かみ》さんたちも多勢集っていた。

母の乗る馬車に、村から東京へ出て時計屋をやって成功しているという、中年の洋服を着た喜代さんという人物が乗ることになっており、その方の見送人も多かったので、駐車場は珍しく多勢の村人たちで賑《にぎわ》っていた。喜代さんは七重と挨拶《あいさつ》してから、

「坊、母ちゃんと別れるんで淋《さび》しいな」

と、洪作に声をかけて来た。洪作はそれに対して返事はしないで、喜代さんが口にくわえているパイプに気を取られていた。

「なに、それ？」

洪作は訊《き》いてみた。

「これか、これはハッカ・パイプじゃ」

喜代さんはパイプを口から離《はな》すと、

「坊、くわえて吸ってみな」

と言った。洪作は言われるままに、それを口にくわえて吸ってみた。ハッカの清涼感《せいりょう》がすぐ口中いっぱいに拡《ひろ》がった。洪作は世の中には何と素晴《すば》しいものがあるだろうと思った。こんなしゃれた素敵《すてき》なものは、東京に行かなければ手にはいらないのだろう。しかも普通の人は容易なことでは手にすることはできないに違いない。それほどこれは高価なのだ。

洪作はパイプを口にくわえて、大人たちの顔を見廻した。母の七重の眼だけが叱責《しっせき》す

るように冷たく光っていた。洪作はあわててパイプを口から取ると、無意識に帯の間に挟《はさ》んだ。母は人が口にくわえていたものを、無神経《むしんけい》に自分が口の中へ入れたので、そのことを咎《とが》めたのに違いないと思われた。洪作は母の眼を逃れるように大人たちの背の方へ廻った。

そのうちに馬車の用意が整って、馬車屋の六さんに依《よ》って、高らかに喇叭《らっぱ》は吹《ふ》き鳴らされた。喜代さんが村人に挨拶して先に馬車に乗り込み、続いて七重が乗った。すぐ馬車は走り出した。村人たちはいかにも去って行く者を見送っているといった恰好《かっこう》で、みんなぼんやりと立って遠ざかって行く馬車に眼を当てていた。洪作は母が少し体を乗り出すようにして、こちらに手を振《ふ》るのを見た。洪作にははっきりとそれが自分に向って振られたのを感じた。洪作は、この日は子供は自分一人なので、馬車と一緒に駈け出すことはやめようと思っていたが、母が手を振ったのを見ると、それを合図に、自分でも知らないうちに馬車を追って走り出していた。そしてすのこ橋の袂《たもと》のところまで駈けて、そこで立ち停った。母はまだ手を振っていた。

馬車が市山部落へと姿を消すと、洪作はまだ駐車場に立っている村人の方へ帰って行った。

「とうとう行っちゃった！　やれ、やれ」

いかにも厄介払《やっかいばら》いでもしたようにおぬい婆さんが言うと、その言い方がおかしかった

のか、

「ほんとに、やれ、やれ」

と、さき子も言って笑った。その言葉で周囲の者もみんな声を出して笑った。たねは見送人に一人一人礼を言って、それから洪作に、

「さ、学校へ行きなさい」

そう言って、洪作の帯を結び直してくれた。その時、洪作は自分の足許《あしもと》に小さな物体が落ちたのを見た。ハッカ・パイプだった。洪作は急いでそれを拾うと、さあ、大変なことになったと思った。当然喜代さんに返すべき品を、うっかり帯の間に挟んだまま忘れてしまったのである。喜代さんの方もパイプを洪作に渡《わた》したまま、あとは見送人たちと挨拶を交《かわ》すことにかまけて、洪作からそれを取り戻《もど》すことを忘れてしまったのに違いなかった。

えらいことをしてしまった！

洪作はパイプを手の中に握《にぎ》ったまま、人々の群から離れて、新道を学校の方へ一人で歩いて行った。洪作はパイプをもう一度口に持って行って、それをくわえて吸ってみた。さっきと同じように、何とも言えない清涼感が、こんどもまた滲《し》みるように洪作の口中に拡がった。

洪作は自分が罪人になったような思いに捉《とら》われていた。今頃喜代さんはパイプのこと

を思い出して、馬車の中で大騒ぎしているのではないかと思われた。洪作は再びパイプを帯に挟んで、これだけはたれにも見せてはならぬと思った。盗品《とうひん》でも匿《かく》し持っているような、そんな気持だった。

洪作は、その日学校に居る間中不安な思いに駆《か》られて落ち着かなかった。いまに先生が自分に近づいて来て、

「おまえ、パイプを持っているだろう。さあ、出しなさい」

そんなことを言うのではないかと思った。洪作は運動場へ出ても、仲間から離れて一人で隅《すみ》の方に立っていた。そして時々手を帯のところへ持って行って、パイプがあるかどうかを確めた。そしてパイプがまだなくならないで、確かにそこにあることで吻《ほっ》とした。洪作はパイプをいかに処置するかには皆目《かいもく》いい知慧《ちえ》は浮《うか》ばなかったので、それを失わないで自分が持っているということに全力を振《ふる》っていた。

しかし、そうしている間も、洪作はもう一度それを口にくわえて吸ってみたい欲望《よくぼう》と闘《たたか》っていた。一度味わった口中の清涼感は、それを思い出すと、矢も盾《たて》も堪らない程の大きい誘惑《ゆうわく》であった。洪作は校舎の裏手へ廻って行って、たれも居ないことを確めてから、そっとパイプを取り出して、それから口にくわえた。そしてパイプを口から出してから、何度も息を吸い込んだり吐《は》き出したりした。やはりこんな素晴しいものはないと思った。

学校が引けると、いつもは久保田部落の仲間と一緒になって遊ぶが、今日の洪作は少し違っていた。幸夫たちを避《さ》けるようにして、一人で田圃《たんぼ》へ出て、いなむらの蔭《かげ》に腰を降して、パイプをくわえたり、それを弄《いじ》ったりした。他人の所有物を持っている不安と、貴重な宝ものを持っている悦《よろこ》びと入り混《まじ》った複雑な感情だった。それにもう一つ、母と別れた日の淋しさがその複雑な気持の中に入り混っていた。いなむらに腰を降している洪作の眼には、何段かになって渓合《たにあい》に向って下降している段々畑を隔《へだ》てて、ずっと向うに今日母を乗せた馬車が遠ざかって行った白い下田街道が見えていた。洪作は母が居る時は、何となく邪慳な感じの母にそれほど惹《ひ》かれなかったが、いざ別れてみると、やはり自分が一人になったような淋しさを感じた。ことに今日馬車の中で自分に向って手を振った母の姿が瞼《まぶた》から消えなかった。その母の手を思い出すと、堪らなく母が恋しい気持がした。母を恋うるという気持はこれまでに一度も洪作の味わったことのないものであった。

洪作は夕方になるまでいなむらの蔭で一人で遊び、すっかり陽《ひ》が落ちてから土蔵へ帰った。おぬい婆さんは、洪作の帰りが遅《おそ》いので、近所を一軒《いっけん》一軒探し廻って、丁度土蔵へ帰って来たところだった。

「洪ちゃ、どこへ行ってた？」

おぬい婆さんは少し眼《め》をむいて見せたが、洪作が無事に自分のところへ戻《もど》った安心で土蔵の上り框《かまち》に腰を降すと大きな溜息《ためいき》をついた。

「洪ちゃがまた神かくしに遇《あ》ったかと思って、婆ちゃは心配した」

それから、やれ、やれ、やれと腰を叩《たた》いて、

「洪ちゃが帰って来たことをもう一度近所へ知らせて来《こ》にゃならぬ」

と言った。洪作はおぬい婆さんについて、近所を一軒一軒廻った。どこの家も夕食の最中だった。

「洪ちゃは居ましたぞ。心配かけてすまなんだ。お前んとこの総領とは違って、洪ちゃが居なくなったとなると大事だでな」

おぬい婆さんはどこでもそんなことを言った。それに対して、

「おらっちも心配しましたぞ。神かくしに遇えばいいと思っとる婆ちゃはならんで、洪ちゃの方がなったら全く大事だでな」

そんなことを言う者もあれば、

「婆ちゃ、あんたこそ気をつけなされ。洪ちゃはこの間で厄逃《のが》れじゃ。こんどは婆ちゃの番だ」

そんなことを言う者もあった。

近所を廻って土蔵へ帰った時、おぬい婆さんは、急にめまいがすると言って、二階へ上ると、すぐ俯伏《うつぶ》した。洪作はランプにマッチで火をつけ、おぬい婆さんのために、階

下から水を持って来てやったが、ふとハッカ・パイプのことを思い出した。

「婆ちゃ、これ吸ってみな」

洪作がおぬい婆さんの口へパイプを押し込むと、

「なんじゃ、これ」

と言って、彼女は手で探ってみた。

「それ吸ったら気持よくなる」

洪作が言うと、おぬい婆さんは言われるままにパイプを口にくわえた。が、次の瞬間、

「あれさ、これハッカじゃがな」

と言って、体を起した。

「婆ちゃ、気持よくなったろう」

「ほんに」

「な」

「不思議なこっちゃ。ほんに胸がすうっとした！」

おぬい婆さんは皺《しわ》だらけの指でパイプを摑《つか》み、それをランプの光に翳《かざ》して丹念《たんねん》に見入っていたが、やがてまたそれを口に持って行った。

「ほんに、すうっとするがな」

おぬい婆さんは洪作がするように、息を大きく吸い込んだり、吐《は》き出したりした。ハ

ッカ・パイプが効力を発揮したのか、おぬい婆さんは気持がすっかり癒《なお》ったと言って立ち上り、パイプをくわえながら夕食の膳《ぜん》を作った。

洪作はおぬい婆さんと二人で簡単な夕食を摂《と》った。昨日までは上の家から毎日のように何か副食物が運ばれて来ていたが、七重も帰ってしまった今日は、全くおぬい婆さんの手で作られた料理だけだった。竹の子とわらびの煮たのが、どんぶりに盛られてあり、それを二人はそれぞれの箸《はし》でつついた。おぬい婆さんも洪作も竹の子の柔かいところだけを食べた。洪作の方は歯という歯はすっかり虫歯になっていた。さき子に言わせると、おぬい婆さんが毎朝のように寝床《ねどこ》に菓子を持って行ってやるので、そのために洪作はすっかり歯をだめにしてしまったのであった。

おぬい婆さんの方は、さき子の言うことなど少しも受けつけなかった。

「菓子食べて歯が悪くなるなんど聞いたことがない。わしらは子供の時あめ玉しゃぶって寝、眼が覚めると、またすぐあめ玉しゃぶって育ったものじゃ。それで一本も虫歯はない。洪ちゃの歯の悪いのは、母ちゃんが腹が大きい時魚食べなかったせいじゃ」

おぬい婆さんはそう言ったし、また実際にそう思い込んでいた。

その晩、洪作とおぬい婆さんとはいつものように床を並《なら》べて寝たが、洪作は枕もとにパイプを置いて眠った。翌朝、洪作は眼を覚すと、すぐパイプのことを思い出し、パイプを探したが、どういうものかパイプは枕《まくら》もとから姿を消していた。床から出て、すぐ階下へ降りて行った洪作の眼に、パイプをくわえて、味噌汁《みそしる》を作っているおぬい婆さんの姿がはいって来た。洪作はすぐ彼女《かのじょ》からパイプを取り戻して、それをくわえた。

その日、洪作はパイプを持って学校へ行ったが、幸夫に見付けられて、彼にも貸さなければならなかった。パイプは学校に居る間は洪作と幸夫の間を移動し、家へ帰ると、洪作とおぬい婆さんの間を移動した。

そしてその夜もまた洪作はパイプを枕もとに置いて寝たが、翌朝、洪作が眼を覚すと、おぬい婆さんは、

「洪ちゃ、パイプが前みたいにすうっとしなくなったぞ」

と言った。洪作はパイプを取り上げて口にくわえてみた。おぬい婆さんの言う通り、パイプは確かに以前《いぜん》のような清涼感を与《あた》えなくなっていた。ハッカが失《な》くなってしまったのであった。

曾祖母《そうそぼ》が亡《な》くなって一カ月程《ほど》してから、洪作はさき子と一緒《いっしょ》に渓合の共同湯に行った。さき子はこのところいつも嬰児《ややこ》を抱いていたが、この時だけは嬰児をたねに預けて身軽になって風呂《ふろ》へ出掛《か》けたのであった。

洪作は久しぶりで以前のようにさき子を自分のものとした思いだった。洪作はさき子の洗面道具を入れた金だらいを捧《さ》げ持って、彼女のお供の役を引き受けた。往来から外

れて渓合に下って行く坂道へ差しかかると、さき子は女学校の校歌を唄《うた》った。そうしたさき子を見ていると、嬰児の母親とは思えなかった。

しかし、風呂へはいった時、洪作はさき子の体《からだ》が蠟《ろう》のように蒼白《あおじろ》くなって、しかも見《み》違《ちが》えるように痩《や》せているのを見た。以前のさき子の体はいかにも豊満な感じで、母の七重の体よりもっと白く、もっと肥《ふと》っていたが、いまのさき子のそれは全く別人の観があった。さき子は誰《だれ》も居ない昼の共同湯の浴槽《よくそう》で、湯桁《ゆげた》に腰かけて、来る道で唄った歌をまた唄った。洪作もさき子と同じように湯桁に腰かけて、さき子の歌を聞いていた。さき子の体の痩せていることは何となく心配だったが、しかし、さき子と一緒にこうした時間を持つことは楽しかった。

「洪ちゃ、何か歌を唄ってごらん」

「唄えんや」

洪作が言うと、

「意気地なしね、洪ちゃは。——あんた、男でしょう。唄いなさい」

「でも、唄えないもの」

「唄えないことありますか」

「じゃ、唄う」

仕方ないので、洪作は「箱根の山は天下の嶮《けん》」という唱歌を唄った。洪作は生れつき歌が下手《へた》だったので、時々調子外れの声を張り上げた。洪作の調子が外れると、すぐさき子が洪作に替《かわ》って唄った。そして唄い終ると、

「洪ちゃ、音痴《おんち》ね」

とさき子は言った。

「オンチって何のこと？」

「歌の調子が外れることよ。そうね、あんた、ひとから唄えって言われても唄わない方がいいかも知れないわね」

さき子は言った。

「でも、さき子姉ちゃの前では唄いなさい。少しずつ直して上げる」

「じゃ、もう一遍《いっぺん》唄ってみる」

洪作はさき子に言われると、自分の歌の調子が外れることなど、たいして恥《は》ずかしくない気持だった。学校で唱歌の時間にどうしても独唱ができないのに、不思議にいまはさき子の前では何でも唄うことができた。洪作は楽しかった。さき子とこうした時間を持っていることが夢《ゆめ》のような気がした。

そんなことがあってから間もなく、洪作は子供たちの口から、さき子が肺病《はいびょう》だという噂《うわさ》を聞いた。子供の噂に出るということは、大人たちの間で同じことが噂されているという証拠《しょうこ》であった。子供たちは上の家の前を通る時、わざと呼吸しないで、息を詰めて

走った。洪作はそんなことをする仲間を心から憎《にく》んだ。おぬい婆さんにそのことを話すと、おぬい婆さんは、

「さき子姉ちゃは病気だから、上の家へは行かん方が安全じゃ。でも、こんなこと祖母《ばあ》ちゃに言うではないぞ」

と注意した。しかし、おぬい婆さんに注意されるまでもなく、洪作は上の家へ遊びに行くことはできなかった。洪作が上の家の玄関《げんかん》の前の石段へ近づくと、祖母のたねはやって来て、

「向うへ行って遊びなさい」

と言った。何となく追い払《はら》われる感じだった。洪作は肺病であろうと何であろうと、さき子と会いたい気持が強かった。風呂へ一緒に行ったのを最後にして、さき子は彼女《かのじょ》の部屋である二階の一室から階下へ降りて来ることはなかった。村人の話ではさき子は床《とこ》に就《つ》いているということだったが、洪作はそんなことはないだろうと思った。

ある日、洪作は上の家へ行って、丁度階下に誰の姿も見えないのをいいことにして、二階へ上って行った。そして二階の突《つ》き当りの部屋へはいって行くと、隣室《りんしつ》から、

「たれ」

というさき子の声が聞えて来た。

「洪ちゃ」

と、洪作が答えると、

「洪ちゃ、こっちへ来ては駄目よ。階下《した》へ行きなさい。——一体何しに来たの」

と、さき子は言った。

「赤ちゃん、見に来た」

咄嗟《とっさ》に洪作は言った。すると、さき子の返事はなく、暫《しば》く隣室はしんとしていたが、やがて、

「赤ちゃんはここには居ないわ。姉ちゃんの病気がうつるんで、およそへやったの。さ、洪ちゃも階下へ行きなさい」

そういうさき子の声が聞えて来た。洪作は嬰児が上の家に居ないことを、この時初めて知った。

さき子の声は再び聞えて来た。

「わからずやね。お帰りなさいと言ってるのに、どうして帰らないの」

それは叱責《しっせき》の口調ではあったが、どこかに弱々しいものが感じられた。洪作はさき子の部屋を開けようか開けまいか、心に決めかねて思い迷っていた。この機会にさき子に会わなければまたなかなか会うことはできないだろうといった気持もあったし、肺病のさき子の部屋を覗《のぞ》くということがとんでもない悪事を犯すことでもあるような気もしていた。しかし、洪作は唐紙に手をかけた。そしてそれを開けようとした。が、唐紙は動

かなかった。

「だめ」

思いがけず唐紙一枚隔《へだ》てた向うでさき子の声が聞えた。今までの叱責口調ではなく、何か遊戯《ゆうぎ》でもしている時の、こちらの心をじらすようなあの低く息を詰めた甘《あま》い声であった。

「開けて!」

「だめ」

「開けて、開けて!」

「だめよ」

次の瞬間《しゅんかん》ぱっと細目に唐紙が開いたと思うと、さき子の白い腕《うで》が一本飛び出して来て、洪作の頭をぽんと軽く叩《たた》くと、直《す》ぐまた引っ込んで、唐紙は再び閉められてしまった。洪作は四枚の唐紙のうちの、どれかを開けようと思ったが、内側でどのような押え方をしているのか、こんどはどこもかたとも動かなかった。

「帰りなさい」

こんどのさき子の声は違《ちが》っていた。それは有無《うむ》を言わせぬきびしい口調《くちょう》を持っていた。

洪作はさき子と会うことはあきらめて、階下へ降りると、縁側《えんがわ》から戸外へ出た。そして自分の頭を叩くために唐紙の間から突《つ》き出されたさき子の白く細い腕を眼《め》に浮《うか》べていた。洪作は、しかし、自分の心が二階へ上って行って、さき子と言葉を交したことでいつにもなく満たされているのを感じていた。頭を叩かれたことも楽しかったし、唐紙を挟《はさ》んで対《むか》い合って立っていたことも楽しかった。また唐紙を開ける開けさせないで争ったその争いにも、そこには何か微《かす》かではあったが、華《はな》やいだものが感じられた。

その夜、洪作は夕食のあとで、おぬい婆さんに昼間上の家の二階へ上って行ったことを話した。すると、おぬい婆さんは、眼をまるくして洪作の顔を見守っていたが、

「そんなことを、洪ちゃ、たれにも喋《しゃべ》るまいぞ」

と咎《とが》めるように言って、それから洪作を促《うなが》して階下へ降りると、コップの中に塩を入れ、それを持って土蔵を出た。洪作は月光の降っている川の縁で、何回となく川の水でうがいさせられた。

「もういい？」

洪作が訊《き》くと、

「まだまだ。もっとぶくぶくしなさい」

おぬい婆さんは言った。

「まだするの!?　洪ちゃ、飲んじゃった」

洪作が言うと、

「飲んだ!?」

ここでまたおぬい婆さんは咬《か》みつくような声を出して、

「飲んだりしたら、洪ちゃ、肺病になるぞ。体が細う細うなって、蠟みたいに白くなって、そうしてやがて死んじまうぞ」

と言った。

「死ぬもんか」

「あれさ」

さも呆《あき》れたように、おぬい婆さんは背を伸《の》ばしてみせて、

「肺病になったら、みんな死んじまうがな。決っとる！」

「死ぬもんか」

「死ぬがな」

「死ぬもんか」

「あれさ」

「死ぬもんか」

「文句《もんく》言わんと、さ、ぶくぶくせい」

おぬい婆さんは到頭《とうとう》腹を立ててしまった。しかし、洪作の方がもっと腹を立てていた。肺病になったらみんな死んでしまうと言うのであれば、さき子も死んでしまうではないかと思った。そんなことがあっていいものだろうか。洪作にはさき子が死ぬなどという

ことは考えられないことであったし、思ってみるだけでも怖《こわ》いことだった。

「死ぬもんか」

洪作が執拗《しつよう》にまた繰《く》り返すと、

「死ぬ、死ぬ」

おぬい婆さんの方もまた意地になって言った。洪作はこれまでおぬい婆さんとこのように言い争ったことはなかった。相手の言葉を受けつけないで、自分の考えを押し通そうとするような気持になったことは、おぬい婆さんに対する場合、珍しいことだった。

「わからずやの、ばかもんの、ろくでなしの洪ちゃ。たんとぶくぶくの水飲んで、肺病になって死んじまうがいい」

おぬい婆さんは癇《かん》を立てて、洪作から離《はな》れて、土蔵の方へ帰って行った。洪作が振り返ってみると、おぬい婆さんは、土蔵の前に立っていた。腹は立てても、洪作の帰るのを待っているらしかった。

「死ぬもんか、死ぬもんか」

呪文《じゅもん》のように、同じ言葉を口から出しながら、洪作はおぬい婆さんの横をすり抜《ぬ》けると、土蔵へはいり、さっさと自分だけ二階へ上って行った。

洪作が敷いてある寝床《ねどこ》へはいっていると、おぬい婆さんはおぬい婆さんで、いつもは〝どっこいしょ、どっこいしょ〟とかけ声をかけて階段を上って来るのに、今夜は、

「ばかたれ、ばかたれ」

と、そんなことを拍子《ひょうし》をつけて言いながら、階段を上って来た。やがて、

「洪ちゃ」

おぬい婆さんは枕《まくら》もとに立って言った。洪作は黙《だま》っていた。返事なんかしてやるものかと思っていた。

「もう寝たんかや」

おぬい婆さんは体を屈《かが》めると、洪作の寝息を窺《うかが》うように、自分の顔を洪作の顔のところへ近づけて来た。

「うるさいな、婆ちゃ」

洪作は眼を開けると、掛蒲団《かけぶとん》の上に置かれてあったおぬい婆さんの腕を払った。すると、おぬい婆さんの腕は、なんの重量感もない、全く手応《てごた》えのない頼りなさで横に飛んだ。洪作ははっとした。

「洪ちゃ、まだ憤《おこ》っとるんか」

おぬい婆さんは言って、腕を払われたことは何とも思っていないらしく、払われた腕をもう一度蒲団の上に持って来た。

洪作はおぬい婆さんの腕の方が、昼間見たさき子の腕より、もっと細く頼りないのを知った。さき子の腕の方は幾《いく》ら細くても白く美しかったが、おぬい婆さんのそれは骨と

皮ばかりで、枯《か》れた竹切れか何かのように取得というもののない感じだった。そんなおぬい婆さんに洪作は哀《あわ》れさを覚えた。

「婆ちゃ」

洪作はおぬい婆さんに初めて優《やさ》しい言葉を与《あた》えた。

「何かほしい！」

そんなことを言うと、

「何かほしいって!?　どれ、どれ」

おぬい婆さんは急に生き返ったように、いそいそと菓子を入れた箱の仕舞《しま》ってある戸《と》棚《だな》の方へ立ち上って行った。

七章

六月にはいって間もなく、洪作はおぬい婆《ばあ》さんに連れられて、半島の基部にある沼津《ぬまづ》の町へ二泊《はく》の予定で出掛《か》けて行くことになった。おぬい婆さんの血縁《けつえん》にあたる仙田《せんだ》という満洲《まんしゅう》で成功した土建業者が、何年かぶりで日本へ帰って来て、東京へ行く途中沼津に立ち寄るということで、おぬい婆さんはその血縁の夫婦者に会うために沼津まで出向いて行くことになったのであった。

おぬい婆さんは仙田夫婦に会うことがよほど嬉《うれ》しいらしく、沼津行きが決ってからは、その日が来るまで毎晩のように、仙田夫婦の話を洪作に聞かせた。

「人間の運というものはいつ開くか判《わか》らんもんじゃ。満洲へ渡《わた》って行く時は、この婆ちゃが銭《ぜに》出してやったが、いまは何せ、たいしたものじゃ、奉天《ほうてん》で土蔵を三つも四つも建てたそうじゃ」

とか、

「人がいいだけで銭儲《もう》ける術知らん困り者じゃったが、満洲へ渡ったとたんから少しずつ賢うなって行ったらしい。いまは多勢の人を使ってるということじゃが、人を使う器《うつわ》とはどうしても考えられなんだ」

とか、そんな相手を褒《ほ》めているのか、けなしているのか、よく判らないような話ばかりした。しかし、仙田の小父さんに関してはこのような話し方をしたが、その妻に当る小母《おば》さんに関しては、最大限の讃辞《さんじ》を呈《てい》していた。

「おばちゃんはいいおばちゃんじゃ。この方は気立てがようて、心根が優《やさ》しくて、賢うて、おじちゃんには勿体《もったい》ないおばちゃんじゃ。洪ちゃもこんどよう見てみなされ。おばちゃんの方がずっと勝《まさ》っとる」

おぬい婆さんはそんなことを言った。洪作は毎晩のように仙田夫妻のことを聞かされるので、二人がどのような顔をし、どのような風采《ふうさい》をしているかまで、すっかり呑《の》み込んでしまい、二人に対して、洪作は洪作なりのイメージを持つことができた。

洪作の沼津行きは、上の家の方では当然のことだが問題になった。祖父の文太は洪作を学校まで休ませて沼津へ連れて行くことには反対だった。二階で寝《ね》ているさき子もまた反対だということだった。しかし、この場合もまた祖母のたねが間に立って、

「気難しいこと言わんと、こんどの場合は、おぬい婆ちゃに任せるこっちゃ。洪ちゃ、婆ちゃに連れてって貰《もら》い」

そんな風に言った。洪作も学校を休むことは厭《いや》だったが、しかし、沼津へ行くことの悦《よろこ》びはそんなことには替《か》えられない気持だった。沼津へは、去年の夏豊橋へ行く時駅前の旅館へ一泊したが、ただ駅前の旅館に泊ったというだけで町の方はどこも知らなかった。有名な千本浜も知らなかったし、御成橋という大きな橋も知らなかった。

おぬい婆さんが会う人ごとに触《ふ》れ廻《まわ》ったので、洪作の沼津行きは学校の生徒の間でも有名になった。

「洪ちゃ、嫁《よめ》っ子探しに行くんか」

とか、

「洪ちゃ、人さらいにさらわれるぞ。婆ちゃは舌を抜《ぬ》かれ、お前はへそを切られるぞ」

とか、そんなことを上級生から言われた。そしてその度《たび》に多勢からはやし立てられた。

沼津行きの日、洪作はよそ行きの着物を着、新しい下駄を履《は》いて、十カ月振《ぶ》りで馬車

に乗った。幸夫たちは学校へ行っていて駐車場《ちゆうしやじよう》には送りに来れなかった。おぬい婆さんの方も見送りは上の家の祖母と近所の内儀《かみ》さんたち二、三人だけでひっそりした感じだった。

馬車は下田街道の石ころ道を大きく左右に揺《ゆ》れながら走った。客はおぬい婆さんと洪作の二人だけだったので、二人は四角な箱《はこ》の中で、小さい腰《こし》掛けから何回も転げ落ちそうになった。おぬい婆さんは座席から飛び上る度に、

「何としつけの悪い馬じゃろうが。こんな馬は見たことない」

と、この前と同じように、そんな馬の悪口を言った。

「しつけが悪くて悪かったな」

御者《ぎよしや》の六さんも敗《ま》けていなかった。

「めしをやらんので、当ってるんずら。めしだけはやらんと、生きものだで可哀《かわい》そうじゃ」

「そうじゃ、お裏の婆さん振り落すように、この二、三日めしやらんでおいた」

御者とおぬい婆さんの応酬《おうしゆう》を乗せて、馬は市山部落を抜けるまで駈けりに駈けた。平生ならゆっくり歩くところでも、六さんは馬の尻《しり》に鞭《むち》を入れた。馬が駈けるのをやめると、おぬい婆さんはやれやれと言ったように居住居《いずまい》を直し、それから座席から転がっている荷物を拾った。洪作は馬が駈けることはさして苦にならなかった。ただ六さんとお

ぬい婆さんの応酬が次第に烈《はげ》しくなって行くことだけが心配だった。

しかし、湯ヶ島と大仁《おおひと》部落の丁度中間にあたる出口部落で休憩《きゅうけい》してお茶を飲んだあとは、六さんもおぬい婆さんもさすがに疲《つか》れたのか口をきかなくなった。馬も疲れたのか、あとは少しも駈けず、ゆっくりと歩いた。この頃《ころ》から六さんは居眠《いねむ》りを始め、こんどは六さんが居眠りして御者台から落ちはしないかということが、洪作の心配の種になった。

終点の大仁に着くと、そこから軽便鉄道に乗った。洪作は久しぶりに乗る玩具《おもちゃ》のような汽車が楽しかった。汽車に乗ってから、おぬい婆さんは気持が悪くなり、二人分の座席を一人で占領《せんりょう》して横になり、汽車が停車場《ていしゃば》に停《とま》る度に、

「三島じゃろが、まだ三島じゃないのかい」

と、蒼《あお》い顔を上げて言った。

三島へ着くと、そこで東海道線に乗り替《か》えた。三島駅の次が沼津駅だったので僅《わず》かひと駅の区間であったが、おぬい婆さんは乗客に頼んで荷物を棚《たな》に載《の》せて貰い、すぐまたそれを降して貰った。

沼津駅で下車すると、去年の豊橋行きの時と同じように駅前の旅館にはいった。この頃から昔のことを思い出したのか、おぬい婆さんは何となく威厳《いげん》を身に着け出し、挨拶《あいさつ》に来たお内儀《かみ》さんや女中たちにちゃんと応対した。そうした婆ちゃは、洪作の眼にも頼もしく映った。

風呂から上り、お茶を飲んでいると、夕方がやって来た。洪作が部屋の窓から人通りの多い暮方の駅前の道を見降している時、急に部屋の内部は賑《にぎや》かになった。うしろを振り向くと、宿の番頭や女中の手で沢山《たくさん》の荷物が部屋の中へ運び込まれて来て、その荷物のあとから五十年配の男女がはいって来た。男の方は背が小さく顔色の悪い風采が上らぬ人物で、女の方は背が高かったが、何となく口のきき方のはっきりしない髪《かみ》かたちの異様な女性だった。二人は、洪作がこのところ毎晩のようにおぬい婆さんの口からその噂《うわさ》を聞いていた仙田夫婦であったが、二人とも洪作の想像していた人物とは全く異《ちが》っていた。

仙田の小父《おじ》さんの方には、洪作は初めから好感を持たなかった。

「この子はどこの子かいな」

彼《かれ》はおぬい婆さんに、洪作の方を顎《あご》でしゃくって見せて言った。

「大事な大事な坊やがな」

おぬい婆さんが言うと、

「これかいな、総領は。——何とまあ、ひよわな伜《せがれ》じゃこと」

そんなことを言った。それに較《くら》べると小母さんの方はまだよかった。

「おお、これが坊かいな。めめっこい顔をしとる。今夜はおばちゃが股《また》に挟《はさ》んで抱《だ》いて寝《ね》て上げましょ」

そう言って笑った。股に挟まれたりして堪《たま》るものかと洪作は思ったが、しかし、その言葉には暖いものがあった。それに小母さんの方はおぬい婆さんによく似ていた。笑うと、殊《こと》によく似ていて生き写しと言ってよかった。

食事の時、洪作は全く一人のけ者にされていた。大人たちは久しぶりで会ったせいか、よくこれだけ話すことがあると思われる程《ほど》、夢中《むちゅう》になってとめどなく話した。大人たちと言っても、よく話すのはおぬい婆さんと小母さんの方で、小父さんの方は黙《だま》って盃《さかずき》を口に運んでおり、時々二人の女の話の中へ短い言葉をさし挟むぐらいであった。そして彼は時々洪作の方へ血色《けつしょく》の悪い顔を向けると、

「飯をこぼしてはあかん」

とか、

「その魚は頭から喰《く》いつくといい」

とか、そんなことを注意した。洪作は二人の闖入者《ちんにゅうしゃ》のお蔭ですっかり折角《せっかく》の沼津旅行の楽しさを傷つけられてしまった気持だった。早く帰ればいいと思った。

その夜、洪作は先に隣室《りんしつ》に敷いてある床《とこ》へはいった。昼間馬車に揺られて疲れたためかすぐ眠《ねむ》った。夜半までに一、二回眼を覚したが、いつも襖《ふすま》の間から覗《のぞ》いてみると、小父さんの方は一人で酒を飲んでおり、二人の女の方は相変らず喋《しゃべ》り続けていた。

翌朝、洪作が眼覚めた時は、仙田夫妻の姿はもう見えなかった。二人とも朝の一番列

車で東京へ発《た》って行ったということだった。洪作はおぬい婆さんと二人だけになったことが嬉《うれ》しかった。昨夜遅《おそ》くまで起きていたせいか、おぬい婆さんは昼近くまで眠った。洪作は一人で朝食をすまし、それから魚町の〝かみき〟という屋号を持った大きな家へ女中の案内で連れて行かれた。おぬい婆さんがゆうべのうちに女中に頼んでおいたものと見えて、

「坊やの親戚《しんせき》よ。夕方お迎《むか》いに来るまで遊んでいらっしゃいね」

女中はそんなことを、その家へ行く途中で言った。洪作もかみきという屋号は何回も耳にしたことがあった。何でも祖母のたねの姉とか従姉《いとこ》とかに当る人物の家で、近親の一軒《いっけん》であった。

洪作はかみきという名を聞くと、身内の引きしまるような気がした。誰《だれ》からともなくそこが沼津でも指折りの大きな商家であることや、そこの生活がいかに贅沢《ぜいたく》であるかということや、そこに我《わ》が儘《まま》いっぱいに育った子供たちが居るということを聞かされていたからである。

かみきの家は駅前の旅館から歩いて十分程の距離《きょり》にあった。洪作は何となく気の退《ひ》ける肩身《かたみ》の狭い気持で、沼津で一番賑《にぎや》かだという通りを若い女中に連れられて歩いて行った。

かみきの家は表通りに面した二階家で、その付近のどの家よりも広い間口を持ってい

た。商家というので何か商売でもしているのかと洪作は思っていたが、土間へはいると、上り框《かまち》の向うは板の間になっていて、商品らしい物は一物も置かれてなく、板の間の板だけが美しく磨《みが》き込《こ》まれて、黒々と光っていた。その板の間の横手を、土間は奥の台所の方へ続いており、旅館の女中はそこを奥の方へはいって行った。洪作は表口に立って待っていた。

暫《しば》くすると、洪作の母ぐらいの年齢《ねんれい》の女の人が出て来て、

「湯ヶ島の洪ちゃかえ。これは驚《おどろ》いた。何とまあ大きゅうなったこと」

と言った。洪作は緊張《きんちょう》して丁寧《ていねい》に頭を下げた。去年の夏、豊橋へ行く時、旅館に訪ねてきてくれた小母さんだった。

「よう来なされた。このおばちゃんの家は初めてね。さあ、さあ、お上んなさい」

いかにも悦んで迎え入れるといったその時の態度だった。洪作はこんな澄《す》んだきれいな声を今までに聞いたことはないと思った。母の声も、さき子の声も、いま洪作の眼の前に立っている女性のそれに較《くら》べると、何となく粗野《そや》な感じだった。小母さんは声がきれいなばかりでなく、顔も体つきも、みんな何となくできが違《ちが》って上等なように思われた。旅館の女中は、

「夕方、またお迎いに来ますから、それまで遊んでいらっしゃい」

と言うと、すぐ帰って行った。

洪作は板の間を突《つ》っ切って、奥の部屋へ招《しょう》じ入れられた。洪作は長火鉢《ながひばち》の傍《そば》に坐《すわ》らされて、そこでお茶とお菓子の御馳走《ごちそう》になった。茶碗《ちゃわん》は茶卓《ちゃたく》の上に載《の》せられてあり、菓子は白い紙の上にきれいに揃《そろ》えて並《なら》べられてあった。白と赤の落雁《らくがん》の菓子だった。洪作は勧《すす》められて、菓子の一つをつまみ上げた。その時、体を二つに折って、丁度おぬい婆さんぐらいの年齢の老婆がどこからか現れて来て、

「湯ヶ島の坊が来なされたというが、どおれ、どんな顔をしとる？」

そんなことを言って、洪作の前へ坐った。洪作はまた緊張して丁寧に頭を下げた。老婆は坐ったまま体を近づけて来ると、ちょっと洪作の顔を覗《のぞ》き込むようにしてから、

「なあるほど、七重ちゃんによう似とる。そっくりじゃがな。母ちゃに似て気性は強いかな。男の子じゃから、気性は強くてもよかんべ」

すると、若い小母さんが、

「洪ちゃの母ちゃんは、娘《むすめ》さんの時、この家に来ていて、この婆ちゃんからいろいろお行儀《ぎょうぎ》を習ったり、お琴《こと》を教わったりしてたんですって！　知ってる？」

そう訊いた。洪作はこのことは初耳だったから、首を横に振った。すると老婆は、

「小母ちゃんからたんと御馳走して貰いなされ。いまにお連れが学校から戻って来るから、そしたら仲よく遊びなさい。喧嘩《けんか》しちゃ駄目！」

そう言うと立ち上って、また体を二つに折って、廊下《ろうか》の向うへ消えて行った。洪作は

この家の二人の女性に好感を感じた。金持ちの家の人はやはりどこか違うと思った。少しもこせこせしたところがなく、話し方も、立居《たちい》振舞《ふるまい》もどことなくおっとりしていた。そして二人ともいい着物を着ていると思った。

「洪ちゃは何が好き？」

小母さんは訊いた。

「オナメ（金山寺《きんざんじ》味噌《みそ》）」

洪作は答えた。

「オナメって、お味噌のオナメ？」

「うん」

すると相手は白い歯を見せて、さもおかしそうに笑うと、

「おご馳走では？」

と、また訊いた。

「とろろ」

洪作は答えた。

「じゃ、天ぷらは？」

「そんなもの食べたことない」

「うそおっしゃい。じゃ、おすしは？」

「洪ちゃ、嫌《きら》いだ」

「それは困ったわね。うなぎどんぶりは？」

「嫌いだ」

「天どんは？」

「嫌いだ」

「ますます困っちまうわ。じゃ、茶碗むしは？」

「嫌いだ」

「おさしみは？」

「嫌いだ」

「卵やきは？」

「嫌いだ」

洪作は昂奮《こうふん》していて、相手が口から出す食べものの名がよく理解できなかったので、何でもみんな嫌いにしてしまおうと思っていた。すると、

「じゃ、おばちゃんが洪ちゃの好きなものを考えて上げましょうね。いまにお連れが学校から帰って来るから、それまでお縁側《えんがわ》で遊んでらっしゃい」

と相手は言った。洪作は言われたように、立ち上ると縁側へ出た。庭にはつつじの株が沢山《たくさん》あって、どれも赤い花をつけていた。洪作はそこで小母さんから与《あた》えられた絵本

をめくっていた。そうしている時、ふいに表口の方から、

「ただいま。――ただいま。――ただいまよ」

きんきんした声が飛んで来た。

「ただいまったら、れいちゃ帰ったのよ。ただいま。た、だ、い、ま」

それから最後に、できるだけ大きく張り上げた声で、

「た、だ、い、ま」

そう叫《さけ》ぶのが聞えた。小母さんも女中もどこかへ行っているのか、家の内部からは応ずる声は聞えなかった。するとあきらめたらしく、もう〝ただいま〟という声は聞えないで、畳《たたみ》をばたばたさせて、足音だけが近づいて来た。

洪作は自分より二つ三つ年少の、頭をおかっぱにした少女を、障子《しょうじ》の間から見た。すると、相手も洪作の姿を眼《め》にとめて、いかにも驚《おどろ》いたように洪作の方を見守っていたが、やがて、

「あんた、だれ？」

と、口を尖《とが》らせて言った。洪作はすぐ相手がれい子という次女であることを知った。

「洪ちゃだ」

洪作は言った。

「洪ちゃなんて子知らないわ。たれと来たの」

「一人だ」

「どこから来たの？」

「湯ヶ島だ」

すると、初めて少女は納得《なつとく》したといった表情になって、

「ああ田舎《いなか》の子ね」

と言った。そのませた口調《くちよう》が洪作には不快《ふかい》だった。

「田舎じゃないや」

「田舎でしょ。田舎でないの？　湯ヶ島。そんなとこ聞いたことないわ。草が生えていて、お墓のあるところよ。田圃《たんぼ》ばかりで、人なんて、少ししか居やあしない。——前に、れいちゃ、行ったことあるわ」

それからくるりと背を向けると、台所の方へはいって行った。洪作は縁側《えんがわ》から立ち上り、彼《かれ》もまた台所へはいって行った。

「だめ、いやな子！　遊んでやらないよだ」

れい子は言った。そして本当に憎々《にくにく》しげに洪作を睨《にら》みつけた。洪作は驚いた。相手がこのような理由のない烈《はげ》しい敵意を自分に持っていようとは、この時まで知らなかった。

すると、この時、もう一つの声が飛んで来た。やはり少女の声だった。

「た、だ、い」

確かにそう聞えた。〃ただいま〃とは聞えず、〃ただい〃とだけ聞えた。

「たれか居ないの？　早くお雑巾頂戴《ぞうきんちょうだい》よ」

それから暫《しばら》くすると、

「ようし、持って来ないな。このまま上っちゃうぞ」

それにつづいて大きな足音と鞄《かばん》を引きずって来る音が聞えた。洪作はその少女の顔を見た時、これが親戚《しんせき》中で手のつけられない我《わ》が儘娘《ままむすめ》で通っている長女の蘭子《らんこ》であろうと思った。蘭子はさっき妹のれい子がしたと同じように、穴のあく程《ほど》洪作の顔を見守っていたが、ふいに眼を反《そ》らすと、全く洪作を無視して、

「ああ、おなかが空《す》いちゃった。お菓子食べようっと」

いかにも宣言でもするように言うと、戸棚《とだな》から菓子折を取り出して、それを食卓《しょくたく》の上に置いた。そして中から何か取り出すと、それを口に運んだ。

この蘭子に対しても、洪作は烈しい敵意を覚えた。何と小生意気な厭《いや》な奴《やつ》だろうと思った。そうしているところへ、小母さんが帰って来た。彼女は蘭子の姿を見付けると、

「蘭ちゃ、湯ヶ島から洪ちゃが来てますよ」

と言った。

「ふうん」

蘭子は言った。

「一緒《いっしょ》にお遊びなさい」

「いや」

「どうしていやなの」

「だって、つまんないもん」

言うことはひどくはっきりしていた。

「そんなこと言うもんじゃないの。折角《せっかく》遊びに来たんだから、一緒にお遊びなさい。そうしたら、今夜、特別に活動写真へ連れてってあげる」

小母さんが言うと、蘭子は、

「遊ぶの、ちょっとだけよ」

そう条件をつけておいてから、

「遊んで上げるから、こっちへお出《い》で」

と、命令的に言った。洪作が近づいて行くと、相手は、

「さ、遊んで上げる。遊んで上げるけど、何して遊ぶのよ、さ、早く言いなさい。何して遊ぶのよ」

と言った。洪作は蘭子の顔が、この場合もまた理由の判《わか》らぬ憎悪《ぞうお》に燃えているのを見た。

「さ、何して遊ぶのよ。言いなさいよ。あんた遊びたいんでしょ」

蘭子は詰めよるような言い方をした。洪作は何と意地の悪い女の子だろうと思った。それに引き替《か》え小母さんの方はこの場合も優《やさ》しかった。

「海へ行ってらっしゃい。洪ちゃは海が珍しいから、みんなで千本浜へ行ってらっしゃい」

小母さんは鈴《すず》の音《ね》のような細い美しい声で言った。

「いや」

こんどは台所の方から、妹のれい子の声が飛んで来た。

「そんなこと言うものじゃありません。みんなで兼さんに連れてってお貰《もら》い」

小母さんが言うと、どういうものか、二人の意地の悪い、しかし美しい姉妹たちは、うわっと歓声《かんせい》を上げた。妹のれい子は台所の方から駈《か》け込んで来たが、姉の蘭子は手に持っていたカステラをいきなり天井《てんじょう》へ向って投げつけた。カステラの切れは天井にぶつかり、幾《いく》つかの細片となって畳の上へ落ちた。

「これ、これ」

小母さんは言ったが、別にひどく咎《とが》める風でもなく、

「兼吉や、兼吉や」

と、例の細い声で、兼さんなる人物の名を呼んだ。すると土間の奥の方から十六、七ぐらいの棒縞《ぼうじま》の着物を着た丁稚《でっち》の兼さんが現れた。頭の恰好《かっこう》がでこぼこしている少年だ

った。

「兼さん、千本浜へみんなを連れてってお上げ。自転車を持ってっていいから、喧嘩《けんか》しないようにかわりばんこに乗せるんですよ」

そう小母さんは言った。兼さんはすぐ戸外へ出て行った。蘭子とれい子は、その兼さんを追うように先を争って土間へ駈け降り、それから戸外へと走り出た。

洪作が小母さんに送られて道路へ出た時、兼さんが引き出した自転車の廻りで、蘭子とれい子は烈しく言い争っていた。自転車のうしろの荷物を載《の》せる台に、それぞれ自分が先に乗ろうとして諾《き》かなかった。

「これ、これ」

小母さんは遠くの方から華奢《きゃしゃ》な手を振《ふ》ったが、それは洪作の眼にも何の効果もない無力なものに見えた。

「打つぞ。蘭ちゃが打つと言ったら、ほんとに打つぞ」

蘭子がそんなことを喚《わめ》いたと思ったら、それと同時にぱちんという音がした。その言葉通り本当に蘭子は右手で、妹のれい子の頰《ほお》を打ったのであった。

「これ、これ」

小母さんはまた手を振った。しかし、小母さんは子供たちの喧嘩に慣れているのか、たいして動じている風には見えなかった。ただ遠くから、これ、これと言うだけであった。

二度目に、ぱちんと言う音が響《ひび》いた。蘭子がまたれい子の頬を打ったのであったが、この時、洪作は不思議なものを見る思いで、二人の姉妹から眼を離《はな》さないでいた。頬を打たれたれい子は憎《にく》しみの表情で姉を睨《にら》みつけていたが、眼には一滴《いってき》の涙《なみだ》も見せていなかった。それに反して蘭子の方は眼に涙をいっぱいためていて、やがてうわっと大声で泣き出した。れい子は姉が泣き出すと、これでわたしが勝ったのだといった風に母親の方ににやっと笑ってみせた。明かに喧嘩はれい子の勝ちであった。れい子は泣き喚いている蘭子を横眼で見ながら、

「兼さん、何をぼやぼやしてるのよ。のっけてって言ったら、のっけてちょうだいよ」

と、兼さんをきめつけた。兼さんはれい子を荷物の台へのせると、すぐ自転車を引き出した。洪作は泣いている蘭子の方へ、

「行かないの？」

と声をかけてやった。すると、蘭子は泣くのを中止して濡《ぬ》れた顔のままで、

「行くわよ。次は蘭ちゃが乗る番よ。その次はれい子、それからまた蘭ちゃ、そしてれい子」

そんな憎まれ口を叩いた。洪作は自転車などに乗ってやるものかと思った。洪作は兼さんの引っ張って行く自転車のあとから、蘭子と一緒について行った。道の両側には店《てん》

舗《ぽ》がぎっしり並《なら》んでいて、通行人も多かった。洪作はきれいな着物を着た二人の少女と自分が一緒に行動しているということで、ひどく気恥《きは》ずかしいものを感じていた。通行人の視線が悉《ことごと》く自分に向けられているような気がした。半丁程行くと、

「さ、こんどは蘭ちゃよ」

と、蘭子が言うと、れい子は素直に自転車から降りた。替って蘭子が乗った。表通りが終って、千本浜の入口に来ると、いつか地面は砂になっていた。

「さ、こんどはれい子」

そう言って、蘭子は自転車から降りた。するとれい子は、

「こんどは洪ちゃ」

と言った。このれい子の言葉は洪作には意外だった。

「洪ちゃ、乗りたくないや」

洪作が言うと、

「遠慮《えんりよ》しなくてもいいの。乗りなさい」

れい子はませた口調で言った。

「乗りたくないや」

洪作はれい子の好意を突《つ》き離《はな》して、前方に見えている松林の方へ駈《か》けて行った。駈けながら、洪作はれい子の好意を受けつけなかったことで、自分の心が痛んでいるのを感

じていた。洪作は松林の入り口で立ち停《どま》ってうしろを振り返ってみた。蘭子とれい子の駈けて来る姿が見えた。二人が自分のあとを追って駈けて来るのも、洪作には意外だった。

洪作は二人がやって来るのを待って松林の中へはいって行った。松の樹幹と樹幹との間から青い海の一部が見えた。

「うわっ、海が見える！」

洪作は思わず叫んだ。こんな近くから海を見るのは初めてのことだった。豊橋へ行く時、汽車の窓から海を見たが、その時の海と、いま松の樹幹と樹幹との間から顔を覗《のぞ》かしている海とは、全く別物のような気がした。汽車の窓から見た海は一枚の紺《こん》の布でも拡《ひろ》げたように静かに見えたが、いま自分の眼の前にある海は、一面に白い波頭を立てて揺れ動き騒《さわ》いでいた。

「うわっ、海だ！　うわっ、海だ！」

洪作は何回も叫《さけ》んだ。叫ぶ以外《いがい》にいま自分の心にたぎり立っているものを表現する適当な言葉を知らなかった。洪作は二人の姉妹には構わず、松林を駈け抜けた。松林がなくなると、砂浜がゆるやかな傾斜《けいしゃ》をなして、波打際《なみうちぎわ》まで続いていた。波打際では白い波が次々に寄せては砕け散っていた。蘭子もれい子もやって来た。

「うわあっ、うわあっ！」

洪作はやたらに歓声を上げた。蘭子もれい子もさすがにそうした洪作の昂奮《こうふん》には驚いたらしく、暫くは呆気《あっけ》にとられて黙《だま》っていたが、やがて蘭子が、

「洪ちゃ、田舎《いなか》には海はないの？」

と訊いた。洪作は自分の名前が、蘭子の口から出たことに驚いた。

「海なんてないや」

洪作が答えると、

「そう。海がないの?! じゃ、あんた海を初めて見たのね」

「うん」

「そう。海を初めて見たの？ まあ、驚いた！ 海を初めて見たの？ そう」

蘭子は感嘆《かんたん》と軽蔑《けいべつ》の入《い》り混《まじ》った眼で、洪作を見詰めると、

「呆れたわ、田舎の人って」

と言った。洪作はまた蘭子に反感を覚えた。すると、れい子が、

「海を初めて見たのでは、お船に乗ったこともないわね。可哀そうね。あんまり人に言わない方がいいわ。みんなに笑われるわ」

と言った。洪作は折角好意を感じ初めていたのに、れい子にもまた反感を覚えた。うっかり気を許すと、とんでもないことになると思った。洪作は波打際まで行って、そこで裸足《はだし》になり、波の引いている時、脚《あし》を海水に浸《ひた》してみた。蘭子もれい子も洪作の真似

をして同じことをした。

洪作はいつまでも砂浜で遊んでいたかったが、蘭子が帰ろうと言い出して諾かなかったので、帰ることにした。松林の入口まで戻ると、兼さんは自転車を松の木に立てかけておいて、その傍《そば》に腰《こし》を降していた。帰りはまた自転車に乗ることで、蘭子とれい子は言い争った。結局蘭子が押し切った形で先に自転車に乗った。こんどは兼さんは自転車を引っ張って歩かないで、自分もそれにまたがった。そのために自転車はまたたく間に、れい子と洪作を置きざりにして遠く隔《へだた》って行った。

二人だけになると、れい子は急に温和《おとな》しくなった。そしてもう洪作のことを田舎の子だなどとは言わなかった。

「ラムネ飲みたいな。あんたお金ある？」

一丁程《ほど》歩いて町並《な》みにはいると、れい子は言った。

「ううん」

「一銭も持っていないの？」

「うん」

「可哀《かわい》そうね。じゃ、あたいが奢《おご》って上げましょう」

れい子は言った。奢るということがいかなることか、洪作には判《わか》らなかった。れい子は一軒《いっけん》の駄菓子屋の店先へはいって行くと、ラムネを二本買って、その中の一本を洪作に渡《わた》した。

「飲みたくないや」

洪作は言った。喉《のど》が乾《かわ》いていたので本当はラムネを飲みたかったが、何となくれい子と二人でこうした場所でラムネを飲むことはいけないことのように思われた。それに奢るという言葉にも罪悪の臭《にお》いがあった。

「飲みたくないの？　変な子！　飲まなかったら遊んで上げないから」

れい子は言った。

「じゃ、おれ、飲む」

洪作は言った。先刻もれい子の好意をしりぞけていたので、こんどはそれに応じなければ悪いような気がした。ラムネの罎《びん》を口につけて、二人はそれを飲んだ。美味《うま》かった。

「ミカン水ちょうだい！」

れい子はまたその店の小母《おば》さんに言った。そしてミカン水のはいった罎を二本受け取ると、その一本を洪作の方に差し出して寄越した。洪作はこんどはそれをすぐ口に持って行った。どうせもうラムネを飲んでしまったので、今更《いまさら》ミカン水の方を遠慮《えんりょ》しても始まらなかった。ミカン水を飲み終ると、

「落花生《らっかせい》ちょうだい」

れい子は言った。そして三角の袋《ふくろ》にはいった落花生を二個受け取ると、こんどもまた

その一つを洪作に寄越した。二人はそれから落花生を食べながら歩いた。落花生を食べ終るには何程の時間もかからなかった。

「あたい、お菓子買おうっと」

れい子は言った。そして先刻よりもっと小さい駄菓子屋にはいって行ったが、すぐ戻《もど》って来ると、

「トコロテンがあるわ。あたい、トコロテンを食べる。あんたも食べない？」

と言った。

「うん」

洪作は頷《うなず》いた。トコロテンなどというものは食べたことがなかったので、この際食べてみようかと思った。すると、

「あんた、さきにここで見張っててちょうだい。その間に、あたいが食べる。そしてあたいが食べてから、あんた、食べるの」

れい子は言った。洪作は頷いた。洪作は見張っているように言われたので、れい子が、店先の将几《しょうぎ》に腰掛《こしか》けてトコロテンを食べている間、道路のあちこちに眼《め》を向けていた。何を見張るのかよく判らなかったが、れい子の父か母の姿でも見えたら、すぐれい子に合図してやらなければならぬと思った。れい子はトコロテンを食べ終ると、洪作のところへやって来て、

「こんどはあんたの番」

と言った。洪作はいまれい子がしたように将几に腰を掛け、駄菓子屋の老婆がバケツの中に浮《う》いているトコロテンをすくって、それを水鉄砲《みずでっぽう》のようなもので器《うつわ》の中へ押し出すのを見ていた。洪作にとってはトコロテンというものは、それほど美味なものには思えなかった。しかし、食べ残してはいけないと思って全部食べた。

二人はそれから家までの間をゆっくり遊びながら歩いた。れい子は道の両側に並《なら》んでいる商店の店先を一軒一軒覗《のぞ》いては、眼をきょろきょろさせ、

とか、

「この店は高いのよ」

「ここは、おまけする店よ」

とか、そんなことを洪作に教えてくれた。

「ここは、お嫁《よめ》さんが威張《いば》ってるんだって、ね、だから、ここの小父さんは小さくなってるでしょ」

そんなことも言った。大人たちが話しているのを聞いていて仕入れた知識に違《ちが》いなかったが、れい子の口から出ると、それはいかにも彼女《かのじょ》自身の判断と観察の結果生み出されたもののように聞えた。

かみきの家へ帰ると、小母さんが台所でお汁粉《しるこ》を作っていた。蘭子は居間の食卓《しょくたく》の前

に坐《すわ》って、洪作とれい子の帰るのを待っていた。

「何していたのよ。ずいぶん遅《おそ》いわ。お汁粉が煮《に》え詰まってしまうじゃないの」

蘭子は口を尖《とが》らせて、そんなことを言った。やがて、女中の手でお汁粉が運ばれて来た。れい子はちょっと箸《はし》を取り上げたが、すぐ置いて、

「おなかが痛い！」

と言った。れい子の顔はたれの眼にも蒼《あお》く見えた。おなかが痛いと言えば、洪作も何となく軽い腹痛を感じていた。洪作は折角《せっかく》小母さんが作ってくれたお汁粉なので、我慢《がまん》して一杯《いっぱい》食べたが、それを食べ終る頃《ころ》から、急に胸がむかむかしてくるのを感じた。

小母さんと女中は、れい子のために床《とこ》を敷《し》きに行った。その間、れい子は畳《たたみ》の上に仰向けになっていたが、

「ああ、気持が悪い」

と言って、両手で胸《むね》を掻《か》きむしるようにした。洪作も畳の上に寝転《ね》びたかったが、それを我慢していた。

れい子は寝床に運ばれる途中、中庭の縁側《えんがわ》で吐《は》いた。れい子が吐瀉《としゃ》している苦しそうな声が聞えて来ると、洪作も急に烈《はげ》しい吐気を感じて立ち上った。洪作は夢中になって台所まで走って行き、そこの土間に吐いた。兼さんと女中が駈けて来た。小母さんもやって来た。洪作は兼さんの手で運ばれて、れい子の寝ている部屋に連れて行かれ、れい

子の隣《となり》に敷かれた床の上に横たわらされた。

吐くまでは苦しかったが、吐いてしまうと、気持の悪いのは薄紙《うすがみ》をはぐように刻々癒《なお》って行った。れい子の方も同じことらしく、部屋にたれも居なくなると、隣の床から洪作の方へ話しかけて来た。

「トコロテン食べたこと言ってはだめよ」

「うん」

洪作は頷いた。

「おミカン水も」

「うん」

「ラムネも」

「うん」

「落花生も」

「うん」

洪作は、しかし、食べたものを訊かれたら、それを最後まで黙っていられるか、どうか、甚《はなは》だ不安なものを感じていた。訊かれたらみんな喋《しゃべ》ってしまいそうであった。

「お医者さんがくるけど、言ってはだめよ」

お医者さんと聞いて、洪作は絶望的なものを感じた。相手がお医者さんでは嘘《うそ》をつくわけにはゆかなかった。

「本当にお医者さんが来るのかな」

「いま、兼さんが招《よ》びに行ったわ」

「洪ちゃ、もう癒った」

洪作はいきなり床の上に起き上った。すると、丁度そこへ小母さんがはいって来た。

「起きてはだめ、さ、寝てらっしゃい。あんたたち二人とも、死んでしまうかも判らない。可哀そうだけど仕方がありません。落花生食べたり、トコロテン食べたりしたんだから、多分もう助からない。お医者さんを招ぶより、お坊さんを招んだ方がよかったかも知れない」

小母さんはそんなことを言った。洪作はえらいことになったと思った。れい子は眼を瞑《つむ》って眠《ねむ》ったふりをしていた。小母さんが部屋から去って行くと、すぐお医者さんが来たらしい何人かの人の話し声が聞えて来た。れい子は依然《いぜん》として眠ったふりをしていた。洪作が話しかけても返事をしなかった。

医者は黒い鞄《かばん》を抱えてやって来ると、洪作とれい子の枕《まくら》もとに坐《すわ》り、二人の脈をとり、体温をはかり、口を開けて咽喉《のど》を覗きこみ、それから腹部を手で何回か押えたり探ったりしてから、

「今回はどうにか二人とも生命だけは取りとめるらしい。しかし、もう一回家の人に内《ない》

緒《しょ》で買食いなどをすると大変なことになる——。いいかな」

そんなことを言って、すぐ席を立って帰って行った。医者が居なくなると、れい子は赤い舌を出して、

「洪ちゃ、もうよくなった？」

と訊いた。

「うん」

と、洪作が答えると、

「わたしも」

と言って、それから、

「面白かったわね」

れい子はませた口調で言った。洪作はおぬい婆さんのことを思い出して、そろそろ駅前の旅館へ帰りたくなったが、寝床を脱《ぬ》け出すのもどうかと思って、蒲団《ふとん》の上に仰向けに横たわったままにしていた。いつか戸外には夏の白っぽい薄暮《はくぼ》が迫《せま》っていた。退屈《たいくつ》なので、れい子と話をしたかったが、れい子は軽い寝息を立てて眠っていた。そうしているところへ小母さんがはいって来て、

「婆ちゃからお迎《むか》えが来ましたが、洪ちゃは御病気だからと言って帰って貰《もら》いました」

と言った。

「洪ちゃ、癒った！」

洪作はあわてて跳《と》び起きて言った。

「いいえ、まだ癒ったかどうかは判りません。お医者さんも、今夜一晩だけは静かに寝ているようにっておっしゃってました」

「洪ちゃ、おばあちゃんのところへ帰る」

洪作は半べそをかきながら言った。こんなところへ自分一人だけ残されでもしたら大変だと思った。

「まあ、今夜はここに寝てらっしゃい。おばあちゃんが明日汽車に乗る前に迎えに来て下さるそうです」

そう小母さんは言った。

洪作とれい子は、夕食を寝床に運んで貰って食べた。お粥《かゆ》と梅干《うめぼし》だけだった。れい子は卵焼きをほしいと言って喚《わめ》き立てたが、小母さんはいけませんの一点張りだった。他のことでは何でも子供たちの言うなりになる優《やさ》しい小母さんだったが、二人の病人に対しては厳格だった。れい子はもうよくなったから起きると言ったが、そのことも許されなかった。

時々、蘭子が病室へ顔を見せた。蘭子は菓子をのせた皿を抱《かか》えてやって来ると、わざと二人の前で、それをゆっくり食べ、

「食べたいでしょうね、こんなおいしいお菓子を」

そんなことを言った。それから縁側《えんがわ》へ花火を持って来ると、

「花火をやって上げるから、見てなさいね。起きて来ては駄目よ。起きて来たら、お父さんに言いつけるから」

そんな意地の悪い言い方をした。洪作は寝床に腹這《はらば》いになったまま、縁側へ眼を遣《や》っていた。線香花火を手に持って、火の滴《したた》りの落ちるのを見守っている蘭子の顔は、いかにも都会の子らしく怜悧《れいり》に、可愛らしく見えた。口をきくと嫌《きら》いだったが、口をきかないで真剣に花火を見詰めているようなところは、その限りに於《お》ては嫌いではなかった。

絵雑誌の口絵から脱け出して来た少女のように見えた。

一度小父さんが顔を出した。小父さんは縁側へ坐って、小母さんと若い女中に肩《かた》をもませながらビールを飲んだ。ビール壜に貼《は》ってある商標をはがすと、下から小さい芸者の写真が出て来る仕組みになっていて、小父さんはそれを取り出すと、縁側の板に貼って、

「沼津ではこの妓《こ》が一番べっぴんで、二番目はうちの蘭子だ」

と、そんなことを言った。洪作は小父さんが自分の二人の娘《むすめ》たちを分け隔《へだ》てして、上の蘭子だけを可愛がるというような噂《うわさ》をいつか聞いたことがあったが、なるほどその通りだと思った。

ていた。

翌日、洪作が眼覚めると、おぬい婆さんと小母さんの二人が話している声が聞えて来ていた。

「やれ、まあ」

とか、

「うちの洪ちゃが」

とか言っているのはおぬい婆さんに違いなかった。洪作は床から脱け出すと、すぐ居間へ顔を出した。やはりおぬい婆さんだった。おぬい婆さんは白いハンケチを襟《えり》の首筋のところに当て、少し前屈《かが》みの姿勢で、小母さんと対《むか》い合って坐って、お茶を飲んでいた。洪作は女中に案内されて裏の井戸端《いどばた》で顔を洗った。洗面器で顔を洗うのが珍しく感じられた。

朝食をすますと、洪作はおぬい婆さんと二人でかみきの家を出た。蘭子は学校へ行って姿を見せなかったし、れい子はまだ床にはいっていた。洪作は二人の少女に挨拶《あいさつ》をしないで帰ることが、何となく不本意に思われたが致《いた》し方なかった。昨日千本浜へ一緒に行ってくれた兼さんが、おぬい婆さんの荷物を自転車につけて駅まで運んでくれた。

八章

湯ヶ島へ帰ってから、洪作は沼津のかみきの家で過した一日を、夢《ゆめ》の中に於《お》けるそれのように思い出していた。蘭子も、れい子も、小母《おば》さんも、それから小父《おじ》さんも、兼さんも、現実に生きている人ではなく、夢の中の人たちのような気がした。毎夜寝床《ねどこ》へはいると、洪作はいつも必ず一度は沼津のことを思い出し、今頃《いまごろ》あの意地の悪い、しかし、美しいに違《ちが》いない少女たちは何をしているのであろうかと思った。

洪作にとっては、こんどの沼津行きは彼《かれ》の心に何ものかを与《あた》えた大きい事件であった。沼津のかみきの家へ行くまで、洪作はあのような少女たちがこの世に生きていようとは一度も考えたことはなかった。あのような意地悪さ、あのような我《わ》が儘《まま》、あのような金使いの荒《あら》さ、あのような不敵さ、そしてあのような贅沢《ぜいたく》さ、みんな洪作の知らなかったものばかりであった。それからまた二人の少女の両親たちも、洪作にとっては初めてのタイプであった。洪作は世の中には、いろいろな型の母親や父親があるものだなと思った。

沼津から帰ってから十日程《ほど》した頃のことである。洪作は夜半にふと眼《め》を覚した。洪作は部屋にランプが灯《とも》され、おぬい婆さんがどこかへ外出でもするように、帯をしめ直しているのを見た。洪作はもう朝になったのかと思ったが、何となく朝の感じではなかった。

「おばあちゃん」

洪作は声をかけた。するとおぬい婆さんは洪作の方へ顔を向け、

「まだ夜中じゃ。いい夢を見て寝《ね》ていなさい」

と言った。

「どこかへ行くの？」

「どこへも行きはせん」

おぬい婆さんは言ったが、すぐ、

「ひとを送りに行って来るが、すぐ戻《もど》って来る。さ、寝るこっちゃ、寝るこっちゃ」

と、言い直した。

「たれを送りに行くの」

「たれでもよかろうが」

「たれ？」

洪作は執拗《しつよう》に訊《き》いた。深夜人を送りに行くということが、そもそも理解できないことだった。

「ねえ、婆ちゃ、たれ？」

すると、おぬい婆さんは、

「さき子姉ちゃがな」

と、少し声を低めて言った。

「今夜発《た》って行くんだとさ」

「どこへ行くの？」

「赤ちゃんの居るところじゃ」

洪作は自分でも知らぬうちに寝床の上に起き上っていた。さき子がこの湯ヶ島を離《はな》れて行く。そんなことがあっていいものであろうか。

「洪ちゃも行く」

洪作は立ち上った。

「あれさ、まあ、内緒《ないしょ》にすべえと思ったに、洪ちゃにかかっては、何もかもばれてしまうがな」

おぬい婆さんは言って、それから、

「送って行くんなら送って行ってもいいが、たれにも言わんこと。——近所にも判《わか》らんように、こっそり出掛《か》けて行くんじゃから」

洪作は寝巻きを脱《ぬ》いで着物に着替《か》えると、おぬい婆さんより先に階段を降りた。階下には燈火がなかったので、表戸を開けるまでは内部はまっくらだった。

重い引戸を開けると、月光が足許《あしもと》に流れ込んで来て、急にあたりは明るくなった。洪作はおぬい婆さんの出て来るまで、土蔵の前の柿《かき》の木の傍《そば》に立っていた。何となく一人で上の家へ駈《か》けつけるのは躊躇《ちゅうちょ》される気持だった。

上の家の前へ行くと、人力車が二台往来に置かれてあって、家からは燈火がもれ、何となく人がざわめいている気配が感じられた。洪作が石段を上った時、戸口から見知らぬ男が一人出て来た。おぬい婆さんは、

「もう発つんかい」

と、その男に声をかけた。男はうんと言ってから、

「可哀《かわい》そうに痩《や》せちもうた」

と独《ひと》り言のような調子で言った。さき子のことを言っていることは明かだった。するとまた見知らぬ男が出て来た。男たちは車夫だった。

二人の男に続いてこんどは祖母のたねが出て来た。よそ行きの着物を着て、風呂敷《ふろしき》包みを二つ持っていた。祖母はおぬい婆さんに、

「こんな時刻に送って貰《もろ》うて、すまんことです」

と、丁寧《ていねい》に礼を言った。

「なんの」

おぬい婆さんは言って、

「もう一度丈夫《じょうぶ》になって貰わんことにはな」

と、しんみりした口調《くちょう》になり、それから、

「匿《かく》しておいたのに、出て来るところを洪ちゃに見つかってしもうてな。利発な洪ちゃには、何も匿しておけんがな」

と、そんなことを言った。すると、祖母のたねは、

「洪ちゃ、あんたも来たんかな」

と、ちょっと洪作の頭を撫《な》でた。その時、洪作はさき子が戸口から出て来るのを見た。痩せてはいたが、想像していたほどではなかった。

さき子は洪作の前を通って、往来の人力車の方へ歩いて行ったが、途中で気付いたのか、

「洪ちゃ」

と、洪作の名を呼んだ。

「はい」

洪作は緊張《きんちょう》して返事をした。

「あんた、勉強するわね。他の子と違って、洪ちゃは大きくなったら大学へ行かんならん」

「はい」

「じゃ」

さき子はおぬい婆さんの方へもちょっと会釈《えしゃく》して、それから人力車に乗った。みつも、大五も、大三も、祖父もみんな戸外へ出て、二台の人力車を見送った。前のくるまには祖母のたねが乗り、あとのくるまにはさき子が乗った。

洪作は二台の人力車が動き出すのを、まばたきもしないで見守っていた。洪作にはさき子が深夜発って行く理由が判っていた。さき子は病《や》んでいる姿をたれにも見られるのが厭《いや》だったのだ。それで、家の者だけに送られて、こっそりと発って行こうとしたのである。

それからまたさき子が西海岸の夫の任地へ行き、そこで夫と一緒《いっしょ》に暮そうとしていることも、洪作には何となく納得《なっとく》できる気持だった。そして、子供心にも、そうすることがいいことだと思われた。その方がいいのだと思う気持の底には、転地に依《よ》ってさき子の病気が快方に向うかも知れないといった期待もあり、またその反対に人の言うように不治《ふじ》の病気なら、彼女は自分の夫や嬰児《ややこ》のもとで残りの生涯を過すべきだといった思いもあった。

洪作は人力車が動き出し、それが見送りの一団の人々から次第に遠ざかって行くのを、今まで彼自身の知らなかった強い気持で見守っていた。さき子に声もかけず、さき子の人力車をも追いかけなかったのは、その強い気持のためであった。人力車はすぐ人々の視野から消え、あとには月光の降っている街路だけが残された。おぬい婆さんは、上の家の祖父と何か声をひそめて立ち話をしていたが、やがて、それを打ち切ると、

「さ、洪ちゃ、お蔵《くら》へ帰ろう」

と言った。洪作はおぬい婆さんの言葉に従って歩き出した。すると、ふいに説明しがたい悲哀《ひあい》の思いがどこからともなく、水のように押し寄せて来た。大きな声を張り上げて泣きたいような衝動《しょうどう》が洪作の全身をつらぬいた。しかし、この場合も、洪作はそうした思いに耐《た》えた。強い心で、それに打ち克《か》つことができた。そして洪作は、今夜の自分は泣きはしなかったが、本当は生れてから今までじゅうで、今夜が一番悲しかったのだと思った。

土蔵の二階へ戻ると、洪作は、

「さき子姉ちゃんは癒《なお》る？」

と訊《き》いてみた。

「癒って貰わんと困るがな。子供はあるし」

それから、

「どうして世の中は、こういういい人間の方が不運に立ち廻《まわ》って行くんかな。同じ姉妹でも、洪ちゃの母ちゃんに較《くら》べれば、さき子の方にずっと心の優《やさ》しいところがある」

と言った。

「おばあちゃんは、さき子姉ちゃんが嫌《きら》いじゃなかったのか」

洪作が言うと、

「あのあまっ子にも、以前《いぜん》は小憎《こにく》らしいところがあった。道などで会ったりすると、へらず口を叩《たた》きおってな。じゃが、病気になったら、本当に優しい姉ちゃんになった。おばあちゃんが見舞に行ったら、洪ちゃを頼みますよと言った。それから、おばあちゃん、食に気をつけて、せいぜい長生きなされと言った」

おぬい婆さんは言った。窓を開けてあったので、窓からは深夜の月光が差し込んでいて、窓際《まどぎわ》で煙管《きせる》を口にくわえているおぬい婆さんの姿をくっきりと、そこへ浮《うか》び上らせていた。

「それで、おばあちゃん、姉ちゃが好きになったんか」

「うん」

「洪ちゃも姉ちゃが好きだ」

「それは好きだろうさ。先生になるくらいだから子供には優しいところがあるでな」

おぬい婆さんは言った。そして、

「まあ、上の家では結局あの子が一番心根《こころね》が優しかったらしい。たまに心が優しい者ができると、えてしてこんどのようなことになるもんじゃ」

「洪ちゃ、姉ちゃが好き」

洪作はまた同じことを言った。そして、それでも言い足りない気持がして、

「洪ちゃ、さき子姉ちゃが一番好き」

と言った。

「そりゃそうずら。上の家では他に洪ちゃの好きになりそうな気の利《き》いたのはおらんがの」

おぬい婆さんは言った。

「洪ちゃ、姉ちゃが好き」

「判っとる。判っとる」

「洪ちゃ、おばあちゃんよりも好きや」

「だれが」

「姉ちゃ」

「ばかたれ」

おぬい婆さんは真剣な顔で口を尖《とが》らせた。

「あんな姉ちゃんは東京へ行ってみたら、いっぱい居るがな。――でも、心は優しかった。このわしに長生きせいと言った」

おぬい婆さんは、自分が長生きしろと言われたことだけはひどく嬉《うれ》しかったらしかった。洪作は眠《ねむ》れなかった。洪作が眠れないことはおぬい婆さんにも判ったらしく、

「困ったこっちゃ。梅干《うめぼし》でも貼《は》るかな」

と言った。

「いやだ」

洪作ははっきりと断った。眠れない時、おぬい婆さんはよく梅干の皮を洪作の額に貼ったが、今夜の洪作は、そんなことをされるのはごめんだった。

「いやでも、眠れんと困ろうが」

おぬい婆さんは言ったが、しかし、洪作はやたらに気難しくなっていて、おぬい婆さんの言うことには耳を傾《かたむ》けなかった。

夏休みにはいると、洪作は自分がさき子のところへ行けるのではないかと、そんな期待を心の中に持っていた。さき子が遊びに来なさいと言って寄越してくれそうな気もしたし、上の家の者が行く時、何となく自分も一緒《いっしょ》に連れて行って貰《もら》えるのではないかと、そんなことを考えていた。

しかし、その洪作の期待は裏切られた。さき子は湯ヶ島に居た時よりも、もっと病状が悪くなったとかで、上の家の者たちは入れ代り立ち代り、さき子のところへ出掛《か》けて行ったが、たれも洪作を一緒に連れて行ってやろうという者は現れなかった。洪作は自分が完全に無視されていることを感じていた。

豊橋の母から、おぬい婆さん宛《あ》てに、洪作と一緒に豊橋へ来るようにという便りがあったが、洪作はなるべくなら豊橋へは行きたくなかった。去年の夏行ったので、豊橋というところがどんなところか知っていたし、それに両親の許《もと》での生活は何といっても窮《きゅう》屈《くつ》だった。湯ヶ島で夏休みを送る方が有難かった。このことはおぬい婆さんも全く同じらしく、

「おばあちゃんが気分が悪いといって、行かんことにするか」

そんな風《ふう》に、洪作に相談するように言ったりした。

そうしているうちに、突然さき子の訃報《ふほう》が上の家へ届いた。そのことを洪作に報《しら》せに来たのはみつであった。みつがやって来た時、洪作はたらいに湯を入れて、小川の横で行水《ぎょうずい》している最中だった。

「さき子姉ちゃん、死んだと」

みつは他人事《ひとごと》のような言い方で言った。

「死んだって？」

「息を引きとった」

「たれが」

「さき子姉ちゃん」

「ふうん」

洪作にはさき子が死んだという意味がはっきり理解できなかった。さき子の病状が悪化しているということは耳にしており、みながそのことを心配していることもよく知っていたが、しかし、それをさき子の死と結びつけて考えたことはなかった。

洪作はみつに反対したいものを烈《はげ》しく感じた。さき子がこの世にもう居ないということを、みつの言葉で信じなければならぬいかなる理由もなかった。

「死ぬか、ばか！」

洪作はたらいの中に突《つ》っ立って言った。

「だって、死んだもん」

みつは言った。そこへ祖母のたねがやって来て、台所で働いていたおぬい婆さんに、

「さき子が亡《な》くなりました」

と報せた。祖母は部落の中で親しくつき合っていた家へ告《つ》げて廻《まわ》っているらしく、息使いを荒《あら》くしていた。

「あれさ、まあ」

おぬい婆さんは腰《こし》を伸《の》ばして、祖母と対《むか》い合って立つと、いつもとは違《ちが》ったしんみりした口調《くちよう》で、

「死んだ者は生き返って来はせん。ばあちゃ、力を落さんこっちゃ」

と言った。このおぬい婆さんの短い言葉を聞くと、それを合図《あいず》に祖母は袂《たもと》を顔に当て

て声を上げて泣いた。すると、おぬい婆さんも泣き出し、それからたらいの傍《そば》に突《つ》っ立っていたみつも泣き出した。みんなが泣き出した時、洪作は初めてさき子の身の上に変事があったことを知り、これは大変なことになったと思った。さき子姉ちゃんは本当に死んだのだ。

その夜から翌日へかけて、洪作は一人で土蔵の中にこもっていた。上の家の者がみんな西海岸の部落へ出掛《か》けて行ってしまったので、おぬい婆さんは上の家の留守番に出掛けて行き、従って洪作はおぬい婆さんの居ない土蔵を一人で守らなければならなかった。幸夫たちは土蔵へ遊びに来たが、洪作はいつものように仲間と遊ぶ気にはならなかった。

洪作はさき子の死の報せの届いた翌日、朝から土蔵の窓際《まどぎわ》の机で勉強した。さき子が湯ヶ島を発《た》って行く時勉強しなさいと言ったことを思い出し、いっこうに勉強していない自分が咎《とが》められ、いまとなってはもう遅《おそ》いといった気持はあったが、それでも机に対《むか》うことにしたのである。時々、幸夫たちは土蔵の二階へ上って来ては、机に対っている奇妙《きみよう》な洪作の姿をうしろから見守り、それからしいっと唇《くちびる》に手を当てて言って、足音をしのばせて帰って行った。幸夫たちは何回も覗《のぞ》きに来、そしてその度《たび》に同じようにして帰って行った。

洪作は食事の時だけ上の家へ行って、おぬい婆さんと一緒に食事をしたが、あとは土蔵へ帰って勉強した。おぬい婆さんは、急に洪作が勉強し出したことを知ると、

「あまり勉強せんとき、体《からだ》が資本《もと》じゃ。洪ちゃは勉強せんかてできる。あまり勉強すると、でき過ぎるようになって、先生っちが困ろうが」

と、そんなことを言った。洪作の眼《め》には、部落もすっかり変ったものに感じられた。部落全体が、さき子の死を悼《いた》んでしんとしているように思われた。実際にさき子の葬式《そうしき》のために、部落からかなり多くの人たちが、西海岸の部落へと出掛けて行っていた。洪作はたれからも声も掛けられなかった。洪作は自分がさき子の死と無縁《むえん》な者と見做《みな》されていることに対して、多少の心淋《さび》しさはあったが、しかし、さき子の葬式に加わりたいとは思わなかった。

さき子の葬式が行われる日、洪作はさすがに机に対ってばかりいることに倦《あ》きて、幸夫たちと一緒に天城《あまぎ》の峠《とうげ》へ、そこにあるトンネルを見るために出掛けることにした。言い出したのは幸夫だったが、それに賛成してその案を実行に移したのは洪作だった。天城峠まで遊びに行くという話は、またたく間に、部落の子供たち全体に伝わり、意想外に多くの参加者があった。二十人程《ほど》の子供たちの一隊は午刻《ひる》少し前に部落を出て、天城街道を南へと歩いて行った。

洪作は幸夫と一緒に先頭に立っていた。芳衛も亀男も茂も平一も居た。洪作は何となく辛《つら》いことを自分に課したい気持に襲《おそ》われていた。だから、洪作は休みなく歩いた。幸夫は何回となく休もうと言い出したが、洪作は、

「休むと、みんな行くのがいやになるぞ」

と、その度に警告を発し、そして休みなしに足を動かした。一回の休憩《きゅうけい》もなしに峠まで行くのだということが、二十人程の子供たちに伝わると、子供たちはそれぞれ決意の程を心に決めたといった恰好《かっこう》で、着物を脱《ぬ》いで裸体《らたい》になった。そして脱いだ着物は帯で束《たば》ね、それぞれ勝手な持ち方で持った。頭へ載《の》せている者、腰《こし》にぶら下げている者、手に提《さ》げている者、荷物でも背負うように背にくくりつけている者、みんな思い思いの雑多な恰好をしていた。二十人程の中で三人だけが、着物の包みは持たずに手ぶらで歩いていた。彼等《かれら》は着物の束を路傍《ろぼう》に匿《かく》して来たり、木の上にくくりつけたりして来ていた。

時折、この一団は大人たちと会った。大人たちは例外なく、

「お前らはそんな恰好して、どこへ行くんか」

と訊《き》いた。

「ずいどうだ」

たれかが答えると、

「ずいどうは裸《はだか》では通れんぞ。夏でも寒いからな」

そして、

「しようもない餓鬼《がき》どもじゃ」

と、付け加えることを忘れなかった。

洪作は行手の天城の稜線《りようせん》にかかる白い夏雲を見ながら歩いた。全身から汗《あせ》は吹《ふ》き出しており、それに埃《ほこり》がついて、汗は黒い滴《したた》りとなって裸身を伝わって落ちていた。洪作は一度、幸夫に、

「さき子姉ちゃ、死んだぞ」

と言った。すると、幸夫は、

「知っていらあ」

と言ってから、急に声を張り上げて、

「なむまいだ、なむまいだ」

と、念仏を唱える真似をした。すると、それに続いて、異様な風体《ふうてい》の子供たちは、ひとしきり、

「なむまいだ、なむまいだ」

と唱えて、幸夫に和した。

洪作はそうした子供たちに怒りは感じなかった。彼等がさき子の死に打ち興じているようなところは感じられず、みんながいかにもその死を悼《いた》んでいるかのように見えた。実際にまた、子供たちは曾《かつ》ての自分たちの教師であったさき子の死を悼んでいるのでもあった。彼等は念仏に倦《あ》きると、彼等がさき子から教わった幾《いく》つかの唱歌を、たれからともなく次々に口に出して唄《うた》った。一人が唄い出すと、みんながそれに和して唄った。

洪作はずっと先頭をきって歩いて行った。それが自分に与《あた》えられた使命であるかのような気持で、峠へ峠へと休みなしに足を運んで行った。

時折、さき子の死が頭を掠《かす》めた。その度に洪作は、そのひんやりとした思いを振《ふ》り棄《す》てでもするように、頭に載せた着物の束を改めて確《しっか》りと首に結びつけ、そして、

「頑張《がんば》れ！」

と、そんなことを背後に向って怒鳴《どな》った。初めて天城の斜面に初秋の風が渡《わた》る日であった。雑木《ぞうき》の葉裏が時折銀色に輝《かがや》いて、それに依《よ》って、風の通る道が判《わか》った。

後編

一章

村の人たちが御料局《ごりょうきょく》と呼んでいる帝室林野管理局天城出張所の所長さんが替《かわ》って、新しい所長さんが赴任《ふにん》して来る日、湯ヶ島の宿《しゅく》や久保田の部落の子供たちは何となく落着かなかった。こんど来る所長さんには六年生の女の子と三年生の男の子があるということが、既《すで》に部落中に伝わっていたので、いかなる少年と少女が姿を現して来るかということが、子供たちの関心の的《まと》であった。五年生の洪作や四年生の幸夫たちは、一年生や二年生ほどそのことに興味は持たなかったが、それでも自分たちと同じ部落に住み、自分たちと同じ小学校へ通う少年と少女がやがて、この村へ姿を現すと思うと、多少気にかからないこともなかった。

いつか夏休みも終り、あと数日で二学期が始まろうという時であった。毎年のように暦《こよみ》に立秋《りっしゅう》という文字が現れると、きちんと計算でもしていたように、その頃《ころ》から陽《ひ》の光は目立って弱くなり、どことなく秋の気が山間の部落の空気の中に感じられ始めたが、この年は特にそれが強かった。暦の上で秋が立ってからは、すっかり暑気《しょき》が落ちて、朝夕は冷え冷えとした秋の風が吹《ふ》いていた。村人たちは一カ月早く秋がやって来たと言い、もう少し照りつけて貰《もら》わないと、米の稔《みの》りに差し障《さわ》りがあるだろうと心配していた。

しかし、御料局の所長さんの赴任して来る日は、突然夏がぶり返して来たように、朝から強い陽の光の降っている暑い日であった。洪作は土蔵の窓際《まどぎわ》の机に対《むか》って宿題の残りをやっていた。小川の流れの音に混《まじ》って、蟬《せみ》の啼《な》く声が聞え、時々子供たちの騒《さわ》ぐ声がその中から聞えて来た。そしてその子供たちの騒ぐ声は時々土蔵の窓下まで近づいて来て、そしてその度に何人かの洪作を呼ぶ声が、洪作の耳に届いて来た。

——洪チャ、マダカ？　洪チャ、マダカ？

それは合唱の一節ででもあるように独特の調子を持っていた。いかに自分たちは楽しく遊ぶためにお前を待っていることか。家の用事か、勉強か、何か知らないが、そんなものは放り出して一刻も早く出て来るがいい。そういう意味であった。この歌でも合唱するような呼び出しは、浮《う》き浮きしたものと、同時に妙《みょう》に切ない一種の調子を持っていて、この呼び出しをかけられると、大抵《たいてい》の子供はその誘惑《ゆうわく》に耐《た》えることはできなかった。

洪作は五年になった時から、この呼び出しの誘惑に耐えるように自分を鍛《きた》えていた。毎日のように部落の子供たちと遊び廻《まわ》っていては、到底《とうてい》あと一年半ばかり先に迫《せま》っている都会の中学の入学試験に合格することが望めなかった。五年になってから洪作は、自分だけは他の子供たちとは違《ちが》って多少勉強しなければならぬと思っていた。

しかし、厄介《やっかい》なのはおぬい婆さんだった。彼女は口では時々勉強しなければいけないというようなことを言ったが、それでいて、いざ洪作が机に対って勉強している姿を実際に見かけると、

「洪ちゃ、遊んでおいで。そんなに精出して勉強ばかりせんでもええが」

そんなことを言って、勉強を打ち切って遊ぶことを勧《すす》めた。勉強している洪作を見るのが痛ましくて堪《たま》らぬといった風であった。そんなわけで、洪作は容易なことでは机に対えなかった。絶えず外からは子供たちの呼び出しはかかって来たし、家の中ではおぬい婆さんが遊んでおいで、遊んでおいでを繰《く》り返した。

この日も、洪作は外からの呼び出しの誘惑に一生懸命《いっしょうけんめい》耐えていると、例に依《よ》って、二階へ上って来たおぬい婆さんが、

「もう総理大臣にも博士にもならんとええが。——遊ぶこっちゃ。遊ぶための夏休みだもの、洪ちゃ、遊んでおいで」

と言った。

「ううん、お昼まで勉強するんだ」

「勉強せんでも、洪ちゃはできる」

「できるもんか」

「この間も、学校の先生が、ほら、何とか言った若い代用教員があろうが、あれが洪ちゃのことを褒《ほ》めていた。——ちょっとだけ遊んでおいで、そしてまた勉強したらええが。曾祖父《おおじい》ちゃだって、こんなには勉強せなんだ」

おぬい婆さんは言った。

「じゃ、遊んで来る」

洪作は言った。遊びたいのは山々だった。

洪作は戸外へ出ると、麦藁帽《むぎわらぼう》をかぶって、幸夫たちを探しに往来へ出た。どこにも子供たちの姿は見えなかったが、行先は大体見当がついていた。へい淵《ぶち》へ泳ぎに行っているか、その付近で川を堰《せ》いて魚を獲《と》っているかに違いなかった。洪作がへい淵へ行くために上《かみ》の家《いえ》の横手の道を歩き出した時、遠くで子供たちの喚声《かんせい》の上るのが聞えた。駐車場《ちゅうしゃじょう》の方からであった。この年の春から下田街道をもバスが走るということだったが、春になっても、夏になっても、バスの走りそうな気配はなく、依然《いぜん》として馬車がこの付近の唯一《ただひと》つの交通機関になっていた。

洪作は、子供たちの喚声が駐車場の方で聞えたことで、新しい所長さんの一家がこの部落に到着《とうちゃく》したに違いないと思った。洪作はへい淵行きはやめて駐車場の方へ家の前の坂道を降りて行った。すると果して、何人かの部落の下級生たちが駈《か》けて来た。

「洪ちゃ、来たぞ。あまっちょが来たぞ」

一人は洪作に報告してから、

「ここに待ってて、石ぶつけべえか」

と言った。知らない少女が馬車から降りたことで、彼等《かれら》は明らかに昂奮《こうふん》していた。

「石ぶつけてから、俺《おれ》が行って小突《こづ》いてやる」

もう一人の裸《はだか》の一年坊主が言った。この方も息を弾《はず》ませて、徒《いたず》らに眼《め》をきらきらさせていた。

「幸ちゃは？」

洪作が訊《き》いた時、その幸夫と亀男がそれぞれ大きな風呂敷《ふろしき》包みを持って坂を上って来るのが見えた。幸夫は近付いて来ると、

「これ運ばさせられちゃった！」

と、照れた顔で言った。

「所長さんちのか」

「そうだ」

それから、

「色のばか白いおかしなあまっちょが来たぞ」

それから幸夫はまた照れたように言って頭を搔《か》いた。多勢の村人が坂を上って来た。みな赴任して来た御料局の所長さんを出迎《でむか》えに行った連中だった。幸夫の父親は店をや

る傍《かたわ》ら御料局に勤めていたので、そんな関係で、幸夫の父の顔も母の顔も見えた。洪作は道端《みちばた》に立って、一団の人たちが通り過ぎて行くのを見た。一団の人々の真ん中に所長さんの一家四人が挟《はさ》まっていた。なるほど色の白い少女の姿が見えた。六年生だというが、もっと大きく見えた。三年生の弟も居た。これも色が白かった。洪作は二人の姉弟だけを注意していたので、彼等の両親がいかなる人物であるかということは見損《そこな》ってしまった。一団のあとから、十人程《ほど》の部落の子供たちがぞろぞろとつき従っていた。都会風の二人の色の白い姉弟を見た眼には、それらの部落の少年や少女たちは色が黒く取得《とりえ》なく見えた。

明日から二学期が始まるという日の午後に、所長さんの姉弟が母親に連れられて、突《とつ》然《ぜん》、洪作の住んでいる土蔵を訪ねて来た。おぬい婆《ばあ》さんに呼ばれて洪作が階下へ降りて行くと、土蔵の前の柿《かき》の木の下で、二人の姉弟とその母は、おぬい婆さんと対《む》い合って立ち話をしていた。洪作はそこへ行って黙《だま》ってお辞儀《じぎ》をした。

「いい坊ちゃんですね。洪ちゃんとおっしゃるんですか」

母親という人も色が白かった。洪作にはこの一組の母子が自分たちとは違《ちが》った上等の階級の人間に見えた。

「明日からこの子たちも学校へ行きますから、御《ご》一緒《いっしょ》にお願いしますね。雑貨屋の幸ちゃんにも、いまお願いして来たところです」

母が話している間、二人の姉弟は洪作の方へ顔を向けていた。姉の方は人怯《ひとお》じしないのか、真っ直ぐに眼を洪作に当てている感じだった。洪作は二人の姉弟が、女と男の違いはあれ、全く同じ眼鼻だちをしているのに驚《おどろ》いた。しかし、同じ顔はしていたが、姉の方は優《やさ》しく、弟の方は強く見えた。洪作の方は相手の二人から眼を逸《そ》らせていた。

おぬい婆さんは、みんなをそこに待たせておいて、土蔵の裏へ盆柿《ぼんがき》を取りに行った。洪作にはおぬい婆さんが前掛《か》けの中へ入れて来た小さな果実が、所長さん一家の人たちへの贈《おく》りものとしては、ひどく貧相《ひんそう》なものに見えた。盆柿は、普通の柿より早く実り、お盆の頃とることができるのでその名があったが、しかし、何分小粒《なにぶんこつぶ》ではあったし、甘《あま》味《み》も普通の柿には及《およ》ばなかった。柿は持って来たが、相手がそれを包むものを持っていないことに気付くと、

「洪ちゃ、新聞紙を持って来ておくれ」

と、おぬい婆さんは言った。洪作は風呂敷か何かに包んでやるのならともかく、新聞紙に包んでやるのは何となく気がひけて厭《いや》だった。

「どこにあるか知らん」

洪作は言った。

「味噌樽《みそだる》の横にあろうが」

「知らん」

「あれさ、知らんことなかろうに」

「だって、知らん」

洪作は死んでも新聞紙なんか持って来てやるものかと思った。すると、去年あたりから急に腰《こし》を折り曲げるのがひどくなったおぬい婆さんは、その深く折れ曲った背をみなに見せて、新聞紙を取るために土蔵へと一歩一歩危《あぶな》っかしく足を運んで行った。

「あんた、何年生?」

姉が初めて口を開いた。

「五年生」

洪作は自分で顔に血が上って行くのが判《わか》った。洪作はそこから離《はな》れると、すぐ土蔵へ戻《もど》った。おぬい婆さんが盆柿を新聞紙に包んで差し出すのを見ている勇気はなかった。

所長さんの母子が帰ってから、おぬい婆さんは、訪問者たちを褒《ほ》めた。さすがに都会から来ただけあって、村の人たちとは人品《じんぴん》が違うと言い、洪ちゃもこれからはあそこの家の者たちと遊んだらいいと言った。洪作はあの色の白い姉や弟たちと一緒《いっしょ》に遊ぶようなことが実際にできたら、それはどんなに素晴《すば》らしいことだろうと思った。

新学期が始まると、全校生徒がその日のうちに転校生の姉弟の名前を覚えてしまった。姉はあき子、弟は公一《こういち》と言った。その日のうちに、転校生の顔さえ見れば、生徒たちは運動場ではやし立てた。

――アキ子ノアノ字ハアンポンタンノアノ字、コウ一ノコノ字ハコ芋ノコノ字。

洪作はみなからはやし立てられている姉弟を見ると、自分のことのように心が痛んだ。

その日学校が終ってから家の前まで来た時、二年生の次郎が、〃アキ子ノアノ字ハ〃と大声で唄《うた》いながら小川で足を洗っているのを見た。洪作は次郎に烈《はげ》しい怒りを感じた。次郎は生れつき病身で、いつも青い顔をしていて、ろくに友達《ともだち》もできない無口な子供であったが、洪作は黙《だま》って川の洗い場まで行くと、小川の中に突っ立っている次郎の頭を一つ二つ強く小突いた。次郎はよろめいて、よろめいた拍子《ひょうし》に川の中に膝《ひざ》をついた。

次郎は何のためにいきなり頭を叩《たた》かれたかわけが判らなくて、一瞬《いっしゅん》ぽかんとしていたが、やがて殺されでもするように大声を上げて泣き出すと、川から上り、濡《ぬ》れた着物のまま往来を上の家の上手《かみて》にある自分の家の方へ駈《か》け出して行った。洪作は自分より三つも年下の病身の少年にいきなり手荒《てあら》なことをしたことで胸が痛んだが、しかし、その少年があき子と公一を傷つける歌を唄ったことはやはり許せない気持だった。

その夜、土蔵へ次郎の父親が怒鳴《どな》り込んで来た。頭の禿《は》げた五十ぐらいの人物は多少酒気を帯びていた。

「なんでうちのがきを川の中へ突っ込んだか、そのいわれを聞かして貰《もら》いましょう」

「洪ちゃみたいに温和《おとな》しいのが、あんたのところのあんな青ぶくれに手を出すかいな。

もし本当に洪ちゃがそんなことをしたんなら、そりゃ、あんたとこの次郎が悪いに決っとる。ちゃんと胸に手を置いて、お天道《てんと》さんに訊いてみるこっちゃ」

おぬい婆さんも敗《ま》けてはいなかった。階下の上り框《かまち》のところで、二人が烈しい言葉の遣《や》り取りをしているのが、二階に居る洪作の耳にも聞えていた。洪作は大変なことになってしまったと思った。聞えて来る言葉は次第に荒くなった。

「洪ちゃか何ちゃか知らんが、お前とこのがきを出せ。わしが本人に訊いてやる」

「お前みたいな酔《よ》っ払《ぱら》いに、洪ちゃを会わせられるかどうか、よおく考えてみい。洪ちゃは大切な預りもんじゃ。ばかたれ」

それから何か水でもぶちまけたような烈しい音が聞えた。洪作は堪《たま》りかねて階下へ降りて行ってみた。すると、次郎の父親が頭から水を浴びせられて、濡れ鼠《ねずみ》になって、そこに立っていた。おぬい婆さんがバケツの水をいきなり相手に浴びせたものらしかった。

次郎の父親は水をかぶって一度に酔いがさめたのか、

「ああ、世にも怖《おそろ》しい婆さがあるもんじゃ」

と、感に堪《た》えぬような言い方をしてから、洪作に、

「洪ちゃ、早く豊橋の父ちゃんと母ちゃんのところへ帰るこっちゃ。こんな婆さんのところに居ると、生血《いきち》吸われて死んじもうぞ」

そう言い残して、おぬい婆さんをとっちめることは諦《あきら》めて、土蔵を出て行った。

二学期が始まって一週間程《ほど》した最初の日曜日の朝、おぬい婆さんは洪作に、

「きれいな朝顔が咲《さ》いたから、所長さんの家へ上げておいで」

と言った。朝顔というものは七月か八月に咲くのが普通だったが、どういうものか蔵《くら》の横手の朝顔は八月の終り頃《ころ》から咲き始め、九月になってからも毎朝のように二つ三つ大きい花を咲かせていた。よく畑仕事へ出掛《か》けて行く人が、小川の向うの畦道《あぜみち》を通りながら、

「洪ちゃとこの朝顔はなんと奇妙《きみよう》な朝顔じゃ。これ、本当に朝顔ずらか」

そんなことを言った。そんなことが少しでもおぬい婆さんの聞くところとなると、おぬい婆さんは決して黙《だま》ってはいなかった。去年あたりから急におぬい婆さんは腰《こし》が曲り、腰が曲ると一緒《いっしょ》に気短かになっていた。

「本当の朝顔で悪かったな。ちょっくら降りて来てよおく見い。この花が朝顔というもんじゃ」

おぬい婆さんはそんなことを言った。確かに遅《おそ》咲きの朝顔で、その点はまさしく奇妙な朝顔だと言えたが、しかし、それは洪作の眼《め》にも美しくみごとに見えた。部落の他の家の朝顔は大抵《たいてい》竹垣《たけがき》に蔓《つる》を巻きつけて、色の褪《あ》せた小さい花を咲かせたが、おぬい婆さんが丹精《たんせい》こめた朝顔は、大輪でもあったし、色も鮮《あざや》かだった。

洪作は朝顔を所長さんの家へ持って行くように言われたが、何となくそうすることに躊躇《ためらい》を感じた。朝顔はどれも鉢《はち》らしい鉢には植わっていず、壊《こわ》れたどんぶり鉢か、柄杓《ひしゃく》の柄《え》のなくなったものに植えられてあった。朝顔を持って行くのはいいとしても、それの植わっている器物が問題だった。

「どれ持って行く？」

洪作が訊《き》くと、

「今日は一つしか咲いておらん。そのかわり、とびきりきれいなのが咲いた」

おぬい婆さんは言った。洪作はすぐ土蔵の横手へ廻ってみたが、なるほど眼の覚めるような藍色《あいいろ》の大輪が一つだけ咲いていた。柄杓の柄の抜《ぬ》けたのに植わっている。洪作はおぬい婆さんの命令ではあるが、この間の盆柿《ぼんがき》の場合と同様に、所長さんの家への贈《おく》りものとしては、容《い》れものの鉢が甚《はなは》だふさわしからぬものに思えた。

「よそうよ」

「どうして」

「おかしいや、この鉢」

「おかしいなんて、洪ちゃ、ただでくれてやるんじゃ」

おぬい婆さんは言って、

「所長さんとこの人たち、びっくりするぞ。これだけの朝顔、めったに見られやせん」

そう言われると、洪作も持って行ってみたくもあった。結局、洪作はその朝顔を持って、所長さんの家へそれを届けるために往来へ出た。どこかで遊んでいた二、三人の子供たちが駈《か》け寄って来た。

「洪ちゃ、どこへ行く」

一年坊主が言った。

「御料局《ごりようきよく》だ。ついて来い」

洪作は三人を供にして、御料局の門をくぐり、その一角にある所長さんの家へ近づいて行った。

玄関《げんかん》の前まで行った時、洪作は玄関の横手に仙人掌《シヤボテン》の植木鉢が二列にずらりと並《なら》べられてあるのを見た。大きい鉢もあれば小さい鉢もあった。どれも洪作の眼《め》には上等の鉢に見えた。それを見ると、洪作は自分が手に持っている朝顔が急に貧相《ひんそう》な価値のないものに見えて来た。洪作は玄関の戸に手をかける気持をすっかり失ってしまった。

その時、家の横手から、思いがけず突然《とつぜん》、あき子が姿を現した。

「あら」

あき子はそんな声を出した。洪作は今となっては逃《に》げることもできず、

「朝顔が咲いたんで、ばあちゃが置いて来いって――」

と、そんな言い方をした。自分はおぬい婆さんから命じられて、おぬい婆さんの使者

としてこれを持って来たのだ。これを持って来たことには、自分の意志は少しもはいっていないのだ。そんな自分の立場を相手に理解させたいための言い方だった。

「まあ、きれい！」

あき子は言った。眼を大きく見張って、いかにも朝顔の美しさに驚《おどろ》いたといった表情であった。洪作は血が顔に上って行くのを感じた。きれいな少女がきれいな表情をとったというただそれだけのことで、洪作は自分の顔が赤くなって行くのを感じた。

「アラ、マア、キレイ！」

お供の一年坊主《ぼうず》が、あき子の言葉を真似《まね》てわざととんきょうな声を出した。

「帰ろう」

傍《そば》の少年に言うと、洪作はすぐあき子に背を向けた。

——アラ、マア、キレイ。アラ、マア、キレイ！

三人の子供たちは、歩きながら、同じ言葉を繰《く》り返して、調子をつけて唄《うた》った。洪作はそんなことを唄う子供たちに、この間次郎に対したような怒りは感じなかった。それどころか、自分もまた、それを口に出してみたいような誘惑《ゆうわく》を感じた。あら！ と、大きく眼を見張った少女の表情は、それを思い出しただけで、洪作の気持を遠くさせるものを持っていた。洪作は女生徒に対して、今までこのような感情を持ったことはなかった。多分に甘美《かんび》で、どこかに秘密にしなければならぬような影を持った物哀《ものがな》しさがあった。亡《な》くなった叔母《おば》のさき子に対する気持とどこか似ているところもあり、違っているところもあった。

八月末になると、村人の口から二百十日《にひゃくとおか》とか二百二十日《にひゃくはつか》とかいう言葉が度々《たびたび》出るようになった。これは毎年のことであったが、洪作はこの言葉が好きであった。

――二百十日も無事らしい。

とか、

――この分では二百二十日は荒《あ》れそうだ。

とか、そういった言葉を耳にすると、洪作はいまが年に一回の暴風雨《ぼうふうう》の季節であり、村人たちの頭からは片時もそのことが離《はな》れないでいるということで、何となく身内の引き緊《し》まるのを覚えた。二百十日も無事らしいという言葉には何とも言えぬ明るい安堵感《あんどかん》があり、二百二十日は荒れそうだという言葉の中には、他のものからは得られぬ緊張感とある未知《みち》の大きな怖《おそろ》しいものへの期待があった。

いつも暴風雨は前触《まえぶ》れなしに突然やって来た。生暖い風が吹き、横なぐりの雨が落ち出し、空一面を覆《おお》っている黒い雲が走り出すと、学校は早退《はやび》けになった。遠い部落から来ている子供たちは着物の裾《すそ》をめくり、裸足《はだし》になって部落単位で一団になって街道を走って行った。傘《かさ》をさしている子供もあれば、濡れ鼠の子供もあった。

洪作たち湯ヶ島部落の子供たちは家が近いので、そんな日は遅《おそ》くまで教室に残って遊んでいた。家へ帰っても狭《せま》い家の中に閉じ込められるだけの話なので、なるべく家へ帰らぬようにしていた。そして家の者が迎《むか》いに来るまで豪雨《ごうう》に包まれた教室の中を走り廻っていた。

洪作は暴風雨を迎える日は好きだった。夕方など、おぬい婆さんから言われないでも家の周囲を見廻り、風に吹き飛ばされそうなものは片付け、折れそうな木にはつっかい棒を立てたりした。

洪作がまめまめしく立ち働くのを見ると、おぬい婆さんはそのことが堪《たま》らなく頼もしく思われるらしく、早くも蓑《みの》を着て田圃《たんぼ》の見廻りに出掛ける農家の人たちが小川の向うの耕地へ姿を見せたりすると、土蔵の入口から大声で声をかけ、

「うちには洪ちゃが居るから、このわしも大船《おおぶね》に乗ったようなもんじゃ。洪ちゃがちゃんと細かいところまで気を配って、家の見廻りをしてくれる」

そう自慢《じまん》そうに言った。この年の暴風雨は九月の終りにやって来た。朝から雨が落ちていたが、それに夕方から風が加わって豪雨になった。洪作はいつものように家の見廻りをやった。その間に、おぬい婆さんは夜食の支度《したく》をした。梅干《うめぼし》のはいった大きな握《にぎ》り飯《めし》を幾《いく》つか作った。自分も洪作も夜中に起きなければならないかも知れなかったし、たれが見舞にやって来ないものでもなかった。夜食は自分たちのためのものでもあったし、

また見舞に来てくれる人のためのものでもあった。

おぬい婆さんと洪作は、その日はいつもより早く夕食をすませ、いつでも寝《ね》ることができるように早く床《とこ》を敷いた。洪作は戸外の風の音を聞きながらランプのもとで机に対《むか》った。平生よりも勉強に身がはいった。どこからか吹き込んで来る風で時折ランプの燈火はゆらいだが、そんな時、洪作はなぜかいかにもいま自分は勉強しているのだという気持に打たれ、勉強していることにある陶酔《とうすい》感を覚えた。

おぬい婆さんの方は夜になってもなかなか暇《ひま》にはならなかった。戸外の暴風雨に追い立てられている恰好《かっこう》で忙しく立ち働いていた。蠟燭《ろうそく》とマッチと薬品類を枕《まくら》もとに並《なら》べたり、二人分の着替えを揃《そろ》えたりした。何のために着替えを揃えなければならぬか判《わか》らなかったが、おぬい婆さんはそれが重大なことでもあるように、熱情をこめてそれを為《な》した。おぬい婆さんは、体《からだ》を二つに折り曲げた姿で、階下と二階との間を何回となく往復した。バケツを持って来たり、盥《たらい》を運んだり、それから凡《およ》そ水を受けられそうなものは何でも、どんぶり類に到《いた》るまで動員して、それを階段を上ったところの板敷に並べた。

こうしたおぬい婆さんの仕事は洪作が床にはいってからも続いた。おぬい婆さんは一回二階へ物を運んで来ると、その度《たび》にきせるに煙草《たばこ》をつめてひと休みしたので、容易なことではその仕事は終りにならなかった。

洪作は深夜に、おぬい婆さんに起された。

「洪ちゃ、洪ちゃ、雨が漏《も》って来た。起きておくれ」

おぬい婆さんは言った。ごうごうたる風雨の音に土蔵は包まれている。洪作は暴風雨も暴風雨だったがひどく睡《ねむ》かった。

「雨が漏ってもいいじゃないか」

「それが、洪ちゃ」

おぬい婆さんは言葉を切って、

「蒲団《ふとん》の上じゃがな、蒲団の上に雨がおっこちている」

蒲団の上と聞いては洪作も寝ているわけには行かなかった。なるほど起き上った洪作は突然首筋に冷たいものを感じた。風はごうごうと鳴っており、雨が大地を叩《たた》く音がすさまじく聞えている。洪作が眠りにはいった時とは、天地の様相はまるで違ったものになっているらしい。

おぬい婆さんは蒲団を階下へ降す作業《さぎよう》に取りかかった。

「よいとこしょ、よいとこしょ」

そんなことを言いながら掛蒲団を一枚ずつ抱《かか》えては階下へ降りて行った。洪作は、

「この方が、ばあちゃ、早いよ」

そう言って、他の蒲団を階段の上から次々に投げ降した。階下はランプがないので暗かったが、雨の落ちて来る心配はなかった。

洪作は再び階下で蒲団の中へはいったが、こんどは眠れなかった。風や雨の音が二階の時よりもっと烈《はげ》しく聞えた。木という木はみな狂ったように叫《さけ》んでいる。おぬい婆さんは二階の雨漏りに応急策を講じると、火を点《つ》けた蠟燭を持って階下へ降りて来た。すると、間もなく、

——おーい。

風の中から人声が聞えて来た。

——紺屋《こんや》のおじちゃだ。

おぬい婆さんは言った。人声は風のために遠く近く繰《く》り返して聞えていたが、やがて土蔵の入口のすぐ前に近寄って来た。おぬい婆さんは起きて入口の重たい戸を繰った。すると、

——婆ちゃ、変ったことないか。ひどいこっちゃな。

そういう声が湿《しめ》った風と一緒《いっしょ》に飛び込んで来た。確かに禿《は》げ上った頭と肥満した体を持った紺屋の主人に違いなかった。平生はおぬい婆さんにはもっと丁寧《ていねい》に言葉を使ったが、暴風雨のさなかなので、いつもより荒《あら》っぽかった。

——御苦労さん、よく来てくれたな。村はどんな具合じゃ。

おぬい婆さんは訊いた。

——雑貨屋の柿《かき》の木が折れた。

——あそこには二本あろうが、どっちじゃ。

——大きい方じゃ。

——あれさ。

鍛治屋《かじや》の屋根もふっ飛んだ。

——あれさ、あそこは去年赤ん坊が死んだが、何とまあ災難《さいなん》続きなこっちゃ。

——こうしてはおられん。

——そう言わんと、握り飯一つ頰張《ほおば》りなされ。

——それどころじゃないが、折角《せつかく》だから、まあ、一つ頂くか。

そんな会話が聞えて来た。紺屋の主人が帰って行くと、おぬい婆さんは、

——向いの家からまだ来《こ》んな。いつもは一番早いのに。

そんなことを言った。そこへ今話していた向いの働き者で通っている主人がやって来た。

——えらいこってすが、変りありませんか。

——こっちは二階が漏ってるぐらいのことじゃが、お前んとこは？

——わしの家はもう宵のうちから漏ってますが。この分じゃ、長野川が溢《あふ》れまさあ。

——長野川はあふれても構わんが、うちの前の川は？

——長野川が溢れると、わしんとこの田圃《たんぼ》が流れますが。

——あれさ、お前んとこの田圃はあんなとこにもあるんか。

そんな会話が切れると、

——夜食《やしょく》食べなされ。

——それどころじゃない。

——そう言わんと、握り飯の一つぐらい頬張って行きなされ。

相変らず風雨ののたうつ音が物凄《ものすご》く聞えている。稲妻《いなずま》も混《まじ》っているらしく、時々雷鳴《らいめい》も聞えている。そこへもう一人宿《しゅく》部落の上の方に家を持っている足利《あしかが》太平がやって来た。七十過ぎた小柄《こがら》の老人である。何代前かに縁《えん》組みしたことがあるとかで、現在でも親戚《しんせき》の間柄だということになっていて、事あると必ず顔を見せる老人だった。

——どうかな。

その声は風に吹き飛ばされながら、土蔵の中へ飛び込んで来た。

——お蔭《かげ》さまで。

おぬい婆さんが答えると、

——気をつけしゃんせよ。どうせ屋根はちっとは飛ぶべえが、まあ、一年に一回の年《ねん》貢《ぐ》だと思えば——。

——あんたんとこは？

——うちか。前の崖《がけ》が崩《くず》れましてのう。

――あれさ。

――わしが出て来る時納屋《なや》の屋根が飛びかかっていた。もう今頃《ごろ》は飛んでるかも知れねえ。

――あれさ。

――さっき行ってみたら、御料局の所長さんとこの屋根はもう半分飛んでいた。

――あれさ。

――塀《へい》も倒《たお》れた。

――どこの？

――所長さんちの塀でさあ。

――あれさ。屋根が飛び、塀が倒れちゃあんた、大変じゃがな。

――近所の若いのが二、三人手伝いに行ってるが、このあらしじゃ、あの家は潰《つぶ》れるかも知れん。古い家ちゅのは始末に悪いもんです。

――夜食を。

――そうしちゃおられん。

足利太平は本当にその言葉通りすぐ出て行った。洪作は起き上ると、細く開けてある戸口から外を覗《のぞ》いた。その洪作の眼に、ふんどし一本締めただけの全裸《ぜんら》の老人の背後姿《うしろすがた》が、電光を浴びて瞬間《しゅんかん》青く見えた。

洪作はあき子の家の屋根が飛び、塀が倒れたと聞いて、今頃あき子はどうしているであろうかと思った。塀が倒れたというが、どこの塀が倒れたのであろうか。

「まだ生薬屋《きぐすりや》が来《こ》んな。何しとるじゃか」

おぬい婆さんは言って、

「洪ちゃおなかすいたろう、こんな夜半に起きて。――お握り食べなさい」

「食べたくない」

洪作は言った。実際に少しも空腹を感じていなかった。

「そう言わんと、折角ばあちゃが作ったもんじゃ」

「要《い》らん」

洪作は洪作で、それどころではない気持だった。

「上の家へ行ってみてくる」

洪作は言った。

「たれが」

「おれ」

「ばか言うにも程《ほど》がある。このあらしの中に出て行ってみな。洪ちゃなどふっ飛んじまうがな。それに上の家には若いもんがごろごろしている。それなのに、たれ一人見舞にも来ん。それをなにも、こっちから行くことがあろうかさ」

洪作は強くは押せなかった。上の家だけへ行くつもりなら、もっと自分の考えを強く主張できたが、今の洪作には何となくうしろめたい気持があった。洪作は上の家へ行きたいのではなくて、その近くにある御料局の所長さんの家へあらし見舞に行ってみたかったのである。あらしの中を見舞に行ったら、所長さんの一家はどんなに感激《かんげき》することだろうと思った。

洪作は諦《あきら》めかねて戸口から外を眺《なが》めていた。庭の樹木という樹木は揺《ゆ》れ動き、車軸《しゃじく》を流すように雨が大地を叩いている。川の水が溢れたらしく、庭は一面に池のようになっている。雷鳴がとどろく度に、稲妻が風雨の狂っている闇をつんざいている。なるほどおぬい婆さんの言うように、いま自分が出て行ったら、すぐ吹き飛ばされてしまうであろうと思われた。

洪作は諦めて、土蔵の戸を閉めた。それから暫《しばら》くの間、おぬい婆さんと洪作は忙《いそが》しかった。二階の雨漏りの水がそれを受けている容器から溢れ出したからである。洪作は容器を一つ一つ階下に運んでは、それをこぼし、また二階へ持って行った。風雨が吹き込んで来て二階の窓を開けることができなかったので、ひどく骨の折れる作業になった。

おぬい婆さんは、畳《たたみ》を拭《ふ》いたり、雨漏りのし始めた戸棚《とだな》の中の物をよそに移したり、そんな仕事に携《たずさ》わった。

「豊橋の母ちゃのところへ言ってやって、屋根を直して貰《もら》わんならん。大事なわが子を雨の漏る家の中へ置く母ちゃが、どこにあろうかさ」

　おぬい婆さんはそんなことを言った。自分たちがこんな苦労をするのも、みんな豊橋がいけないのだという言い方をして、土蔵の中をあちこち動き廻りながら、〝豊橋、豊橋〟と言った。

　雨勢は暁方《あけがた》から静まった。窓を開けると、もうたいして雨は吹き込んで来なかった。小川の向うの田圃の稲はすっかり横に倒れ、一面水浸《びた》しになっている。小川はすっかり水かさを増して、大川のようにごうごうと音を立てて流れている。おぬい婆さんと洪作の二人は暁方の光の差し込んで来る窓際《まどぎわ》に坐《すわ》って、握り飯を食べた。さすがにおぬい婆さんも疲《つか》れたのか、言葉少くなっており、もう豊橋、豊橋とは言わなくなっていた。

「おいしいかな」

「うん」

「たんとお食べ。食べたらひと眠《ねむ》りして、それから屋根の飛んだ家を見に行かんことには」

「屋根の飛んだ家があるかな」

「そりゃあ、たんとある。塚田も、八木も、岡見も、みんな飛んでるに違いない。嫁《よめ》のきつい家は、みんな屋根を失《な》くしていることずら」

　おぬい婆さんは言った。握り飯を食べ終ると、二人は階下へ降りて行って、漸《よう》く静かになった中で眠った。

台風の翌日から本格的な秋晴れの日がやって来た。残暑は台風を境にぷっつりと切れて、あとは冷え冷えとした秋風が村を渡《わた》った。十月にはいると、熊野山や、〝かんざぶと〟と呼ばれている丘の雑木《ぞうき》が、ところどころ葉裏を見せて銀灰色に輝《かがや》いた。

洪作は学校を退《ひ》けて家へ帰ると、毎日机に対った。そして夕食のあとの一時間だけ、部落の仲間と一緒《いっしょ》に遊んだ。洪作にはこの夕食後の一時間が一日中で一番楽しい時になっていた。洪作は部落の子供たちと一緒に、御料局の門の前で遊んだ。御料局の門の前が子供たちの遊び場所になったのは、台風のあとのことであったが、一度そこが遊び場所に決ると、子供たちは奇妙《きみょう》にそこだけに集り、他の場所に集ることはなかった。そんなところは妙に義理堅《がた》かった。

その日も、洪作はいつものように御料局の門の前で、部落の子供たちと遊んでいた。遊ぶと言っても、洪作や幸夫は専《もっぱ》ら命令する方の側で、下級生たちを長野部落まで駈《か》けて行かせ、部落の入口にある川っぷちの崖から粘土《ねんど》を採《と》って来させていた。次々に子供たちはこの粘土採りのマラソンに出発して行った。これは幸夫の発案に依《よ》るものだったが、子供たちにマラソン競走をさせるのが目的ではなく、粘土を採って来させるのが幸夫の狙いだった。

御料局の門の前から子供たちが次々に出発して行って静かになった時、洪作は突然あき子が門から往来の方へ出て来るのを見た。しかし、洪作はあき子の姿を見ると、いきなり逃《に》げ出してしまいたいような衝動《しょうどう》に襲《おそ》われた。しかし、洪作は逃げ出さなかった。気持とは反対に、体の方はその場に釘付《くぎづ》けになってしまったように動かなかった。

「洪ちゃ、勉強してるんですって？」

近づいて来ると、あき子は言った。あき子に声をかけられることは予想していなかったので、洪作はすっかりどぎまぎした。

「勉強なんかしてるもんか」

洪作の口からは、洪作の意志とは別にそんな言葉が飛び出した。

「でも、あんたんとこのお婆さんがそう言ってたわ」

あき子は言った。あき子の背に垂《た》らしているお下《さ》げの髪《かみ》がきれいに編《あ》まれているのが、洪作の眼に眩《まぶ》しく映っていた。

「わたしは来年よ、洪ちゃはまだ再来年《さらいねん》でしょう」

あき子が入学試験のことを言っているのは明らかだった。洪作は何か話したかったが、言葉が口から出て来なかった。一切《いっさい》がひどく不手際《ふてぎわ》に行われている感じだった。あき子はそれからも何か勉強のことについて二言三言話したが、洪作がそれに対して応じて行かないので、喋《しゃべ》ることは打ち切ってしまって、

「ああ、きれいな夕焼！　こんなきれいな夕焼見たことないわ」

と、ひとり言のような調子で言った。洪作はあき子が顔を向けている北の空の方へ眼を遣《や》った。なるほど夕焼雲で空の一部がただれたような赤さを呈していた。洪作もまたきれいだと思った。しかし、今までに見たことがないほど、それが美しいかどうかは判《わか》らなかった。大体、洪作はこれまでに、夕焼の美しさを、以前《いぜん》に見た夕焼の美しさと比《ひ》較《かく》したこともなかったし、比較しようと思ったこともなかった。しかし、あき子にそう指摘されてみると、これはめったにない程美しい夕焼空であるかも知れないと思った。

その時、そこに居残っていた子供たちの一人が、

――アキ子ノアノ字ハ――。

と、例の厭《いや》がらせの歌を突然口から出した。するとあき子は、

――アンポンタンノアノ字。

そう自分でその歌のあとを唄った。残りの子供たちは調子に乗って、こんどはみんなで口を揃えて唄い出した。

――アキ子ノアノ字ハ――。

すると、また、あき子は、

――アンポンタンノアノ字。

と、それに和して唄った。この時、洪作は何とも言えない一種異様な悲哀《ひあい》感に自分が

襲われているのを感じた。淋《さび》しいとか悲しいとか、そういった気持ではなかった。生きて行くことがひどくつまらないことではないかと言ったような、そんな無気力な悲しみであった。勿論《もちろん》こうした気持は、洪作にとっては初めてのものであった。洪作は、数人の子供たちのところへあき子を残したまま、自分だけ家の方へ向って歩き出した。いつまでもあき子の傍《そば》に居たい気持は強かったが、それよりも、そこにそうしていることのやり切れなさの方が一層強かったのである。

洪作はその夜、初めて思春期の少年としての、いろいろな感情を経験した。その中で一番はっきりしているものは〝後悔《こうかい》〟であった。あき子に言葉らしい言葉もかけず、彼女を夕焼雲と一緒に置き去りにしたことに対する烈しい後悔の思いであった。

二　章

十月も終りに近いある日のことである。二時間目の算術の授業時間中、洪作は窓外へ何となく眼を当てていた。急に冬でもやって来たような寒い北風の吹《ふ》いている日で、校庭を枯葉《かれは》や紙屑《かみくず》が風にあおられて舞っているのが見えていた。

そうしている時、洪作は校門をくぐって、校庭へはいって来るおぬい婆さんの姿を見た。初め洪作にはそれがおぬい婆さんだとは思えなかった。まるでひと摑《つか》みにでもできそうなひどく小柄《こがら》な老婆《ろうば》が、背を折り曲げて、地面を嘗《な》めるようにして歩いて来るのを見た時、変なたとえではあるが、まるで雑巾《ぞうきん》でもまるめたようなものが、風にあおられて、少しずつこちらに転がって来るように見えた。が、間もなくそれがおぬい婆さんの姿に他《ほか》ならぬのを知った時、洪作ははっと胸を衝《つ》かれた思いで、暫《しばら》くそのおぬい婆さんの姿から眼を離すことはできなかった。それははっきりと一人の老いさらばえた老婆の姿であった。

洪作は、いつおぬい婆さんはこのように小さくなってしまったのかと思った。平生土蔵の中で一緒《いっしょ》に暮していると、おぬい婆さんの老い込んだことは判《わか》らなかったが、たまたま距離《きょり》を置いて、教室の窓から眺《なが》めてみると、その老いた小さい姿は、洪作の眼にもはっきりとそのままの形で受け取られた。おぬい婆さんがなぜ学校へやって来たかは、洪作にはすぐ判った。おぬい婆さんは両手で自分の胸の中へ抱《だ》き込むようにして、洪作の羽織を持っていた。朝、家を出る時、おぬい婆さんは洪作に今日は寒いから羽織を着て行くようにと言ったが、洪作は他の生徒がまだ着ていないのに、自分だけ真っ先に羽織を着て登校するのは厭《いや》だった。そんなわけで洪作は羽織を着ないで家を出たのであるが、北風が烈《はげ》しく吹き始めたので、おぬい婆さんは洪作のことを心配して、学校まで羽織を届けにやって来る気持になったものと思われた。

おぬい婆さんがこのように洪作の忘れものや弁当などを学校へ届けにやって来たこと

は、これまでにも何回かあった。その度《たび》に洪作は堪《たま》らなく恥《は》ずかしい気持を味わわせられた。おぬい婆さんはそんな時いつも教員室へ行ったり、小使室に行ったりする労を省いて、真っ直ぐに教室の窓の下へやって来た。そして、

——洪ちゃや。

と洪作を呼ぶか、それでなければ、

——先生さんや。

と教師に直接声をかけた。その度に授業は中断され、暫くの間笑い声で教室は充《み》たされた。それでもまだ〝先生さんや〟と教師を呼ぶ時はよかったが、村から出ている教師の場合などだと、

——石屋の次男さんや。

とか、

——門野原《かどのはら》の小森の兄《あに》さんや。

とか、そんな呼び方をした。また洪作のことをも〝洪ちゃや〟と呼ぶ時もあれば〝うちの坊〟とか、〝おらの坊〟とか、そんな呼び方をする時もあった。

従って、洪作は校門をくぐって来るおぬい婆さんの姿を見つけると、いつもぞっと寒気が背筋を走る思いで、ひどく厄介《やっかい》なものが近づいて来る気持だった。村の大人たちがよく〝災難《さいなん》〟という言葉を使ったが、それはまさしく洪作にとっては、災難以外の何も

のでもなかった。徐々《じょじょ》に自分に近づいて来る災難を待つ思いで、洪作はいつもおぬい婆さんの姿に眼を当てていたものである。

しかし、その日、ひどく小さくなったおぬい婆さんが近寄って来るのを見ている時、洪作はいつものように災難が近寄って来るという思いは持たないで、何とも言えず頼りない不安なものが、ふらふらと風に吹かれてこちらに近づいて来るような気がした。洪作はそんなおぬい婆さんの姿から眼を離《はな》すことができなかった。一刻も眼を逸《そ》らすことができないようなものを、その時のおぬい婆さんの姿は持っていた。おぬい婆さんは教室の窓の下まで来ると、

——洪ちゃや。

と、いつものように声をかけて来た。教師がすぐ教壇《きょうだん》から降りて、窓のところへ行き、おぬい婆さんから羽織を受け取った。

洪作は教師から羽織を貰うと、すぐその場でそれを着た。いつもの洪作なら照れて、羽織をすぐ着るような芸当はできなかったが、その日の洪作にはこんなことは何でもないことだといった気持があった。自分でもそれと判るほど、緊迫《きんぱく》した烈《はげ》しいものが洪作の気持を貫《つらぬ》いていた。そうしたことが教室の空気に反映したのか、生徒たちはたれも笑わなかった。そしてそのまま授業は続けられた。洪作は羽織を着てからも、おぬい婆さんの背後姿から眼を離さないでいた。ひどく危っかしいものは、危っかしい動き方で校

門の方へと次第に小さくなって行った。おぬい婆さんの体の周囲を相変らず枯葉や紙屑が舞っているのが見えた。

こんなことがあってから、洪作はおぬい婆さんにはっきりと老いを感ずるようになった。村のどの老人よりも、おぬい婆さんは老いて見えた。

おぬい婆さんが、突然《とつぜん》、

「ばあちゃは一晩泊りで下田《しもだ》へ行って来るが、一晩だけ洪ちゃに上の家へ泊《とま》って貰《もら》わねばならぬ」

そんなことを言い出したのは、洪作が教室の窓からおぬい婆さんの姿を見てから十日ほど経《た》った頃《ころ》であった。

「用事で行くの？」

洪作が訊《き》くと、

「別に用事とてないが、寒くなると行けないから、いまのうちに行って来ようと思ってな」

おぬい婆さんは言った。おぬい婆さんの郷里は下田から一里程《ほど》離れた小さい漁村であった。おぬい婆さんの生家がいかなる家であるかは、彼女の周囲の誰もが殆《ほとん》ど知らなかった。洪作も、洪作の両親も、上の家の者もみんなそれについての詳《くわ》しい知識は持っていなかった。おぬい婆さんは洪作の曾祖《そうそ》父《ふ》の妾《めかけ》になると、自分と気の合っている二、三の近親者以外は、殆ど郷里の村の人たちとは交際を断ったと言ってよかった。湯ヶ島の土蔵へおぬい婆さんの親戚《しんせき》の者だという人が一、二回訪ねて来たことはあったが、しかし、おぬい婆さんは決してそうした人たちに親しげな顔は見せなかった。わたしはあんたたちとは他人だ、わたしはもうあんたたちとは何の関係もない人間だ、いつもそういった態度を示した。こうしたことから推量すると、おぬい婆さんの生家は貧しいのかも知れなかった。そしておぬい婆さんは曾祖父と関係ができた時、曾祖父の体面から言っても、また自分自身を守る方便から言っても、そうすることが一番いいことだと考えたのであろう。

おぬい婆さんは洪作以外の人の前では、自分の郷里である半島の突端《とったん》部の港町のことを一切語ることはなかった。何かの拍子《ひょうし》に下田の話が出ると、おぬい婆さんはいつも自分の方からそれを避《さ》ける態度を取った。しかし、洪作の前では、おぬい婆さんは気を許すのか、時に下田の町のことを話すことがあった。幼時、下田の港に外国船を見に行ったことや、異国の船員がのぞき眼鏡《めがね》（望遠鏡）を持って町を歩いていたことや、異国の船員と漁師が大喧嘩《おおげんか》したことや、下田の近くに鯨《くじら》が来て潮を吹いたことや、そういった幼い時の思い出話を気が向くと熱情をこめて話した。洪作はおぬい婆さんのそうした話を聞くのが好きだった。その話には、それがおぬい婆さんの体験であるだけに、実感がこめられてあって、他の話とは違《ちが》って何か強く洪作の心を惹《ひ》きつけるものがあった。

従って、洪作はおぬい婆さんが下田へ行くと突然言い出しても、それが少しも異様には感じられなかった。おぬい婆さんは娘の頃棄《す》てた郷里の土を、何十年かぶりで踏《ふ》んでみたくなったのに違いなかった。しかも、その下田という街へは湯ヶ島部落から毎日のように馬車が一回通っていた。天城峠《あまぎとうげ》を越えて、四時間程で、その町には到着《とうちゃく》でき、そう遠隔《えんかく》の地とは言えなかった。

「おれも一緒《いっしょ》に行ってはいかんか？」

洪作は言った。すると、おぬい婆さんは瞬間《しゅんかん》大きく眼を見張るようにして、

「洪ちゃも下田へ行きたいんか。それ、本当か」

と言った。この時のおぬい婆さんの複雑な表情は、おぬい婆さんがそれまでに一度も見せたことのないものであった。一瞬思いもかけなかった歓《よろこ》びが彼女を見舞ったとでもいったように、彼女は両手を膝《ひざ》の上に揃《そろ》えて置き、肩《かた》をがくんと落すと、

「あれさ、まあ。——洪ちゃが下田へ行きたいとさ」

と、嬉《うれ》しさを包みきれない顔で言った。しかし、すぐおぬい婆さんはその表情を変えて、

「いかんと、いかんと」

それと同時に首を大きく振《ふ》り、

「上の家のばあちゃやじいちゃが、おったまげてひっくり返ってしまうがな。それに学

校があろうが」

と、言った。

「日曜に行けばいい」

「それはそうじゃが」

「上の家へは湯ヶ野《ゆの》の湯へはいりに行くと言えばいいじゃないか」

「あれさ、知慧《ちえ》のある洪ちゃには敵《かな》わんと」

おぬい婆さんは大袈裟《おおげさ》な表情で呆《あき》れてみせてから、すぐこんどはしょげた顔になって、

「上の家のじいちゃが何でそんな口車《くちぐるま》に乗るものか」

と、ひとり言のように低い声で言った。洪作は下田の町を見たいことも見たかったが、ただそれだけで下田行きを希望したわけではなかった。何となくおぬい婆さんの傍《そば》について いてやらないと心配になるものを感じたからであった。

その晩、おぬい婆さんは夕食後一人で上の家へ出掛《か》けて行き、遅《おそ》くなって帰って来た。どういう話をしたのか判《わか》らなかったが、帰ってくると、

「洪ちゃ、下田行きは決ったぞ。どういう風の吹き廻《まわ》しか、じいちゃも行って来なされと言うてくれるし、ばあちゃもそれは結構じゃと言うてくれた」

と、おぬい婆さんは言った。さすがに嬉しそうであった。

「おれも行けるんか」

洪作が訊くと、

「洪ちゃが行きたいと言えば、どこへでも行ける。誰が留め得ようぞ。洪ちゃはもうそれだけの威厳《いげん》持っとる」

おぬい婆さんは言った。


土曜日に洪作は授業を一時間早退《び》けして、十一時におぬい婆さんと二人で駐車場《ちゅうしゃじょう》へ行って下田行きの馬車を待った。上の家からは祖母のたね一人が見送りに来た。下田でなくよそへ行く場合は、おぬい婆さんがそのことを近所に触《ふ》れ廻《まわ》るので、多勢の者が駐車場まで見送りに来たが、こんどはどこへも言わなかったものと見えて、見送りは祖母のたね一人だった。

おぬい婆さんは小さい風呂敷《ふろしき》包み以外荷物らしいものは何も持っていなかった。他人の思惑《おもわく》を考えて、おぬい婆さんは土産《みやげ》ものを携《たずさ》えて郷里へ帰るということを避《さ》けたのに違《ちが》いなかった。そうしたおぬい婆さんの気持は、洪作にも判らぬでもなかった。修善寺《しゅぜんじ》とは反対の下田の方へ行く馬車に乗るのは勿論《もちろん》初めてではあったし、御者《ぎょしゃ》が湯ヶ島部落の者でなく天城山の向う側の奥伊豆の人であることも、洪作には何となく見知らぬところへの旅立ちを思わせた。

「では、お元気で行ってお出でなさいまし。洪ちゃも充分《じゅうぶん》気をつけてな」

祖母は二人を大旅行にでも出る者のように送った。馬車は湯ヶ島部落を出ると、大きく揺《ゆ》れ動いた。道路は、修善寺の方へ行く道とは比較《ひかく》にならぬほど荒《あ》れていた。峠附近《とうげふきん》までは、洪作には親しい道であった。神かくしに遇《あ》いそこねたのもこの道であったし、さき子の葬式《そうしき》の日、峠まで強行軍をしたのもこの道であった。馬車は新田《しんでん》部落を過ぎると、杉木立《すぎこだち》の中の道を走り、それから峠への坂道をのろのろと上って行った。峠まではずっと上りなので、馬は苦しそうであった。

馬車が天城峠に近づくと、洪作はさき子の葬式の日、幸夫たちとみんなでさき子から教わった唱歌を唄《うた》って、この同じ下田街道を歩いて行ったことを思い出した。その時からいつか二年の歳月が経《た》っていた。その頃《ころ》は人間の死というものが、どういうものかはっきりとは判らず、さき子がこの世の中から姿を消したということが、半ば信じられぬ気持であったが、いまの洪作はそれを彼《かれ》なりの理解の仕方で理解していた。

さき子は、あの日以来、自分とは反対の方向へ歩き出したのだ。自分はもう決してさき子と会うことはなく、さき子と自分との距離《きょり》は刻一刻大きくなって行くだけなのだ。さき子はもう随分《ずいぶん》遠くへ行ってしまったが、これからはもっともっと遠くへ行ってしまうだろう。こういうことが死というものなのだ。

洪作は馬車に揺られながら、さき子の顔を思い浮《う》かべてみようとした。しかし、思い浮かべようとすると、さき子の顔はどうしても思い浮かんで来なかった。人間というものは死んでしまうと、その印象は次第次第に薄《うす》らいで行き、しまいにはたれももう思い出そうともしないし、また思い出そうとしても、思い出されて来なくなるのであろう。

洪作は初めて天城を越えて自分の知らぬ他国へ行くという旅情で、気持はすっかり濡《ぬ》れたようになり、そうした旅情の中で若くして逝《い》った優《やさ》しい叔母《おば》のことを考えていた。

馬車は峠で停《とま》った。洪作とおぬい婆さんは馬車から降りた。御者のおっさんも御者台から降りて、道端《みちばた》に屈《かが》み込んで煙草《たばこ》を吸った。

「やれ、やれ、がた馬車とはよく言ったもんだ。がたがた揺れ詰めじゃが」

おぬい婆さんは言って、

「馬車より、この方がどんなにかいい心地じゃ」

と、ぺたんと路傍《ろぼう》の草の上に坐《すわ》った。畳《たたみ》の上にでも坐るような坐り方だった。

「洪ちゃも坐ってごらん。気持がいいこっちゃ」

おぬい婆さんは言ったが、洪作は馬車の停ったところから半丁程上手《かみて》にあるトンネルの方へ一人で歩いて行った。洪作たちはトンネルをトンネルとは呼ばず、〝ずいどう〟と呼んでいた。

天城峠のずいどうは、洪作たちには何とも言えず魅力《みりょく》のあるものだった。湯ヶ島部落から峠までは二里近くあったが、ずいどうを見に行くというと、子供たちはその遠さを忘れて、いつもそこまで行ってみようという気になったものであった。洪作はずいどうの入口まで行くと、そこに立って内部を覗《のぞ》いた。ずいどうは石で畳《たた》んであるところも、地肌《じはだ》のむき出しになっているところもあり、三十メートル程の長さの間、天井からはずっと水が滴《したた》り落ちていた。そのためにずいどうの中の地面は湿《しめ》っていて、ところどころに水溜《みずたま》りがあった。

洪作が立っている入口とは反対側の向うの出口は、洪作のところからは半月状をなして見え、その半月の中に小さい他国の風景が嵌《は》めこまれてあった。峠のこのずいどうを境にして、こちらは田方郡であり、向うは賀茂郡であった。洪作には半月状に切り取られた賀茂郡の風景が、こちらのそれとはまるで違《ちが》って、妙《みよう》に生き生きとした新鮮《しんせん》なものに見えた。

馬車がやって来ると、洪作は再びそれに乗った。馬車がひんやりしたずいどうを抜《ぬ》けて賀茂郡へ一歩踏《ふ》み込むと、洪作の胸はある感動で大きくふくらんだ。もうさき子の事は思わなかった。思う暇《ひま》がなかった。馬車はいまや他国の風景の中を、南伊豆を、天城の向う側を、やはりある感動で身ぶるいしながら走っていた。峠から道は下りになっていて、深い渓谷を絶えず右手に見降しながら、山裾《やますそ》に沿った折れ曲った道を、馬は慣れた足つきで、あるところはゆるく、あるところは早く走っていた。

馬車は湯ヶ野という小さい温泉部落へはいった。湯ヶ野という名前は洪作には親しいものであった。峠を越えた向う側の最初の部落であるということで、村の大人たちの口からはたえずその名が出ていた。

「鍛冶屋《かじや》の嫁《よめ》っ子と、車夫のおかねさんとこの嫁っ子はこの村から来ている。な、そうだろうが」

おぬい婆さんが言うと、

「反対に辰さんとこの末っ子は、ここの菓子屋の総領のとこへ来とる。去年、双生児《ふたご》を生んだ」

御者のおっさんは言った。

「双生児をな、あれ、まあ」

おぬい婆さんは素直に呆《あき》れてみせた。

湯ヶ野部落は湯ヶ島よりずっと家数が少かった。家数が少いということで洪作は何となく吻《ほっ》としたものを感じた。湯ヶ野部落のあるあたりから道は平坦《へいたん》になり、川に沿って小さい部落が点々と見えた。おぬい婆さんは、その幾《いく》つかを知っていて、それを一つ一つ洪作のために説明した。大抵《たいてい》、この部落には何とかいう旧家があった筈《はず》だとか、何とかいう物持ちの家があったが、いまは潰《つぶ》れてしまったらしいとか、そういった話であった。そうした話に何の興味も感じなかったので、洪作はろくに聞いていなかったが、おぬい婆さんは、洪作にはお構いなしに話し続けた。誰が聞いていなくても、話すだけは話すといった態度で、まるでひとり言でも言っているように言葉を口から出していた。

洪作の眼《め》にはおぬい婆さんが少し異様に見えた。自分の生れ故郷へ近づいて来たので、おぬい婆さんは懐《なつか》しさの余り気持を昂《たか》ぶらせているのかも知れなかった。

南伊豆は、湯ヶ島のある北伊豆に較《くら》べると、ずっと明るかった。どこの農家にも蜜柑《みかん》の木があって、少し黄ばみかけた蜜柑が枝《えだ》も折れそうに沢山《たくさん》なっていた。大抵前庭には菊《きく》が作られてあり、石垣《いしがき》の石組みの間からは黄色の花がこぼれ落ちそうに顔を覗《のぞ》かせていた。部落部落の子供たちは、湯ヶ島の子供たちよりももっと意地が悪そうだった。

時々、馬車に向って石を投げつける子供があった。石が飛んで来ると、御者のおっさんは馬を停め、子供の方へ向って、鞭《むち》を鳴らし、

「このろくでなしのがきどもめ！　家へ帰って母ちゃんに、もうちっとましながきを作るように言いな」

そんなことを怒鳴《どな》った。子供たちは蜘蛛《くも》の子を散らすように逃《に》げた。

馬車が半島の突端《とったん》の町の下田へ着いたのは二時頃《ごろ》であった。三島や沼津に較べると、ずっと小さかったが、それでも洪作の眼には充分賑《にぎや》かな都会に見えた。家々の屋根は重なり合っていて、道の両側に店舗《てんぽ》は続いていた。馬車はそうした街中《まちなか》を走った。荒《あら》く波立っている海の一部が、路地路地の向うに覗かれた。海は洪作の知っているいかなる海よりも青かった。

おぬい婆さんは、昔曾祖父の存命中何回か来て泊《とま》ったことがあるという古い旅館の前

で、馬車を停めて貰《もら》い、そこで降りた。宿《やど》は主人が亡《な》くなって息子《むすこ》の代になっており、そのためにたれもおぬい婆さんを知っていなかった。おぬい婆さんはそのことに多少腹を立て、

「あの主人が死んでは、もうこの家もおしまいじゃ」

そんなことを言った。しかし、洪作には宿は充分満足だった。二階の座敷《ざしき》に坐ると、港湾が一望のもとに見渡《みわた》すことができ、潮の匂《にお》いのする風が絶えず吹《ふ》き通っていた。遅《おそ》い昼食を摂《と》った。湯ヶ島の暗い土蔵の中とは違って、海の見える座敷で摂る食事は洪作には素晴《すば》らしく思われた。

昼食をすますと、おぬい婆さんは馬車の疲《つか》れを休めるために午睡《ひるね》をすることになり、洪作は宿の同年の少年に連れられて舟《ふね》を見に港へ行った。宿の少年は見るからにひよわな色の白い温和《おとな》しい少年だった。きちんとした言葉を使い、驚《おどろ》くほどはきはきしていた。学校の成績を訊《き》いてみると、一番だということだった。洪作は自分は恐《おそ》らく何をやってもこの少年には及《およ》ばないだろうと思った。何を喋《しゃべ》っても、洪作より正確な知識を持っており、喋り方は整然としていた。

洪作には下田の街は生き生きとして見えた。海が絶えず波立ち揺れているように町も揺れていた。海に沿った道には絶えずどこかで荷車が動いており、着物を膝《ひざ》ったけに着た若い男女が忙《いそが》しそうに走り廻《まわ》っているのが見られた。

宿の少年とそこらを歩き廻っていると、いつか夕暮がやって来た。海にだけ明るさを残して、夕闇《ゆうやみ》は街を包んだ。

夜、洪作は階下の帳場で、宿の少年と一緒《いっしょ》に机に対《むか》った。宿の少年が勉強するというので、それにつきあってやった恰好《かっこう》であった。勉強が終ると、洪作は二階の座敷に、おぬい婆さんと並《なら》んで床《とこ》を敷《し》いて貰って寝《ね》た。夜半に二回眼を覚したが、眼を覚す度《たび》に、枕《まくら》から頭を上げて、波の寄せる音を聞いた。

翌日は、洪作は朝早く起された。洪作が起きた時、おぬい婆さんは海に面した縁側《えんがわ》に坐って、梅干《うめぼし》をつまみながらお茶を飲んでいた。着物の襟《えり》に白いハンケチをかぶせて、身を前に屈《かが》めているおぬい婆さんの姿は、洪作の眼にはまた一層老いて見えた。朝食をすますと、すぐ宿の近くの駐車場から馬車に乗った。町の家並みを抜けると、馬車はすぐ海に沿った道を走った。

一時間程で、おぬい婆さんの生れたという村へ着いた。小さい入江を抱《かか》えた小さい漁村だった。

「ばあちゃ、ここで生れたの？」

馬車から降りると、すぐ洪作は訊《き》いた。

「そうじゃ、でも、もう家はなくなっとる」

おぬい婆さんは言った。

「これからどこへ行くの？」

「そうじゃな」

おぬい婆さんはちょっと考えるようにしていたが、

「どこぞへ行って、洪ちゃに港を見せて上げよう」

と言った。

「どこか知ってる人の家へ行くんじゃないのか」

洪作が言うと、

「洪ちゃが行きたくば連れて行って上げよう。行きたくなくばやめにしよう」

おぬい婆さんは言った。

「じゃ、やめとこう」

洪作は言った。何となく、その時洪作はおぬい婆さんが、知人や親戚《しんせき》の家を訪ねる気持を失《な》くしているように思われたのであった。

「親戚はあるんか」

「あるにはあるが代《だい》が替《かわ》っているでのう」

それから洪作はおぬい婆さんに連れられて、部落を横切ると、海を見降せる小高《こだか》い丘《おか》へと上って行った。部落の人たちはおぬい婆さんと擦《す》れ違《ちが》うと、例外なく好奇《こうき》の視線を当てたが、たれもおぬい婆さんに声をかけて来る者はなかった。そうしたところから考えると、実際におぬい婆さんは知人らしい知人は持っていないのかも知れなかった。

「よいとこしょ、よいとこしょ」

おぬい婆さんは一歩一歩足を運ぶために口からかけ声を出した。丘といっても蜜柑《みかん》の木の植わっている小さい丘で、五分程、細いだらだら坂を上って行くだけの話だったが、洪作はおぬい婆さんのために何回も休んでやった。

丘の上には小さい神社があった。その境内《けいだい》に足を踏《ふ》み入れると、部落の小さい入江が眼下に見降すことができた。

「たんと舟がいるな」

洪作は思わず口に出して言った。それほどその小さい入江は大小の舟で埋《う》まっていた。しかもどの舟も幟《のぼり》と旗で飾《かざ》られてあった。洪作は何か夢《ゆめ》でも見ているような気持だった。入江は波立ち、舟は揺れ動いていたが、しかし、その情景は洪作には一枚の絵でも見ているように、ひどく静かなものに思われた。

「遠くの漁へ出て行く舟じゃが」

おぬい婆さんは言った。そして、

「なんときれいなこっちゃろ」

と言うと、あとは彼女《かのじょ》もまた、そうする以外仕方ないといった風に、視線を舟で埋まっている入江の上に落していた。どの舟でも酒宴《しゅえん》が開かれているらしく、時折風に乗って、多勢の人の唄声《うたごえ》や笑い声や叫《さけ》び声が大きく聞えて来たが、風向《かざむ》きが変ると、しんとして何も聞えなかった。

「ばあちゃの家はどこにある？」

洪作が訊くと、

「ばかもんの嫁が火を出して焼いてしまった。が、あっても森の蔭《かげ》になってここからは見えん」

「大きな家だった？」

「なんの。ちいちゃな、ちいちゃな家だった。背戸《せど》に大きな椎《しい》の木があってな、家に似合わぬ大きな木があったんで、それで、その木に敗《ま》けて、家は潰《つぶ》れてしまった」

おぬい婆さんは言った。おぬい婆さんは駐車場の傍の店で蜜柑を買って来てあったので、それを二人が腰を降している間に置いた。蜜柑はまだ青い部分の方が多かったが、しかし、皮をむいて口に運んでみると、意外に甘かった。

「ばあちゃは小さい時、蜜柑をあんまり沢山食べて、からだ中黄色くなったことがある」

おぬい婆さんは蜜柑の皮をむきながらそんなことを話した。入江は依然《いぜん》として静かだった。舟の上の騒擾《そうじょう》は時折聞えて来たが、それが聞えても、なお入江は静かな感じだった。

「ここにこうしていると睡《ねむ》くなってしまうがな」

おぬい婆さんは倦《あ》かず入江を見降していた。洪作にも玩具《おもちゃ》のような舟をいっぱい浮かべている入江は、いつまで見ていても倦きることのない眺《なが》めであった。二十分程、二人はそこにそうしていて、それから丘を降り、さっき馬車を棄《す》てた駐車場へと戻《もど》った。馬車はかなり頻繁《ひんぱん》に発着しているらしく、二人は余り待たされないで、下田行きの馬車に乗り込むことができた。

下田へ着くと、旅館で昼食を食べ、湯ヶ島行きの馬車に乗り込んだ。宿の少年は駐車場まで送って来てくれた。洪作にとって、この下田行きは最初の旅らしい旅であった。豊橋の父母の許《もと》へ帰る時には旅といった気持は湧《わ》かなかったが、この下田行きは、初めから終りまで旅らしいものであった。

洪作は湯ヶ島へ戻ると、下田の宿の少年に手紙を書いた。豊橋の両親には毎月のように、おぬい婆さんの代筆をして手紙を出していたが、両親以外の者に手紙を出すのは初めてであった。

宿の少年からは折り返して返事が来た。下田の港の絵を書いて、その余白にきちんとした字で、いつか湯ヶ島へ訪ねて行くかも知れぬ、その時はよろしくといったことが認《したた》められてあった。洪作がその葉書をおぬい婆さんに見せると、

「洪ちゃの方が、ずっと字はうまい。くらべものにならんがな」

そうおぬい婆さんは言った。しかし、洪作は下田で一度感じたように、この場合も、自分はこの少年には何をやっても及ばないだろうと思った。

十一月の初めの日曜日の朝に、門野原の石守家の次男の唐平が土蔵へやって来た。僅《わず》か洪作は自分とは従兄弟《いとこ》同士であるこの少年にもう二年ほど顔を合わせていなかった。一里そこそこしか離《はな》れていないところに住んでいながら、殆《ほと》ど顔を合わせる機会を持たなかった。小学校が違《ちが》うということが一番大きい原因であったが、それにしても親戚《しんせき》の間柄《あいだがら》であるので、もっと往来していい筈《はず》であった。しかし、洪作は石守家が伯父の家というより、気難しい校長の家といった感じの方が強く、向うから呼び出しがかからない限り、こちらから父の実家へ出掛《か》けて行くことはなかった。

洪作がそのように石守家を敬遠しているところへ、石守家の方は石守家の方で、その全員が交際嫌《ぎら》いで知られていた。伯父の校長も用事のない口は一切きかないことで有名であったし、おはぐろで歯を黒く染めている伯母も、決して悪い人ではなかったが、世間嫌いな我《わ》が儘《まま》者で通っていた。そうした伯父伯母の間にできた子供たちも、洪作には何となく親しみにくいものを持っているように思われていた。次男の唐平は洪作とは同年であり、そんなことから絶えず洪作は唐平という少年の存在は意識していたが、しかし、好感は持っていなかった。

と言うのは、三年ほど前、洪作は伯父に連れられて一晩泊《どま》りの予定で石守家へ行き、間もなく逃《に》げ帰って来たことがあったが、その折石守家で見た唐平の印象は決していいものではなかった。伯母が洪ちゃと遊んでやんなさいと言うと、唐平ははっきりとそれを拒否《きよひ》し、うさん臭《くさ》そうに洪作の方をねめつけたが、その時の唐平の顔を洪作はいまも忘れてはいなかった。唐平はその時伯母の命令でどこからか西瓜《すいか》を抱《かか》えて来ていたが、自分の顔ほどある大きな西瓜を両手で抱《だ》きしめ、いいものを持っているだろう、だが、これはお前にはやらないぞ、というように、洪作の顔と、自分の腕《うで》の中の西瓜とを見較《くら》べていた、そんなところは小憎《こにく》らしかった。

それ以後、洪作は一度《いちど》も石守家を訪ねていなかった。伯父伯母の方も、また逃げ帰りでもされたら面倒臭《めんどうくさ》いと思ったのか、洪作は再び泊りがけで遊びに来るようにという言葉を校長の口から聞くことはなかった。

そういう状態であったところへ、突然《とつぜん》唐平はひとりで土蔵へ洪作を訪ねて来たのであった。おぬい婆さんが、

「洪ちゃ、門野原の唐ちゃが見えたぞ」

そう階下から呼んだ時、洪作は不思議なものが舞《ま》い込《こ》んで来たといった気持だった。あの意地の悪い少年がどういう風《ふ》の吹き廻《まわ》しで自分を訪ねて来たのだろう。そんな興味もあって、洪作は階段を駈《か》け降りて行った。土蔵の前に、自分と丁度同じぐらいの背丈《せたけ》

の少年が、棒縞《ぼうじま》の着物を着て、横の方を向いて立っていた。

「唐ちゃ」

洪作は儀礼的《ぎれいてき》に自分の方から声をかけた。すると唐平は初めて洪作の方へ顔を向けたが、ひどくはにかんで口の中で何かぶつぶつ言った。何を言っているかよく聞き取れなかった。洪作は近寄って行って、

「上らん？　唐ちゃ」

と言った。すると唐平は、

「これから棚場《たなば》のじいちゃんのところへ行くべえ。父ちゃんが洪ちゃと一緒《いっしょ》に行って来いって」

そう言った。そしてまた彼《かれ》は横を向いた。無愛想《ぶあいそう》に横を向くところは何《なん》となく父親の石守森之進に似ていた。

棚場のじいちゃんと言うのは、森之進や洪作の父の父親で、洪作や唐平にとっては祖父に当る人物であった。名前は石守林太郎と言った。洪作はこの祖父にはどこかで一、二度会った記憶《きおく》はあったが、話をしたことも、また自分の祖父だという気持を持ったこともなかった。彼は若い時から椎茸《しいたけ》の栽培《さいばい》の研究に従事し、その方面ではいろいろな仕事をしていて、椎茸伝習所という私塾《しじゅく》のようなものを開いて、近隣《きんりん》の若者たちに椎茸の栽培法を教えたり、また「椎茸の作り方」という書物を出して、それを頒布《はんぷ》したりして

いた。近隣の人たちは〝椎茸爺さん〟という呼び方で彼を呼び、半ば変人扱《あつか》いにし、半ば自分たちとは何か違《ちが》った考えを持った人間として尊敬もしていた。

石守林太郎の名前は伊豆地方より寧《むし》ろ昔《むかし》から椎茸の産地として知られている九州の各地や伊勢方面に知られているようであった。そんなわけで彼が以前に天城の山懐《ふところ》に作っていた椎茸伝習所には、伊豆の青年ばかりでなく、九州を初め全国各地からやって来る若者も混《まじ》っていたということだった。洪作は学校で受持の教師から、林太郎が椎茸の榾木《ほた》の排列《はいれつ》方法を改良し、その乾燥《かんそう》法、貯蔵法も改良して、洪作の生れる八年前の明治三十二年に農商務大臣から功労賞を貰《もら》ったということを聞かされたことがあった。

洪作は教師の口から自分の祖父について聞かされたわけであったが、その人物が自分の祖父だという気持は全然持たなかった。林太郎は棚場という湯ヶ島から二里程《ほど》離れた天城山中に小屋を建ててそこに住んでいた。現在は椎茸伝習所は閉じて、村の青年を一人使って、専《もっぱ》ら自分の研究に没頭《ぼっとう》していた。勿論《もちろん》七十歳を越えている老人であった。

唐平はその天城山中に住んでいる祖父のところへ、何か連絡《れんらく》することを父親から命じられ、一人で行かないで洪作を誘《さそ》って一緒に行くように言われたものらしかった。突然そのような話を持ち出されても、洪作としては甚《はなは》だ迷惑《めいわく》だった。余り親しくもない唐平とそんな山奥へ出かけて行っても面白《おもしろ》いことはなかったし、また相手の林太郎に対しても、祖父ではあったが、特別な親しい感情は持っていなかった。

「おら、いやだな」

洪作が言うと、

「父ちゃが行って来いって」

唐平は言った。

「だって、いやだもの」

また洪作は言ったが、

「父ちゃが行って来いって」

また同じ言葉を、それが至上命令であるかのように唐平は口から出した。

「伯父ちゃんが、ほんとに言ってたか」

「言ってたさ。そして棚場へ行ってじいちゃんに会ったことを綴方《つづりかた》に書いて出しなさいって」

「おれが書いて出すんか」

「うん」

こうなると、伯父の命令と言うより、学校の校長の命令として受け取る以外仕方なかった。

「じゃ、行く」

洪作は言った。少しも行きたいことはなかったが、校長の命令とあれば已《や》むを得なかった。
洪作は棚場行きのことをおぬい婆さんに報《しら》せて、握《にぎ》り飯を作って貰った。おぬい婆さんは棚場などというところへ子供二人だけ使いに出す森之進の気持が判《わか》らないと言って、いろいろと非難めいた口吻《こうふん》を洩《も》らしていたが、おぬい婆さんもまた森之進の命令とあれば、それに服す以外仕方ないという気持を持ったようであった。

洪作は唐平と一緒に狩野川の支流である猫越川《ねっこがわ》に沿った道を上流へ上流へと溯《さかのぼ》って行った。猫越川は猫越峠の方から流れて来ている川で、この川の上流に持越《もちこし》という部落があった。持越は上狩野村では一番山奥の部落で、小学校の分校があった。従って持越は同じ村にある部落ではあったが、洪作たちはいつも、そこが他村であるような気がしていた。持越の子供たちは尋常科《じんじょうか》の間はそこの分校に通い、高等科に進学すると初めて湯ヶ島の小学校へはいって来た。

祖父の林太郎の住んでいる棚場はその持越から更に半里ほど山へはいったところにあって、字《あざ》の名というより、山中の地名であるといった方が当っていた。山仕事をする人たちの小屋が一、二軒《けん》あって、そこに林太郎もまた小さい家を作って住んでいた。椎茸を作るにはその付近が一番よく、そんなところから林太郎はそこに住むことになったらしく、伝習所というのもまたそこに作られてあったのである。洪作は学校の遠足で持越

へは二、三度行ったことがあった。湯ヶ島の宿部落を出て、三、四十分経《た》つと、唐平は、

「遠いんだな。こんな遠いところとは思わなかった」

と言った。そしてあとは何回となくその同じ言葉を繰《く》り返した。洪作は唐平がひどく足の弱いことを知った。少し歩くと、唐平はすぐ休みたがった。洪作はそんな唐平を内心軽蔑《けいべつ》し、自分の方がずっと強いと思った。

二人は持越と湯ヶ島のほぼ中間と思われるところで弁当を食べた。弁当を食べる時刻には早かったが、唐平が弁当の包みを開いたので、洪作もまた、おぬい婆さんが作ってくれた握り飯を取り出した。弁当を食べ終ると、唐平は元気が出てどんどん歩き出したが、洪作の方は家を出る時おろした新しい藁草履《わらぞうり》が足に合わないのか、足の裏が痛くなって歩きにくかった。洪作は唐平に時々休んでくれと言ったが、唐平の方はそんなことは受け付けないで、自分だけさっさと歩いて行った。

唐平との間にかなりの開きができたが、洪作は自分だけあとの方から歩いて行く以外仕方なかった。洪作はびっこを引いて歩きながら、さっき唐平に同情して時々休んでやったことを後悔《こうかい》した。一緒に休んだりしてやらずに、自分だけどんどん先を歩いて行けばよかったと思った。洪作がひとりで歩いて行くと、唐平は杉林の入口で、路傍《ろぼう》の材木に腰を降して休んでいたが、洪作の顔を見ると、

「横腹が痛くなった！」

と訴《うった》えた。洪作は同情しなかった。唐平の前を黙《だま》って歩き抜《ぬ》けて行った。

「洪ちゃ！」

うしろで唐平の声が聞えたが、しかし、洪作はうしろを振《ふ》り向かなかった。洪作はいつか自分でも知らぬうちに足を早めていた。相変らず足の裏は痛かったが、洪作は我慢《がまん》して歩いて行った。暫《しばら》くすると、洪作は自分もまた横腹が痛み始めているのを感じた。洪作は路傍に屈《かが》み込んだ。やがて洪作は自分の前を歩いて行く唐平の姿を見た。洪作も声をかけなかったが、唐平の方も全く洪作を無視していた。畜生《ちくしょう》め！　そんな気持で、洪作は自分を追い越して行く唐平の方を睨《にら》みつけていた。

二人は、それぞれ一人ずつ別々に持越の部落へはいった。文字通りの山懐《ふとこ》ろに二十軒程の農家が散らばっていた。持越には洪作の父や唐平の父の姉に当る人物が嫁《とつ》いでいる家があった。つまり洪作や唐平にとっては伯母に当る女性がこの山奥の小さい部落には住んでいた。部落では一番古い農家だということであった。洪作はそうした家のあることは知っていたが、それがどこであるか知らなかったし、またその伯母にも会った記憶はなかった。洪作は持越の部落へはいって、ここから棚場へ行く道をたれかに教わらなければならぬと思った。

洪作は部落の真ん中にある火見櫓《ひのみやぐら》の横を歩いて行く時、うしろの方で、

「洪ちゃ、洪ちゃ」

と自分を呼ぶ声を耳にした。振り返ってみると、五十ぐらいの女の人がうしろから小《こ》走《ば》りに追いかけて来るのが見えた。洪作はその女性を見た時、すぐこれが伯母だと思った。それほどその女性は、石守家一門の人々の特徴《とくちょう》を具《そな》えていた。背の高い細い体つき、無愛想な物の言い方、しかし何となく優《やさ》しく思われる眼眸《まなざし》。

「いま唐平が家に来ている。洪ちゃもひと休みして行かっしゃれ」

伯母はそんなことを言った。洪作は伯母のあとに従って、田圃《たんぼ》の中のだらだら坂を上って、その家へ行った。生垣《いけがき》の廻った前庭の広い農家だった。

唐平はそこの縁側《えんがわ》に腰を降して柿《かき》を食べていた。洪作もまた初めて訪ねた親戚の家で、柿を御馳走《ごちそう》になった。唐平は七つ、洪作は四つ食べた。

三十分程休んで、洪作と唐平は伯母の家を辞して、棚場へ向った。途中まで伯母が送ってくれた。持越部落を出ると、道は山へはいっていた。熊笹《くまざさ》に覆《おお》われた細い道であった。洪作と唐平は口をきかなかったが、こんどは離れることなく、一緒になって同じ歩調で歩いた。山道になったので、二人ともひとりで歩くのは心細かった。洪作が先になったり、唐平が先になったりした。

洪作は門野原の家を離れて、このような山奥にひとりで住んでいる祖父に何となく常人ばなれしたものを感じ始めていた。これまで祖父林太郎のことなど一度も考えてみたことはなかったが、いまそこを訪ねて行こうとして熊笹の道を歩いていると、一体祖父林太郎はいかなる人物なのであろうかと思った。

唐平が足を停めると、洪作も足を停めた。また反対に洪作が足を停めると、唐平も足を停めた。何回目かに二人が足を停めて、ゆるいだらだら坂の中途でひと息入れている時、あたりの雑木林《ぞうきばやし》にこだまして木を切る音が響《ひび》いて来た。

「あれは、祖父《じい》ちゃんが木を切ってる音だ」

唐平は言った。

「本当か」

「祖父ちゃんでなかったら、祖父ちゃんのとこにいる粂《くめ》さんという人が木を切ってるんだ」

唐平は言った。

「ここへ来たことあるんか」

洪作が聞くと、

「あるさ。前に吉奈の山を越えて来たことがある」

唐平は言って、それからまた歩き出した。祖父林太郎の住んでいる家が眼にはいって来た時、洪作はよくもこんな淋《さび》しいところにひとりで住んでいられるものだと思った。その家の周囲はすっかり雑木林で埋《う》まっていて、足を停めると、どこか近くを流れている小川の音が聞えるほか何も聞えて来なかった。そして山間の冷気が周囲から立ち上っ

て来る感じだった。その家の前へ立つと、

「じいちゃん」

唐平は呼んだが、内部からは何の応答もなかった。二人はその家の周囲をぐるりと廻ってみた。家といっても、掘立《ほったて》小屋といった方がふさわしい小さい家だった。それでも横手へ廻ると、小さい縁がついていて、その縁側からのぞくと、四畳半《よじょうはん》ほどの部屋がふたつあって、奥の部屋に囲炉裡《いろり》が切られ、食器が棚の上にきちんと並《なら》べられてあるのが見えた。こちらの部屋には勉強机が一つ置かれ、壁《かべ》には、これもまたきちんとした感じで何着かの仕事着が掛けられてあった。洪作はこれまでに、このように簡単な、このように整頓《せいとん》された家を見たことはなかった。

洪作と唐平はそこの小さい縁側に腰を降して祖父林太郎が帰って来るのを待った。縁側の前にある猫《ねこ》の額ほどの庭には黄色の菊が咲《さ》いていた。

洪作は妙にしんとした気持になってそこに腰を降していた。家の前面を覆っている雑木林はすっかり紅葉していた。葉は既《すで》に散り始めて、梢《こずえ》が半ば透《す》いてみえていた。やがて遠からず葉一枚ない裸木の林がここからは眺められる筈《はず》であった。

洪作は傍に唐平が居ることも忘れ、妙に淋しい自分一人の思いの中にはいっていた。やがて葉は一枚一枚落ちて行くだろう。そしてすっかり葉がなくなった時、冬はやって来るだろう。冬がやって来た時、一枚の葉もなくなった木々は身を固くして、寒さに耐《た》えるだろう。そんな木々と同じような生活を、自分の祖父はここでしているのだ。自分などの知らなかった孤独《こどく》な生活がある。そしてその孤独な生活を自分の祖父は自分に課しているのだ。

「じいちゃんを探して来る」

唐平は縁側から立ち上って、どこかへ出て行ったが、洪作は縁側から動かないでいた。動きたくない気持があった。十五分程すると、唐平は祖父林太郎と一緒に戻って来た。

祖父の顔を見た時、洪作はこれが祖父だったかと思った。いつのことか忘れたが、とにかくどこかで会ったことのある人物であった。瘦《や》せた老人は、粗末な仕事着を身につけて、少し腰を折った姿勢ではいって来た。

「洪か、よく来たな」

祖父は眼を細めた優しい表情をして、静かな声で言った。洪作は黙って頭を下げた。祖父は改めて頭のてっぺんから爪先《つまさき》まで見廻すようにして、

「大きくなったな。唐とどっちが大きいかな」

と言った。

「同じくらいです」

洪作が少し緊張《きんちょう》して答えると、祖父はもうそのことからは思いを移している風で、

「どれ、椎茸飯でも御馳走することにするかな。――どっこいしょ」

そんなことを言って、台所の方へ廻って行った。唐平がここへ来る途中言ったように、粂さんという青年が祖父林太郎と一緒に住んでいた。粂さんが姿を現すと、洪作と唐平はその青年に連れられて、椎茸の榾木《ほたぎ》が並んでいるところへ連れて行かれた。

「こういう榾木の並べ方を合掌式《がっしょう》と言うんだ。あんたっちの祖父《じい》ちゃが発明した並べ方だ」

粂さんは説明した。

「どうしてこんな並べ方をするの？」

洪作は訊いてみた。

「古いやり方だと、風通しが悪くて、椎茸がよく生えないんだ。あんたっちのじいちゃんが教えてやったので、いまは九州でもみんな合掌式だそうだ」

それからまた粂さんは言った。

「木干し法って言ってな。このほた木につけたままで椎茸を乾燥させるのも、じいちゃんが発明したんじゃ。椎茸を外国に初めて輸出したのも、あんたっちのじいちゃんだぞ。その輸出も、木干し法が発明されたんでできたことだ」

そうした話は、学校の教師の口から聞いたことはあったが、いま粂さんの口から聞くと、全く違ったものに聞えた。洪作は榾木が一面に並んでいる場所を倦《あ》かず眺めていた。榾木などそれまで美しいとは思わなかったが、木の間から洩《も》れている弱い秋の陽《ひ》を浴びているここの梢木は、何とも言えず美しく見えた。

家へ帰ると、林太郎は囲炉裡の傍に坐って、みんなの帰るのを待っていた。釜《かま》には椎茸飯が炊《た》かれてあり、祖父はその釜から直接に四つの茶碗《ちゃわん》へその飯を移した。林太郎は食事をしながら、椎茸というものは日本には大昔からあり、九州の香椎《かしい》という名はそこが椎茸の産地だったことを示しているとか、その頃は一部の上流階級の食べものだったが、元禄《げんろく》の頃から庶民《しょみん》の口にはいるようになったとか、椎茸の歴史を話してくれた。

「わしの家は昔から椎茸作りをしていたらしい。椎茸作りの血が流れているから、わしも椎茸を作るようになったんだ。唐の体にも、洪の体にも椎茸作りの血が流れている」

洪作はこのような話を聞いたのは初めてであった。そんな血が自分の体の中にも流れているだろうかと思った。

「伯父ちゃんはなぜ椎茸作らなかったの？」

洪作は校長の石守森之進のことを訊いてみた。椎茸作りの血の流れている家の長男に生れながら、どうして森之進はこの祖父林太郎の仕事を受け継《つ》がないで、教職についたのであろうかと思った。すると、祖父は、

「仕事は自分の一番好きなものをやればいい。あの伯父ちゃんは教育ということが一番立派な仕事だと考えたんじゃ。それで先生になりおった。唐も椎茸を作ることが一番立派な仕事だと思ったら椎茸作りになったらいい。役場へ勤めることが一番立派だと思っ

たら役場へ勤めればいい。洪も同じじゃ。洪は上の学校へ行って、大学へ行くことになるんじゃろ。何をやるようになるかな。お医者さんかな」
と言った。洪作は話を聞いていながら、自分は親戚《しんせき》の中でこの祖父が一番好きだと思った。そしてこの祖父を一番尊敬すると思った。こんなに静かな口調で、自分の将来のことに触《ふ》れた話などしてくれる人にぶつかったのは初めてのことだった。洪作は椎茸飯は美味《おい》しかったが、沢山《たくさん》は食べられなかった。握り飯も食べていたし、柿も食べていたので、すっかり満腹《まんぷく》していた。しかし、折角《せっかく》祖父が作ってくれたので我慢して二杯目を替《か》えて食べた。

食事を終ると、洪作と唐平はすぐ帰路に就《つ》いた。秋の日は暮れるのが早いので、湯ヶ島に帰り着くまでに日が暮れたらいけないという林太郎の配慮《はいりよ》から、早々に追い立てられるようにして帰されたのであった。帰路は洪作と唐平は仲よく一緒に歩いた。洪作は同じ椎茸作りの家の血が流れているということで、唐平にも親しいものを感じた。

夕方湯ヶ島に帰り着くと、その晩唐平は土蔵に泊った。親戚の者が土蔵に泊ったのは殆《ほとん》ど初めてと言ってよく、洪作は嬉《うれ》しかった。洪作は唐平に対する意地の悪い厭《いや》な少年だという印象をその晩改めた。人みしりする口下手《くちべた》な少年であったが、よく話してみると、洪作と気の合うところがあった。

「おらあ、祖父ちゃんみたいに椎茸を作るか、父ちゃんみたいに先生になるか、まだ決めてないんだ。その二つのうちのどっちかをやることだけは決っている」

唐平はおぬい婆さんの鼾《いびき》の聞えている闇《やみ》の中で言った。洪作はそんなことを聞くと、自分が何になるかまだ決っていないことが、何となく落ち着かない気持だった。早く決めないと遅《おそ》くなるような気がした。

唐平の寝息《ねいき》が聞えてからも、洪作はまだ眼覚めていた。そして棚場の山の中で、祖父林太郎も今頃眠《ねむ》っているのであろうかと思った。深夜の棚場の死のような静けさが、洪作には今はっきりと自分の五体に感じられるような気持だった。洪作は自分が心から尊敬できる人物を自分の身近いところに発見したことで、やはりその晩は昂奮《こうふん》していた。

三　章

棚場《たなば》へ行ってから四、五日して、洪作は学校で受持教師に呼び出された。そして田方郡の各学校から作文のうまいのを一つ選んで郡の方へ出すことになったので、何か自分で自由に題を選んでそれを書いて提出するように言われた。

「女生徒の方では六年のあき子さんが書く。書く題材が一緒《いっしょ》になるといけないから、二人で一応相談してから書きなさい。でき上った上でいい方を出すことにする」

若い教師は言った。洪作は選抜《せんばつ》を受けたことも嬉《うれ》しかったが、所長さんの家のあき子と一緒に書くということは、それだけで心の躍《おど》る悦《よろこ》びがあった。その日一日、洪作は学校で落ち着かなかった。教師に命じられたので、あき子とそのことを相談しなければならなかったが、しかし、学校であき子と話でもしようものなら、多勢の生徒たちにはやし立てられることは決っていた。

従って放課後にそうした機会を持たねばならなかった。学校に居る時、洪作は休み時間に遠くからあき子を見守っていた。あき子も自分と同じようなことを先生の口から伝えられた筈《はず》である。どのような気持でいるであろうか。一、二度、洪作はあき子と視線を合わせたが、あき子はいかなる変った表情も取らなかった。

学校を退《ひ》けると、洪作は教科書を土蔵へ投げ込み、すぐ御料局《ごりょうきょく》の所長さんの家へ出かけて行った。家の前でメンコをしていた公一が、

「姉ちゃんはお宮さんの掃除《そうじ》に行ってる」

と言った。洪作は公一を連れて神社へ行こうと思ったが、公一は仲間を待っているので、神社へ行くのは厭《いや》だと言った。洪作は一人で村にただ一つある小さい神社へ出かけて行った。神社の境内《けいだい》には女生徒が十人ほど散らばっていた。一週間に一度ずつ部落の女生徒たちは手分けして神社の境内の清掃をすることになっており、今日はあき子たちがその当番に当っていた。

洪作はいつもなら女生徒ばかり居る場所へなど近寄って行くのは厭であったが、今日

は教師から命じられた用事を持っていたので、たいして気おくれしないで鳥居《とりい》をくぐって行った。六年生のあき子は下級生たちを監督《かんとく》しているといった恰好《かっこう》で、社殿の横手に立っていた。洪作はあき子が自分の姿を見つけた筈だと思ったが、いっこうにそ知らぬ顔をして、他の女生徒と話をしているのが不満に思われた。洪作はあき子のところへ行くと、

「先生から聞いた？」

と言った。

「何を？」

あき子は初めて洪作の方へ顔を向けて言った。

「綴方《つづりかた》のこと」

洪作が言うと、

「ああ、あれ、聞いた。——何を書いてもいいんでしょう」

と言った。洪作はあき子の口から出る村の言葉とはまるで違った言葉使いが眩《まぶ》しく感じられた。

「何を書く？」

洪作はまた訊《き》いた。

「秘密よ。ずるいわ、洪ちゃって。——わたし、書いてしまうまで言わない」

そんなことをあき子は言った。

「先生が相談しろって」

「嘘《うそ》！」

「嘘なものか。本当にそう言ったんだ」

「そんなこと言いっこないわ。洪ちゃって、嫌《きら》いよ、ずるいから」

洪作としては甚《はなは》だ心外な言いがかりだと言わざるを得なかった。

「本当に先生から相談しろって言われたんだ」

洪作は相手を睨《にら》みつけながら言った。すると、あき子も瞬間烈《しゅんかんはげ》しい顔をした。洪作はこれまであき子がこのような敵意をもった烈しい顔をするのを見たことはなかった。

「じゃ、洪ちゃは洪ちゃで、書くことを先生に話したらいい。わたしはわたしで先生に話すわ」

それからあき子は、洪作の方へきらりと光った眼《め》を当て、

「そうでしょう。そんならいいでしょう」

と言った。

洪作は人から誤解されるということをあき子に依《よ》って初めて経験した。自分の気持や自分が考えていることを、どうしても相手に理解して貰《もら》えず、それればかりか自分が相手に対して悪意を抱《いだ》いているようにすら受け取られることの、何とも言いようのない悲し

さを味わった。

洪作は、翌日登校すると、受持の教師に、自分が書こうと思っている綴方の題を報《しら》せた。

「あき子さんと二人で先生に題を言いっこすることにしたんです。〝祖父《そふ》と椎茸《しいたけ》〟——こういう題で書きます」

「そうか、それでもいいが、何も匿《かく》し合うことはない。ばかだな」

教師は言った。洪作はこの場合も、教師に依って幾《いく》らか誤解されていることを感じた。

洪作は二晩ほど作文のために使った。この間唐平と二人で棚場へ祖父を訪ねて行った時のことを、そっくりそのまま書いた。自分がいかに祖父から大きい感銘《かんめい》を受けたか、そして孤独《こどく》な生活の中で椎茸の研究に没頭《ぼっとう》している祖父にいかに大きい共感を覚えたか、そういったことを、綴方用紙十枚ほどに綴った。洪作がそれを学校へ出す日の朝、おぬい婆さんは、

「どれ、見せてごらん」

と言って、それを窓際《まどぎわ》で読んだ。読み終ると、

「石守のじいちゃも、洪ちゃにこんなによく書かれたらいつ死んでもよかろう。倖《しあわ》せなじいちゃだ」

と言った。綴方を教師の手もとに出してから三、四日して、洪作は校長の石守森之進

に呼ばれた。洪作が校長室へはいって行くと、

「ここが違《ちが》っている。直しておきなさい」

と、伯父の校長は言った。椎茸の栽培《さいばい》に関することを、粂《くめ》さんが洪作と唐平に説明する箇処《かしょ》であった。欄外《らんがい》に鉛筆で二、三の用語が訂正されてあった。

「棚場に行ってよかったろう」

伯父は、例によって、憤《おこ》ったような表情と憤ったような口調《くちょう》で言った。洪作は伯父の校長が、自分が祖父を棚場に訪ねて行き、このような作文を書いたことを、結局は悦んでくれているのであろうと思った。伯父のにこりともしない気難しい顔からは、その心の内側を覗《のぞ》くことはできなかったが、洪作には何となくそのように感じられた。それから伯父が自分を棚場へ行かせたのは、こんどの学校から郡へ出す綴方にそのことを書くようにという含みがあったのかも知れないと思った。

洪作はあき子がいかなるものを書き、いつそれを教師の手もとに出したか、全く知らなかった。洪作はあき子と道で会っても、学校の運動場で顔を合せても、ひと言も喋《しゃべ》らなかった。口などきいてやるものかという気持だった。あき子の方はあき子の方で、やはり同じような敵意を洪作に抱いているらしく、洪作の顔には決して視線を当てなかった。全く洪作の存在には気付いていないといった風を装《よそお》っていた。

十二月にはいってから、洪作は教師に呼び出され、教員室へ行くと、

「綴方を出したが、最初に落ちた。町の学校の生徒とはまるで月とすっぽんだ。まだあき子の方を出した方がよかったかも知れん」

教師は言った。叱《しか》られたのか厭味《いやみ》を言われたのか判《わか》らなかった。洪作は堪《たま》らなく不快《ふかい》だった。あき子の綴方と自分の綴方が比較《ひかく》され、自分の方が選ばれて郡の方へ出されたことも、またそれが最初に落ちてしまったことも、洪作はこの時初めて知ったのであった。

洪作は、この日、学校が退けると、教科書を土蔵の入口に投げ込んでおいて、すぐ一人で、若い衆宿（青年詰所）の横手から、墓地のある熊野山へ登って行った。洪作はこれまで一人で熊野山などへ登ったことはなかったが、この時は堪らなく一人で、たれも居ないところへ行ってみたかった。こんどの綴方のことは、初めからすること為《な》すこと志と違った感じだった。この世の中で一番好意を感じているあき子からはとんでもない誤解を受けてしまうし、郡の選には落ちるし、教師からは厭味は言われるし、さんざんであった。

熊野山の道は荒《あ》れていた。八月の盆《ぼん》以後、たれも掃除に来るものはないので、道にはすっかり落葉が散り敷き、それが腐《くさ》りかけていた。洪作は湿《しめ》った落葉を踏《ふ》んで、かなり急な坂道を登って行った。中腹まで行くと、湯ヶ島部落が一望のもとに見渡《わた》せた。小学校も、役場も、洪作の家も、御料局も見えた。みんな小さい玩具《おもちゃ》のように、小さい盆地に身を寄せ合っている。洪作はあそこにはおぬい婆さんも居れば、あき子も居ると思った。曾《かつ》てさき子もあそこに住んでいたのである。時々学校の裏手の方から子供の喚声《かんせい》が風にのって聞えて来た。宿部落の子供たちの一団が何か騒《さわ》いでいるのだと思われた。

右手に眼を移すと、遥《はる》か遠くに天城が見えた。すっかり冬の山といった冷たい感じを身に着けてしまっている。天城の稜線《りょうせん》には綿をちぎったような雲が、きれぎれに浮《う》かんでいたが、それも冬の雲といった感じで少しも動かなかった。洪作はさき子のことを思った。いくら思っても若い叔母は若いままで他界してしまったので、会うことも話すこともできなかったが、しきりにさき子のことが思い出された。このように気持の挫《くじ》けている時、もしさき子が居たら、彼女の傍に居るということだけで自分の心は慰《なぐさ》められるに違いないと思った。教師の言葉の中で、洪作の心に一番大きい傷を与《あた》えたのは〝町の生徒とはまるで月とすっぽんだ〟と言ったことであった。洪作は教師の軽蔑《けいべつ》を含《ふく》んだ烈しい言い方に憎《にく》しみを感じたが、それはそれとして、実際に町の生徒は自分とは月とすっぽんに違いないのだと思った。

洪作は下田の旅館の同年の少年のことを思った。沼津の〝かみき〟の二人の少女のことを思った。みんな自分などの持たない特別なものを持っているではないか。何事に対しても、自分などとは比較にならぬ程の速さでぴしぴし反応し、自分などの思いつかない気の利《き》いた表現で自分の意見を述べている。確かに月とすっぽんなのである。洪作はどこかに坐りたかったが、どこも湿っていて腰を降すことはできなかった。

洪作は湯ヶ島部落を眺め倦きると、墓地の方へ歩いて行った。墓地は山の頂きの平坦《へいたん》な場所にあった。村人が亡《な》くなると、みなここに葬《ほうむ》られた。火葬《かそう》にするのは三島まで行かなければならなかったので、大抵《たいてい》の場合、土葬《どそう》だった。上の家の曾祖母もここに眠っていた。

洪作は墓地へはいって行った。こんなところへ一人で来たことはなかったが、来てみるとさして不気味《ぶきみ》でもなければ、陰気《いんき》でもなかった。上の家の墓所は墓地の入口に近いところにあった。おぬい婆さんが、そのために一生を犠牲《ぎせい》にした曾祖父の名を刻んだ墓石もあった。墓地は静かだった。何百という墓石だけが初冬の陽を浴びて、かなり広い地域に立ち並んでいる。

洪作は上の家の墓所へはいって、幾つかの墓石の前で頭を下げると、すぐそこから引き返すことにした。不気味でも陰気でもなかったが、長く居るべきところでもなかった。さっき湯ヶ島部落を見降した地点を過ぎて、もう少し降りて行くと、温泉旅館のある西平《にしびら》部落へ通じている細い道が岐《わか》れていた。人が一人やっと通れるくらいの間道が、山のかなり急な斜面を下っていた。洪作は二、三回この道を下ったことがあった。どうせ山を下るのなら、登って来た時とは道を変えて、西平の方へ降りてみようと思った。

洪作は両側が雑草と熊笹《くまざさ》で埋《う》まっている道を降り出した。が、どれほども行かないうちに足を停《と》めた。下の方から登って来る男女の姿を眼に留めたからである。

相手は洪作が居ることには気付かない風で、じぐざぐに折れ曲った道を、何か声高に話しながら登って来た。洪作と下から登って来る男女の距離《きより》はさして離《はな》れていなかった。相手が洪作の居ることに気付かないのは、二人とも自分の足もとに眼を落し、一歩一歩高処へと足を運ぶことに専念していたからであった。

洪作はそのまま降りて行っても少しも差し支えないわけだったが、何となく洪作は躊《ちゅう》躇《ちょ》させられるものを感じた。若い男女が二人だけで歩くというようなことは、この村では見られないことだったし、そうしたことをしたら、すぐひやかされたり、子供たちにまでもはやし立てられたりしなければならなかった。若い男と女は一緒に歩いたり、二人だけで立ち停って話したりするものではなかった。大人にも、子供にも、そう思いこまれていた。

洪作は棒立ちになって突《つ》っ立っていた。下から登って来る二人の姿は、いったん雑木の蔭《かげ》に隠《かく》れて見えなくなったが、すぐまた現れた。洪作の位置からは、二人の姿が斜め横から見降すことができた。男と女は片方の手を、互《たが》いに相手に預けていた。手を握《にぎ》り合ったまま、それでなくてさえ歩きにくい急斜面の道を、二人は互いに体をくっつけ合うようにして登って来る。男も女も村の者ではなく、温泉旅館の客であるに違いなかった。二人とも身にまとっている着物は都会風のものであった。

洪作はすぐ右手の雑木の茂みの中へはいった。何も洪作が匿れなければならぬ筋合はなかったが、とっさの判断で、洪作はそのような態度を取ってしまったのであった。二人の男女を遣《や》り過してから、洪作は道を降りて行こうと思ったのである。しかし、すぐ洪作は自分の判断が誤りであることを認めなければならなかった。若い男女は二人とも途中で立ち停ってしまい、それ以上登って来なかった。

洪作は雑木の間から、若い男女が立ったまま抱《だ》き合っている姿を見た。男は長身だったので、女は宙吊《ちゅうづ》りにでもされているように洪作には見えた。洪作はこれほど驚《おどろ》いたことはなかった。女は殺されるのではないかという気がした。女は顔を上に向け、男の顔がその上に落ちている。洪作には、若い男女の行為の意味は判らなかった。接吻《せっぷん》というようなものがあるなどということも知らなかったし、考えてみたこともなかった。とっさに洪作の心を捉《とら》えたものは恐怖《きょうふ》であった。殺人はいま行われようとしている。そうしたことから来る恐怖であった。

鳥が木の茂みの中から飛び立つように、洪作もまた、がさがさと雑木の茂みの音をさせて、横手の道へと飛び出した。洪作は西平へ降りることはやめて、いっきにもと来た道を引き返し、山の背へ出ると、そのまま青年詰所のあるところまで駈け降りた。

洪作は家へ戻《もど》っても落ち着かなかった。熊野山の中腹で犯罪は行われたかも知れないと思った。もし行われたとしたら、それを知っているのは、現在のところ自分ひとりである。洪作は自分が目撃《もくげき》したものをたれかに話すべきか、あるいは黙《だま》っているべきか、そのことに対する判断がつかなかった。

翌日、学校へ行く途中で、洪作は幸夫にそのことを話した。そしてその話を、「もしかしたら熊野山で女が殺されているかも知れない」という言葉で結んだ。

「ふうん」

幸夫は信じられぬといった表情で、ちょっと考えていたが、

「たれにも言うなよ。言うとうるさくなるぞ」

と、分別ありげな口調で言った。そして、学校の昼食休みの時間に、二人で現場へ行ってみることを提案した。洪作はひとりで熊野山へ登って行ってみる気にはなれなかったが、幸夫と一緒なら行ってもいいと思った。

その日の昼食時間に、洪作は幸夫と二人で学校を脱《ぬ》け出した。昼休みの時間は一時間あったので、少し機敏《きびん》に立ち廻れば、熊野山の中腹まで行って帰って来ることは楽な仕事だった。学校を出る時、幸夫は三年生の下駄屋の子供の春太を一緒に連れて行くことにした。もし事件が起っていたら、その春太を連絡《れんらく》係にするつもりらしかった。春太は駈けることが得意で、四年生以下では長距離も一番早かった。学校の成績はあまりよくなかったが、走っている時の春太は、その時だけ別人のように利発な子供に見えた。

「おら、いやだ」

春太は校門のところで尻込《しりご》みした。何のために自分が二人の上級生と一緒に熊野山へ登らなければならぬのか、そのことに不安を覚えているらしかった。

「ついて来いっていったら、ついて来るんだ」

幸夫は春太を睨みつけて言った。三人は校門を出ると、すぐ往来を走り出した。春太は観念して、二人のあとからついて来た。三人は校門を出ると、すぐ往来を走り出した。青年詰所のところまで駈けて、そこでひと息入れて、あとはまた走った。青年詰所のところからは、道が急な勾《こう》配《ばい》になっているので、三人は休み休み登った。三人とも息使いを烈《はげ》しくしていた。

西平部落への降り口のところへ辿《たど》り着くと、

「どこだ」

と、幸夫は洪作に訊《き》いた。

「ここを降りて行け。すぐそこだ」

洪作が答えると、

「春太、お前行ってみろ」

と、幸夫は春太に命じた。春太は事情が判らないので、またここでも尻込みした。

「おら、いやだ」

「なぜいやだ。ここを降りて行って、途中から帰って来るだけだ。行って来い」

「いやだ」

こんどは春太も執拗《しつよう》だった。生命の危険でも感じているような面持《おももち》で、その拒否《きよひ》の仕方には必死なものがあった。

「仕方がない。一緒に行こうや」

幸夫は洪作に言って、それから、

「ついて来い」

と、春太に命じた。幸夫、洪作、春太の順で坂道を降りて行った。洪作は昨日自分が匿れた雑木の茂みのところまで来ると、

「すぐこの先だ、もう一つ角を曲ったところだ。ここから、おれ見ていたんだ」

洪作は言った。

「よし」

意を決して、幸夫はひとりで緊張《きんちよう》した足取りで降りて行った。洪作と春太は幸夫に続かないで、そこに立っていた。間もなく、

「洪ちゃ、なんにもないぞ。来てみろよ」

幸夫の声が聞えて来た。洪作と春太はすぐ降りて行った。実際に何事も起っていなかった。

「ほんとにここか」

「うん」

「変だなあ」

幸夫は道の横手の茂みの中にはいって行った。洪作と春太もそれに続いた。茂みは浅く、すぐ竹藪《たけやぶ》の横手に出た。そこは人眼につかない陽《ひ》だまりになっていて、そこだけに山芝が生えていた。

「なんだ、これ」

幸夫はその陽だまりの一隅《いちぐう》に視線を投げた。そこには新聞紙が拡《ひろ》げられており、蜜柑《みかん》の皮の残骸《ざんがい》が載《の》せられてあった。

「たれか、ここで蜜柑食べたんだな」

幸夫は感心したような言い方をした。

「八ツ食べてある」

春太が皮を算《かぞ》えて言った。が、すぐ、

「あれ、喰《く》ってないのがあるぞ」

そんなことを言って、そこからなるほどまだむかれてない完全な蜜柑を一個取り上げた。春太はすぐそれをむいた。洪作はここで蜜柑を食べたのは、きのう自分が見た二人の男女に違いないと思った。

「半分、よこせ」

幸夫は春太から、蜜柑の半分を取り上げ、それをまた二つに割って、洪作の方へ差し出して寄越した。帰りは、三人は山を駈けて降《くだ》った。蜜柑を一個手に入れただけの、全くの無駄な行為だったが、幸夫も春太も文句は言わなかった。一個の蜜柑が自分たちを待っていたことで、何となく納得《なっとく》させられたような恰好《かっこう》だった。

十二月の中旬過ぎて、冬休みがもうすぐそこまでやって来ている頃《ころ》から、学校の生徒たちの間にはランニング熱が昂《たか》まって来た。それまで生徒たちにとっては、ランニングというものは、運動会の時だけにやるものだということになっていたが、来年の春、田方郡の各小学校から何人かずつ選手を出して、ランニングの大会が行われることが発表されてから、教師の間にも、生徒たちの間にも、急にランニング熱が盛り上って来たのであった。

洪作はなべて走ることは不得手であったが、女子の方であき子が部落の下級生たちにランニングの練習をやらせ始めたので、それに刺戟《しげき》された恰好で、洪作もまた、五年生、六年生と相談して、登校前の三十分程《ほど》を、その練習に当てることにした。子供たちは毎朝のように駐車場《ちゅうしゃじょう》に集った。登校のための集合場所が駐車場になったのは夏以後のことで、極《ご》く自然にそこが選ばれた。幸夫の家の前だったり、御料局の門の前だったり、田圃《たんぼ》の一角だったり、何回も朝の集合場所は移動したが、夏以後は駐車場になっていた。

駐車場に新しい馬が飼《か》われ、それを見に行くことが何日か続いたためであった。

子供たちは駐車場の横の材木の上に、それぞれの教科書や弁当のはいった風呂敷《ふろしき》包みを置くと、あとは身軽になって、身長の順に並《なら》んで、別にたれの号令を待つわけでもなく、先頭の者が駈け出すと、みんなそれに続いて走った。長野部落へ行き着くまでは街道を走って行ったが、帰りはその日によって違《ちが》っていた。田圃の畦道《あぜみち》を走ることもあれば、他班の領域を冒《おか》して、神社の方を廻《まわ》って帰ることもあった。大抵《たいてい》一番走るのが早くて、列の先頭に立つことができた者が、それを決めた。上級生と下級生とでは走る速度も違っていたし、それに毎朝のように落伍者《らくごしゃ》も何人か出たので、隊列はひどく長いものになった。二、三人ずつが一団となって、ばらばらになって走った。

洪作は走るのは苦手であったが、毎朝このランニングには加わった。時々、洪作は女子の一団とぶつかった。女子は女子で、男子とは違ったコースを走っていたので女子の一団とぶつかることもあれば、全然出遇《であ》わないこともあった。

洪作は毎朝のように、あき子の一団とどこかでぶつかることを期待した。あき子とは作文の事件以来言葉を交すことはなかったが、洪作のあき子に惹《ひ》かれる気持はそのために衰《おとろ》えているわけではなかった。学校で何かあき子に関する噂《うわさ》でも耳にはいって来ると、そのために洪作は自分の心が全くそれまでとは違ったものになるのを感じた。それは一種物哀《ものがな》しい緊張《きんちょう》であった。男子と女子のランニングの一団が擦《す》れ違う時、洪作はその中のあき子の姿だけを探した。あき子が居る時もあれば、いない時もあった。洪作にはランニングをしている時のあき子の姿が一番美しく見えた。白い頰《ほお》は上気し、息使いは荒《あら》くなっており、男子など眼《め》もくれないといった表情で、藁草履《わらぞうり》で土を大股《おおまた》に踏《ふ》んで行く少女の姿は凜々《りり》しく見えた。

ある朝、長野部落へ向う街道の橋のたもとで、洪作たちの一団は女子の一団とぶつかった。その時、あき子は走りながら突然《とつぜん》右手を上げて、洪作の方へ、その手を振《ふ》ってみせた。前に神社の境内《けいだい》で烈《はげ》しい眼で洪作を難詰《なんきつ》した意地悪い少女とはまるで違った少女に思えた。

こんなことがあって二、三日してから、洪作たちはまた女子の一団と擦れ違った。神社へ向う田圃の畦道であった。洪作は向うからあき子が先頭に立って走って来るのを見た。二つの、数人ずつの団体が、互《たが》いにその距離《きょり》を狭《せば》めつつあった時、全く思いがけない一つの事件が起った。

先頭に立って走って来たあき子が、突然何かにつまずいて前にのめったように見えた。あき子の口からは烈しい叫《さけ》び声が上った。洪作は腰《こし》から下をすっぽりと地面の中に埋《う》めているあき子を見た。次の瞬間《しゅんかん》、洪作はすぐあき子が落し穴にはまり込《こ》んだことを知った。

あき子は穴から這《は》い上ろうとしていた。周囲の女の子供たちが、あき子に手を貸してやっていた。その時、半丁ほど離《はな》れた田圃からいっせいに十幾《いく》つかの坊主頭《ぼうずあたま》が出て、それらがわあっと喚声《かんせい》を上げるのを、洪作は聞いた。宿《しゅく》の班の子供たちであった。洪作は、あき子の着物の下の部分が泥土《でいど》に汚《よご》れているのを見た。洪作は落し穴のところへ近寄って行った。あき子は烈しく泣きじゃくっていた。念を入れて作られた大きな落し穴で、その内部にはやわらかくこねられた土がいっぱい詰《つ》まっていた。

洪作は、田植の際の女たちのように、草履を取られたあき子の足と着物の裾《すそ》が泥土で汚れているのを見た。無慚《むざん》な恰好《かっこう》だった。依然《いぜん》として喚声と笑声は起っていた。そしてそれに混《まじ》って、あき子をはやし立てる声が聞えていた。アキ子ノアノ字ハアンポンタンノアノ字、アキ子ノキノ字ハ——

洪作は烈しい怒りを感じた。自分が落し穴にはまった場合でも、これほど烈しい怒りは感じなかったに違いない。洪作はゆっくりと宿の子供たちの方へ歩いていった。

「だれが作ったんだ？」

洪作の見幕《けんまく》がすさまじかったので、数名の子供たちはいっせいに逃《に》げ出した。蜘蛛《くも》の子を散らすように、小さい坊主頭が畦道を走って行く。

「だれだ。だれがやった？」

洪作は残っている子供たちの方を睨《にら》んで立っていた。すると、腕力《わんりょく》の強いことを自慢《じまん》にしている同級生の倉石紋太《もんた》が、どこからともなくのっそりと姿を現して、洪作の前に立った。洪作は黙《だま》って相手を睨みつけていた。厭《いや》な奴《やつ》が出て来たと思った。

「おれがやった。悪いか？」

紋太は言った。

「なんだ、あき子が落し穴におっこったのを、お前が代りに憤《おこ》るのか。怪《あや》しいぞ」

それから紋太は、大人たちの真似をして卑猥《ひわい》なことを言った。洪作はいきなり紋太に飛びかかって行った。腕力では紋太に対して到底《とうてい》勝味はなかったが、そうした衝動《しょうどう》を押えることはできなかった。

洪作は紋太を地面に捻《ね》じ伏せていたが、いつでも自分がはね返され、相手に組みしかれることを感じていた。紋太は落ち着いて細い道の上に横たわっていた。洪作の為《な》すままに任せているといったふてぶてしい態度だった。

紋太はやがて、

「どれ、これからとっちめてやるぞ」

そんなことを言うと、それと一緒《いっしょ》に大きな掛声《かけごえ》をかけて、力任せに洪作をはねのけた。そしてすっくりと地面の上に立つと、洪作の頬を平手で二つ三つ殴《なぐ》ってから、いきなり洪作の傍《そば》を離れて、あき子を真ん中にして去って行きつつある少女たちの一団を追った。

洪作は、紋太が女たちの中に割り込み、あき子の前に立って、何か厭《いや》がらせを言っているのを見た。あき子の悲鳴が上った。紋太はあき子の着物の裾をまくろうとしていた。

洪作は夢中《むちゅう》でそこへ飛び込んで行くと、紋太を押しのけた。紋太は飛びかかって来た。こんどは本当の攻撃《こうげき》だった。洪作は紋太に忽《たちま》ちにして組み敷かれたが、その時夢中で、手に触《ふ》れた石で相手の顔を殴った。紋太は叫び声を上げて立ち上った。洪作は自分をとめることはできなかった。石を握《にぎ》ったまま相手に飛びかかって行った。洪作は紋太の額から血が流れ出しているのを見た。血を見ると洪作は一層昂奮《こうふん》した。

洪作は石を握ったまま紋太を追って行った。紋太は狂人のようになった洪作に怖《おそ》れを感じたのか、畦道を逃げ廻った。洪作は紋太に追いつくと、すぐまた石で殴った。

逃げる紋太も必死だったし、それを追う洪作も必死だった。洪作は自分のそうした狂人のような執拗《しつよう》な攻撃をとめることはできなかった。洪作はやがて自分が紋太を追って行った神社の前で、仕事着の村人に背後から抱《だ》きすくめられるのを感じた。

「ばか！」

男は言った。そして洪作の手から石を奪《うば》うと、もう一度、

「ばか！」

と怒鳴った。

「気がふれたんか、お前は」

それに対して洪作は黙っていた。自分がいままで何をしていたか、よくは判《わか》らなかった。ひどく狂暴《きょうぼう》なものに取り憑《つ》かれ、自分でも理解できぬ荒れ狂い方をしていたと思った。

た。

村人が三人田圃の向うから駈けて来るのが見えた。その時、洪作に初めて、自分は何かとんでもないことを仕出かしたのに違いないという思いがやって来た。

洪作が紋太と喧嘩《けんか》し、紋太の額を石で傷つけた事件は、平生これといって変った事のない村では、一つの出来事であった。紋太の父親は畳屋《たたみや》で、四、五年前に他国からこの村へやって来て、いつとはなしに村に住みついてしまった人物であった。紋太は父一人子一人で、母親を持っていなかった。紋太親子が湯ヶ島へ初めて姿を現した時から、母親の姿は見えなかったので、紋太は幼い時に母親を亡《な》くしているらしかった。

洪作が紋太を傷つけた昂奮を心にも体にもいっぱいくっつけたままで土蔵へ帰って来た時、おぬい婆さんは既《すで》に事件を知っていた。洪作と紋太の喧嘩を目撃《もくげき》していた子供のたれかがいち早く注進に及《およ》んだのであった。

おぬい婆さんは土蔵の前に立っていた。これから事件のあった現場へ駈《か》けつけようとして土蔵を出たばかりの時であった。おぬい婆さんは洪作の顔を見ると、洪作がどこかに傷を受けていはしまいかと、頭のてっぺんから足の先までしげしげと見廻《まわ》してから、

「洪ちゃ、どこも何ともないな」

と、念を押して、それからさも安心したといったように肩《かた》を落して、大きい溜息《ためいき》をつ

いた。そして洪作が無事だったという安心で暫《しばら》くの間黙ってぼんやりしていたが、やがて新しい昂奮に襲《おそ》われたらしく、急に威丈高《いたけだか》になって喚《わめ》き出した。

「洪ちゃ、土蔵へはいっておいで。洪ちゃに手など上げてみい。ばかもんめ！」

相手がそこにでも居るように、おぬい婆さんは怒鳴った。そこへ上の家の祖父と、幸夫の母親がやって来た。祖父は洪作の顔を見ると、

「ばかもん！」

いきなり怒鳴った。そして苦虫《にがむし》を嚙《か》み潰《つぶ》したような表情で洪作に近づいて来ると、洪作の額を二本の指で小突《こづ》いた。

「じいちゃ、何する？」

おぬい婆さんが祖父に喰《く》ってかかった。

「手荒《てあら》なことをして貰《もら》うまい。あんたらのところの子供と一緒にして貰っては困る。平生顔も出さんといて、こんな時だけ、洪ちゃを叱《しか》りに来くさる」

「叱らねばならん時は叱りに来る。それが何が悪い」

祖父はいつになく烈しくおぬい婆さんを決めつけ、そして再び洪作に、

「ばかもん。平生意気地なしだと思っていたら、とんでもないことを仕出かしおる！さ、来なさい。一緒に謝りに行くんじゃ」

洪作は、祖父にこんなに烈しく叱責《しっせき》されたことはなかった。祖父の顔が全く別人に見

えた。

「なんで、洪ちゃが謝りに行かねばならぬ」

おぬい婆さんも敗《ま》けてはいなかった。

「洪作はよその子供を傷つけたんじゃ。相手はいま医者へ行っとる」

「これは驚《おどろ》いた！　喧嘩は両成敗《りょうせいばい》じゃ。洪ちゃが喧嘩して相手を傷つけたとしても、それが何じゃろか。あれさ、驚いた！　じいちゃ、もうろくしたか」

「うるさいな。お前さんは黙っとれ」

「黙っていられるかや」

「黙っていられなくても、黙っておれ」

それから祖父は、

「洪、ついて来い」

と洪作を睨みつけると、いきなり背を向けて歩き出した。

「婆ちゃ、じいちゃんの言うように、洪ちゃを謝らせておく方が無難じゃ。そうなせえ、そうするこっちゃ」

幸夫の母が横から口を出した。洪作はこの頃になって、自分が何をして来たかに気付いた。自分の仕出かしたことが、どうやら容易ならぬことらしいことを知った。

洪作は黙っておぬい婆さんの傍《そば》を離れると、祖父のあとを追って上の家へ向った。往来へ出ると、道の真ん中に立って、二、三人の近所の内儀《かみ》さんたちに取り巻かれている上の家の祖母の姿が眼にはいった。祖母は洪作の姿を見ると、

「洪ちゃ、あんた、だいそれたことをして！　早くじいちゃんと謝って来なさい。悪かった、悪うございました。何を言われても、悪かった、悪うございました。な、洪ちゃ、みんな、洪ちゃが悪かった、悪うございました」

そんなことを憂《うれ》わしげな表情で言ってから、

「謝って来たら、このばあちゃが、おはぎでも甘酒でも作って上げる。な、洪ちゃ、みんな洪ちゃが悪かった、悪うございました」

洪作は一言も口から出さず、そこを離れると、上の家の前まで行き、丁度そこへ出て来た祖父に近寄って行った。

「ばかもん、ついて来な」

祖父は歩き出した。祖父はいつものように鼻の頭を赤くしており、歩きながら、時々、小さくたたんだ手拭《てぬぐ》いでその鼻の頭を拭っていた。

洪作は祖父に連れられて、郵便局の隣《となり》にある山城医院へ行ったが、紋太は治療《ちりよう》して、既に家に帰ったということだった。

「ばかもん、ついて来な」

祖父は医院の門を出ると、さっきから何遍《なんべん》となく口から出した同じ言葉を言って、そ

れから宿部落の外《はず》れにある畳屋へと向った。畳屋では、板敷の部屋で、紋太の父親が畳を作っていた。短く刈《か》り込《こ》んだ頭髪《とうはつ》が白かった。

「このばかもんが、とんでもないこと仕出かして、あんたとこの子供に傷をつけたそうじゃ。いま、折檻《せっかん》して、ここへ連れて来た。腹も立とうが、ひとつ、勘弁《かんべん》してやってくれんかな」

祖父は言った。そして、

「洪、頭を下げえ」

と、洪作の方へ顎《あご》をしゃくった。すると、紋太の父親は、仕事の手を休めて、

「なんの、なんの、なんの」

と言った。

「子供は喧嘩が商売じゃ。紋の奴、泣き面《つら》して帰って来たんで、いま、頭を二つ三つ小突いて学校へ追《お》っ払《ぱら》ったとこですじゃ。なんの、詫《わ》びることがありますかいな。お宅の坊の方がよっぽど度胸《どきょう》がすわっとる。紋の奴はがしい犬で家の前で吠《ほ》えるばかしで、からきし意気地がありませんわ。喧嘩したからにゃ、洪ちゃのように、相手の頭を石でかち割るぐらいの元気がなくちゃいけませんわ。わしなど子供の時から、何回喧嘩したか算《かぞ》え切れませんが、敗けたことなど一度もねえ。相手の腕《うで》をへし折ったこともありますが、謝りに行ったことはねえです。喧嘩ですもん、旦那《だんな》、謝ることは要《い》りませんわ。子供の

喧嘩で謝っていた日にゃ、あんた、わしなど毎日謝ってばかりいて、仕事なんか出来やあせん」

それから紋太の父親は奥へいって、蜜柑《みかん》を小さい笊《ざる》に入れて持って来ると、

「洪ちゃ、勝った褒美《ほうび》じゃ。これ喰いながら、学校へ行きなされ」

そう言って、洪作にその蜜柑を差し出した。洪作はいま学校では授業が始まっていることに、この時初めて気付いた。

畳屋からの帰り道、祖父は一言も喋《しゃべ》らなかった。洪作も一言も言わないで上の家の前で祖父と別れると、すぐ土蔵へ帰った。おぬい婆さんは、大根を土蔵の横手に干《ほ》していたが、洪作の姿を見ると、

「どうじゃった？」

と、まだ先刻《さっき》の祖父との言い争いの昂奮のさめない顔で言った。

「畳屋の小父ちゃんがこれをくれた」

洪作は笊にはいった蜜柑をおぬい婆さんの方へ差し出した。

「憤《おこ》っとったか」

「ううん」

「そうれみなされ。自分のとこの子が悪いのに、憤れる筈《はず》がない」

それから、

「ばかもん！」

と、吐《は》き出すように言った。この〃ばかもん〃という言葉は上の家の祖父に向って吐き出されたものであった。

洪作は土蔵の入口に投げ込んであった教科書の包みを持つと、すぐおぬい婆さんから離れて行った。洪作は学校へ向う自分の足の重いのを感じた。学校へ行くと、何か処罰されるのではないかと思った。洪作は何となく顔中傷だらけにした紋太が教室の中に坐《すわ》っていそうな気がした。算術の授業時間であった。洪作は覚悟《かくご》をきめて教室の戸を開けた。いっせいに三十人程の生徒の目が洪作に集った。師範《しはん》の二部を出たばかりの若い教員が、洪作の席に就《つ》くのを待って、

「喧嘩はいかん」

と言った。

「判ったか」

「判りました」

洪作は答えた。これから叱責が始まると思ったが、すぐ授業は続けられ、叱責はそれで終った。洪作は自分より二列ほど前の右手の方に、頭部に白い繃帯《ほうたい》をした紋太が、いつもより神妙《しんみよう》に坐っているのを見た。

授業が終ると、教員は紋太と洪作を教壇《きようだん》の傍に呼んで、

「これから一度でも喧嘩したら二人とも学校へ置くことはできん、判ったな」

と、ただそれだけ言った。教員が去って行くと、紋太はひどく複雑な表情をして洪作を見守っていたが、やがて眼と鼻と口を一ヵ所に集めて、何とも言えぬ憎《にく》らしい顔をすると、

「ふーんだ」

と、顎を突き出し、そしてすぐ洪作に背を向けた。洪作は黙っていた。紋太のそうした仕種《しぐさ》は憎々しかったが、しかし、これまでの紋太とは違って、どこかに弱々しいものがあった。洪作は紋太の父親に依《よ》って、何か正体の判らぬ感動を吹《ふ》き込まれており、紋太を傷つけたことで心が痛んでいたが、いまの紋太の相変らずの態度で却《かえ》って救われた気持だった。紋太はやっぱり厭な奴だと思った。

紋太の頭の繃帯は冬休暇《きゅうか》が来るまで取れなかった。洪作はそれを毎日のように見なければならぬことが辛《つら》かった。この事件は学校ではいささかも問題にならなかったが、村ではやはり一つの話題だった。村人は洪作の顔を見ると、

「洪ちゃ、やったとな」

とか、

「洪ちゃ、あんた、母ちゃんに似て無鉄砲《むてっぽう》なところがある。あんたの母ちゃんは、小さい時、疳《かん》が立つと崖《がけ》から跳《と》びおりた」

そんなことを言われた。洪作は生徒たちの間では多少の賞讃《しようさん》をかち得ていた。腕力ではたれにも退《ひ》けをとらない紋太が、洪作のために傷つけられたということで、紋太は今までの紋太とは少し違った見られ方をするようになった。

あき子は、この事件から奇妙《きみよう》なことだが、前よりもっと洪作とは疎遠《そえん》になった。道で遇《あ》ってもあき子は洪作には憤ったような顔を見せた。洪作もまた自分があき子に惹かれる気持を失くしたのを感じた。どうしてこういうことになったか理解できなかったが、洪作にはあき子という自分より一つ年長の都会風の少女が、紋太を傷つけた事件以来ひどく色褪《あ》せたものに見えて来たのであった。

四章

冬休暇《きゆうか》になると、部落の子供たちは正月が間もなくやって来るということで落ち着かなかった。二十八日頃《ころ》から餅搗《もちつ》きの杵《きね》の音が、毎日のようにあちこちの家で聞えた。洪作は下級生たちが毎日のように集合する遊び場所には、時折しか顔を出さなかったが、たまにそこに出掛《か》けて行くと、そこに居る子供たちから餅搗きの情報を耳にした。どこの家では幾臼《いくうす》搗いたとか、そのうちのし餅が幾つで、餡《あん》のはいったまるいのが幾つだとか、情報は詳細《しようさい》を極《きわ》めたものであった。

「くだりの姉ちゃんは手合せしていて、赤ちゃんを生んだ」

とか、

「紺屋《こんや》の若い衆は一人で十三臼搗いて、その晩から熱を出した」

とか、そんなことまで子供たちは知っていた。餅搗きがすんでしまうと、あと子供たちの受け持つ情報網《もう》は専《もっぱ》ら帰郷者のことに集中された。正月を郷里で迎《むか》えるために、村にはかなり多くの帰郷者があった。みな村を出て都会で働いている人たちで、二十八、九日頃から、そうした人たちを馬車が村へ運んで来た。馬車が運んで来た人たちのことなら、必ずそこへ出迎えに行く子供たちが知っていて少しも不思議はなかったが、子供たちの知識はもっと広い範囲《はんい》にわたっていた。どこの家の誰《たれ》それは子供を連れて来るそうだとか、子供を連れて来る筈《はず》だったが、子供が病気になったので取りやめになったとか、それからまた東京をいつ発《た》って、三島にいつ着き、いつこの村にはいって来るとか、あらゆる情報は子供たちのところに集められてあった。

洪作は下級生たちの仲間へはいって、馬車が着く度《たび》に駐車場《ちゆうしやじよう》へ移動して行くようなことはなかったが、それでも時にはその仲間入りをすることがあった。馬車は平生とは違《ちが》って多勢の乗客を詰《つ》め込《こ》んでいた。三島や大仁《おおひと》に正月用品の買い出しに行った村人の姿もあれば、その中に混《まじ》って暫《しばら》く顔を合わせなかった帰郷者の姿もあった。帰郷者の姿が見えると、子供たちはいっせいにうわっと喚声《かんせい》を上げた。そしてぞろぞろとそのあとについて歩いて行き、その人物をその生家まで送って行った。洪作はつい一、二年前までは、そうしたことで年の瀬の押し詰まった何日かを忙《いそが》しく過したが、さすがにいまはそうしたことはなかった。しかし、何カ月ぶりか、あるいは何年かぶりかで、村の土を踏《ふ》む帰郷者の姿を眼《め》にすることは楽しかった。見覚えのある顔が、それぞれ多少昔《むかし》とは違った雰囲気《ふんいき》を身につけて馬車から吐《は》き出され、村の土の上に降り立ち、そして一様に何とも言えぬ懐《なつか》しそうな眼をして辺《あた》りを見廻《まわ》した。

明日は正月という三十一日の夕方に、洪作は駐車場へ出向いて行った。自分より五つほど年長の新田《しんでん》部落の青年の山口平一が帰郷するというので、それを何となく出迎えるつもりだった。高等科を一番で卒業した頭のいい青年で、洪作は年齢が違うので平一と一緒《いっしょ》に遊んだことはなかったが、子供心に成績がいいということで畏敬《いけい》の念に近いものを持っていた。平一は貧しい農家の末っ子であったが、もし家がよくて上級学校へ進むことができたら、彼《かれ》はどんな素晴《すば》らしいエンジニアーにも官吏《かんり》にもなれるだろう、そんな噂《うわさ》を教師の口から聞いたことがあった。

山口平一の帰郷は子供たちには何も判《わか》っていなかった。彼が郷里で正月を迎えるというニュースだけを子供たちはどこからか仕入れて来ていた。洪作は三十一日の午後の馬車でも平一が帰って来なかったということを聞いて、恐《おそ》らくその日の最終の便《びん》である夕方の馬車で彼は帰って来るに違いないと思った。それで帰らなければ正月には間に合わないからである。

暮《く》れかかった街道をその最終の馬車はやって来た。乗客は三人しかなかった。二人は役場の吏員で、一人は洪作が予想していたように山口平一であった。洪作は馬車から降りて来る平一を見た時、それが山口平一だとは到底《とうてい》思えなかった。彼は労働者が身にまとうはっぴを着、脚絆《きゃはん》に地下足袋《じかたび》の姿であった。彼は寒そうに両手をはっぴの下に入れ、何も持たないで地面へ降り立った。いかなる帰郷者より、彼はみすぼらしい風采《ふうさい》をしていた。

洪作は曾《かつ》ての成績のよかった上級生に何か言葉をかけてやるつもりで出迎えていたのであったが、相手をひと目見るなり、そうした気持を失ってしまった。山口平一は子供たちには目もくれず、街道を歩き出した。彼の家のある新田部落までは一里余の道のりがあった。

洪作はひどく意外な気がした。洪作は平一が成績がいいということだけで、何となく出世している相手を想像していたのであったが、今目の前に見た平一はこの村でも見られないような貧相な姿であった。しかし、考えてみれば、これは必ずしも異とするには当らないことかも知れなかった。貧しい家の末っ子である彼が高等小学校を卒《お》え、都会へ出て労務者になったからといって何も不思議はなかった。年齢、学歴から言っても、丁稚《でっち》か労務者になるより仕方ないようなものであった。

洪作はひどく不公平な気がした。優《すぐ》れた頭脳が不当に取り扱《あつか》われているような気がしてならなかった。その夜、洪作は大晦日《おおみそか》の年越そばを上の家へ行って食べたが、その時、山口平一のことを同情をもって話した。しかし、たれもその話に乗って来なかった。

「村に居ればいいのに、街などへ出て行くから、そんなことになる」

祖父は言った。洪作はそんなことを言った祖父を憎《にく》んだ。

正月というものは子供たちにとっては期待の一語に尽きた。期待そのものであった。何か素晴らしいものをいっぱい詰め込んで、正月はどこからともなくやって来るのである。洪作はもう二、三年前までのように、大晦日の夜に何回も眼を覚し、正月の近づいて来る跫音《あしおと》に耳を傾《かたむ》けるようなことはなかったが、それでもやはり正月がやって来るということは楽しかった。

五時に起きて村の神社へ初詣《はつもう》でに出掛《か》けた。どこの家でも一家の者が何人か揃《そろ》って田《たん》圃《ぼ》の畦道《あぜみち》を歩いて行ったが、洪作は一人であった。おぬい婆さんは家で雑煮《ぞうに》を作らなければならなかったので、洪作は一人で行く以外仕方なかった。上の家の人たちと一緒に行ってもよかったが、祖父と一緒に行くのは厭《いや》だった。平生ならどこへ行くにも、子供たちは誘《さそ》い合わせて、何人か連れ立って出掛けて行くのであったが、元日の朝のお宮詣《みやまい》りだけは、多少違《ちが》った習慣を持っていた。子供たちはどの家でも、いよいよ正月がやって来たといった神妙《しんみよう》な顔をして、平生より無口《むくち》になって、家の人たちの中に混って、まだ明け切れぬ薄暗《うすぐら》い中を神社へと向った。そうした人たちの群れは、神社へ通じている畦道を殆《ほとん》ど絶えることなく続いた。道はまだ凍《い》てついて固くなっており、その上を沢山《たくさん》の下駄《げた》や藁草履《わらぞうり》が冷たい音を響《ひび》かせて踏《ふ》んで行った。

洪作は元日の朝のお宮詣りの特別な気持が好きだった。正月がいよいよやって来たということで、何人かの子供たちと行き合ったが、お互《たが》いに言葉は交さなかった。正月がいよいよやって来たということで、一様に子供たちは緊張《きんちよう》していたし、それにまたその緊張の中に幾らかの睡気《ねむけ》もはいっていた。神社へ行くと、洪作は大人たちの真似をして、小さい社殿の前で頭を一つ下げ、かしわ手を打ち、そしてすぐ帰路についた。

元日は学校は九時からであった。八時頃になると、よそ行きの着物と新しい藁草履を履《は》いた子供たちが、いずれも申し合わせたように気恥《は》ずかしい顔をして集合場所の駐車場に集って来た。子供たちはお互いによそよそしくしており、汚《よご》れ気のない着物を着ているということで肩身《かたみ》のせまい思いをしていた。

学校では式があるだけであった。式は〝君が代〟を唄《うた》い、〝年の始め〟を唄い、校長が勅語《ちよくご》を読み上げるのを聞くだけで簡単に終った。学校から引き上げると、子供たちはその足で集合場所に集った。いよいよ正月は本格的にやって来たという思いであった。

冷たい風の吹《ふ》いている寒い日であったが、子供たちは体をまるめ、背を屈《かが》めた姿で、寒い風の中に何本かの棒杭《ぼうくい》のように立っていた。何か素晴《すば》らしいことがやがてやって来るに違いないと信じ、その期待でみんな寄り添っていた。いつも正月は凧《たこ》を揚げるものと決っていたが、この日は風が強いので凧揚げはできなかった。駐車場からは午後に初《はつ》馬車が出た。平生は午前中にも二回馬車は出たが、元日だけは午後に最初の馬車が出ることになっていた。

子供たちは折角《せっかく》の元日だったが、風のために何も出来なかったので、いつまでも駐車場に集ったまま初馬車の出るのを待っていた。初馬車の客はただ一人であった。前日の大晦日の最終の馬車で帰郷した山口平一だった。きのうと同じみすぼらしい身なりをした平一は、こんどは風呂敷包みを一つ持って、お飾《かざ》りのついている馬車に乗った。

洪作は少し離《はな》れたところからそんな山口平一の姿を見守っていた。他の子供たちは平一が駐車場に姿を現してから、馬車の支度《したく》ができるまでの短い時間、平一につきまとっていたが、洪作は少し離れたところにいて、彼に近寄って行かなかった。考えてみると、平一が郷里で過した時間は極《ご》く僅《わず》かであった。郷里の家で元日の朝を迎えたというだけの話で、こっそりと人目をしのぶようにやって来、逃《に》げるようにあわただしく帰って行こうとしている。洪作は相手が学校の成績のいいことで知られた山口平一でなかったら、彼がいかなる帰り方をしても特別な関心は持たなかったに違いなかったが、自分が畏敬していた山口平一であるだけに、妙に割り切れない気持で心が痛んだ。平一を乗せた馬

車が走り出した時、

「市山までついて行こう」

洪作は言うと、馬車を追いかけて走り出した。子供たちの一団は洪作に倣《なら》って駆け出した。寒い風の中にただ徒《いたず》らに突《つ》っ立っているより、馬車を追いかけて走る方がどのくらいいいか判《わか》らなかった。馬車はほろを降しているので、その内部の山口平一の姿は見えなかった。馬は駐車場を出る時だけほんの僅か走り、あとはなみ足になった。子供たちは馬車の前へ出たり、その横に廻ったりして、馬車と一緒に下田街道を下って行った。

洪作は、馬車のほろをはねて、山口平一が顔を出すことを期待していた。山口平一が顔を出したら、洪作は曾《かつ》て自分たちが呼んだように、〝平ちゃん！〟という声を相手にかけてやろうと思っていた。しかし、市山部落の外《はず》れまで馬に曳《ひ》かれて揺《ゆ》れている四角な箱の蓋《ふた》は開けられなかった。市山部落の尽《つ》きるところで、洪作たちはその馬車と別れた。

子供たちは、帰りはあちこちで道草を食いながら歩いた。市山部落の子供たちも所々に屯《たむろ》していたが、やはりすることがなくて、寒い風の中にただ突っ立っているだけだった。そうした市山の子供たちに石をぶつけたり、反対に石をぶつけられたりして、到《いた》るところで時間を潰《つぶ》しながら歩いた。

駐車場に辿《たど》り着いた時、洪作たちは二番の馬車が出立《しゅったつ》しようとしているのを見た。こ

んどの馬車には、三人の乗客があった。あき子と、あき子の母と、弟の公一の三人であった。公一は、洪作たちに、

「東京の親戚《しんせき》へ行って来るんだ」

と説明した。山口平一を運んで行った一番の馬車とは違って、二番の馬車は明るく華《はな》やかに見えた。あき子の母親が、

「あんたたち、市山まで乗って行かない？　乗りたかったら、乗せて上げます」

と言った。この言葉は子供たちには魅力《みりょく》あるものであった。

「乗るか」

一人が言うと、いきなり何人かの子供たちが馬車に殺到《さっとう》した。洪作は馬車に乗る気はなかったので、そうした子供たちの騒《さわ》ぎを見守っていた。御者《ぎょしゃ》のおっさんが、乗り切れないで、ステップにかじりついている二人の一年坊主《ぼうず》をつまみ降してから、馬車は出発した。馬車が出ると、あき子がほろを上げて洪作の方へ手を振《ふ》った。洪作は紋太と喧嘩《けんか》した事件以来、あき子に対して無関心になっていたが、この時ふいに、あき子が手を振ったということで、忘れていたものを思い出したような明るい気持になった。洪作は馬車が市山部落に消えるまでそこに立っていた。

二日も三日も風が吹いた。子供たちは正月の三日間を、全く風の中で過した。何かすばらしいことがやって来なければならない筈《はず》なのに、実際は何事もやって来なかった。

子供たちはなおも期待した。三が日はすんでしまっても、冬休みはまだ続いていた。その間に、素晴らしいことは少し遅《おく》れ馳《ば》せにやって来るかも知れなかった。

そうした子供たちの期待に応《こた》えるように、村には劃期的《かっきてき》な出来事があった。五日の午後に、初めて一台のバスがこの村へはいって来たのであった。やがて近い日に、大仁《おおひと》と湯ヶ島の間をバスが走るという噂《うわさ》は、去年の春頃から村人の話題になっていたが、子供たちはそのことを余り信用していなかった。そんなとてつもないことが、実際に行われる筈はないと思っていた。村人はバスのことで何回も寄り集って相談したり、バス会社の人たちと宴会《えんかい》を開いたりしていたが、そうしたことに対して、子供たちは一人残らず懐疑的《かいぎ》であった。下田街道をバスが走るなどということが実際に起っていいものであろうか。彼等は幾《いく》ら想像を逞《たくま》しくしても、白い街道を物凄《ものすご》いスピードで走っている大型の四角な自動車の車体を眼《め》に浮《う》かべることはできなかった。しかし、いまバスはやって来たのであった。実際にバスが走るのは春以降になるということであったが、その試運転のために、バスは初めてこの村へはいって来たのであった。

バスが小学校の隣《となり》の村役場の前に停車すると、大人たちも子供たちもその周囲に集った。洪作もおぬい婆さんと一緒にバスを見に行った。上の家でも全員がバス見物にやって来た。子供たちは初め遠慮《えんりょ》してバスを少し離《はな》れたところから見ていたが、暫《しばら》くすると、それに近づいて車体に触《さわ》ったり、その内部へ乗り込んだりした。村人がバス見物をしている時、半鐘《はんしょう》が鳴り出した。長野部落の農家の一軒《いっけん》が火を噴《ふ》き出したのである。

しかし、納屋《なや》を少し焼いただけで火事は大事にならず収まった。子供たちは火事も見に行かなければならなかったし、バスも見なければならなかった。それからまた火事を出した農家の嫁《よめ》が、自分の不始末《ふしまつ》で火を出したということで、火事の収まった直後、どこかへ姿を消すという事件があった。子供たちはまたこの嫁を探しに長野部落の山へも出掛けて行かなければならなかった。やりたいことは沢山《たくさん》あったが、体は一つしかなかった。正月の三日間にやって来なかった素晴《すば》らしいものは、五日になってひどく充実《じゅうじつ》した形で一度にやって来たのであった。

バスの車体は五日に村役場の前に置かれると、そのまま六日、七日と三日間そこにさらされてあった。子供たちは学校へ行かなくてもいい冬休みの三日間を、バスの周囲に集って過した。朝から晩まで一日中、そこから離れない子供たちもあった。大人たちもかなり遠い部落からバス見物に来た。このくるまが、やがて毎日のように、多勢の人を詰《つ》め込んで大仁と湯ヶ島の間を走るということは、想像してみただけでも素晴らしいことであった。

洪作も土蔵を出ると、いつもバスの置いてあるところへ行ってみたい気持に襲《おそ》われた。大抵《たいてい》十上の家へ行く時にも、わざわざ新道へ出てバスの置いてある役場の前を通った。

人程《ほど》の子供たちと、何人かの大人たちがバスにたかっているのが見られた。何回目かに洪作がそこへ行った時、馬車曳《ひ》きの兵作が、小学校の小使のおっさんと車体の横で口論していた。二人とも五十ぐらいの年配で、申し合わせたように瘦《や》せた人物であった。二人の語調が烈《はげ》しくなると、子供たちは二人を取り囲んで、それぞれの言い分に耳を傾《かたむ》けた。

「バスが走ろうと、パスが走ろうと、人はあんまり乗ることはあるめえ。何分機械だからな、いつ故障を起して、坂の上から谷の中へつんのめらねえとも限らぬ。そんなものに誰《たれ》が大事な生命《いのち》を預けるか」

兵作は言った。

「そんなことを言ったら、馬車だって同じことじゃねえか。馬は畜生《ちくしょう》だから、いつ気がふれて駈《か》け出さねえもんでもねえ。なんと言っても、もうバスの時代だ。バスが走るようになったら、誰が喇叭《らっぱ》吹《ふ》いてがたんごとんと走る馬車などに乗るもんか」

小使のおっさんは言った。小使のおっさんの親戚《しんせき》の者が沼津でバスの運転手をしているので、おっさんはバスの肩《かた》を持った。兵作の方は兵作の方でこの二、三日気が立っていた。村人に会う度《たび》に、

「おめえの商売ももう上ったりだな」

とか、

「兵さん、えらいことになったな。そろそろ商売替《が》えせんことにゃ、顎《あご》が干《ひ》上《あが》っちまうがな」

とか、そんなことを言われ、すっかり気持を昂《たか》ぶらせていた。二人は長いこと同じようなことを言い合っていたが、兵さんがバスの車体を下駄で蹴《け》ったことで、小使のおっさんはもう我《が》慢《まん》できねえというようなことを叫《さけ》んで、兵さんに飛びかかっていった。

二人はすぐ、二人の口論を見物していた大人たちに依《よ》って分けられたが、この出来事は洪作の心に小さい爪跡《つめあと》を残した。バスが走ることで、馬車曳きの兵さんは本当に困るだろうと思った。洪作は兵さんという人物に平生余り好感は持っていなかったが、しかし、兵さんが馬を可愛《かわい》がるのを見るのは好きだった。子供たちが馬にいたずらでもしようものなら、兵さんは顔を真っ赤にして憤《おこ》ったが、反対に馬に人参《にんじん》を与《あた》えている子供たちでも見つけようものなら、相好《そうごう》を崩《くず》して心から礼を言った。いかにも馬に代って自分が礼を言うといったそんな礼の言い方だった。

「有難《ありがと》うさんよ。わしゃ人参が大の好物じゃ。内儀《かみ》さんより、どんなにか人参の方が好きじゃ」

そんなことを言った。洪作は一年程前駐車場に兵さんを訪ねて、馬の話を聞いて作文に書いたことがあった。兵さんはその時、この世に馬ほど可愛いものはない。どんな辛《つら》い時でも一言も文句《もんく》は言わない。ただ大きな涙《なみだ》を眼《め》から出して泣くだけだと言った。馬が実際に大きな涙を流すかどうか洪作はその真偽《しんぎ》の程を質《ただ》す知識を持っていなかったが、しかし、その話には心を打たれた。

そうしたことがあったので、洪作は兵さんと小使のおっさんとの喧嘩《けんか》では、兵さんに味方したい気持の方が強かった。だが、第三者として傍観《ぼうかん》している限りでは、小使のおっさんの方に分《ぶ》があり、兵さんの方に敗色濃《こ》いものがあった。二、三人の大人たちになだめられて駐車場の方へ引き返して行く兵さんの背後姿《うしろすがた》には、やはりどことなく敗者の影があった。小使のおっさんに敗れたというより、村の人全体に敗れたといったところが感じられた。

洪作にとっては、この年の正月は今までとは少し違《ちが》ったものであった。みすぼらしい姿で帰郷した山口平一とか、時代の波に置いてけぼりを喰《く》おうとしている馬車曳きの兵さんとか、そういった落ち目の人たちに心を引かれるのを感じた。学校は八日から始まった。学校の始まる前日に、御料局の所長一家の人たちは東京から帰って来た。あき子、公一、母親の三人は、東京の空気をいっぱい身につけて、駐車場からの坂を上って来た。丁度上の家へ遊びに行って、そこから帰って来た洪作は、幸夫の家の前で、ばったりと彼等《かれら》と会った。あき子の母親は洪作の顔を見ると、

「洪ちゃにもお土産《みやげ》がありますよ。あとで家にいらっしゃい」

と言った。その母親に続いて、

「あとでね」

と、あき子は言った。洪作は土蔵へ帰ってから、御料局の所長さんの家へ行くべきか、行かないでおくべきか迷った。あき子も、あき子の母親もあとで来るようにと言っていたので、当然そこへ出掛《か》けて行くのが礼儀《れいぎ》というものであったが、しかし、出掛けて行くということは、東京からの土産を貰《もら》いに行くということに他《ほか》ならなかった。洪作は、あき子や彼女の母親の言葉通り、そこへ出掛けて行きたい気持は強かったが、そのために土産物を欲《ほ》しがっているように思われることは避《さ》けたい気持だった。

洪作は日が暮《く》れるまで、そのことで迷っていた。心が決らなかった。夕食の時、洪作はあき子の母親の言ったことを、おぬい婆さんに話した。すると、おぬい婆さんは、

「何を土産にくれるずら」

と、ちょっと考えている風だったが、

「何か判《わか》んないが、とにかく、洪ちゃ、行ってみなさい」

と言った。

「おら、行きたくない」

洪作が言うと、

「洪ちゃが厭《いや》なら、ばあちゃが行って来てやる」

と、おぬい婆さんは言った。

「ばあちゃに来いなんて言わなかった」

洪作が言うと、

「ばあちゃのことは言わんでも、洪ちゃの代りに行って貰って来てやる」

「そんなことしたらみっともない」

「何がみっともないことあるもんか。取りに来いというのに行かんてはない」

おぬい婆さんは言った。

夕食が終ってから、おぬい婆さんは階下で食器を片付けていたが、洪作はおぬい婆さんがもし所長さんの家へ出掛けて行くようなことがあったら、絶対にそれをとめなければならぬと思っていた。が、そのうちに洪作とも血の繋《つな》がっている酒造家の嫁《よめ》さんが何か用事でやって来て、二階でおぬい婆さんと話をし出したので、洪作はおぬい婆さんを監《かん》視《し》する気持を解いた。夜になってしまえば、幾《いく》らおぬい婆さんでも所長さんの家を訪問することはあるまいと思われた。

洪作は奥の部屋で机に対《むか》っていた。明日学校が始まるので、宿題をやってしまわなければならなかった。洪作は勉強に気を奪《と》られていたが、ふと隣《となり》の部屋に人声のしていないことに気付いた。襖《ふすま》を開けてみると、おぬい婆さんも若い女の訪問者の姿もなかった。

洪作はすぐ階段を駈け降りた。暗い階下にはおぬい婆さんの姿はなかった。

洪作は藁草履《わらぞうり》を足にひっかけると、すぐ戸外へ出た。月光があたりを昼間のように明るくし、樹木の影だけがインキを流したように黒かった。洪作は街道を駈けて、上の家へ行ってみた。

「ばあちゃ、来なかった？」

一枚だけ戸の開いている戸口で声をかけると、

「いま、出て行きなされた。所長さんの家へ行くと言ってじゃった。洪ちゃ、そこで会わなかったか」

祖母の声が奥から聞えて来た。洪作はすぐ戸口を離《はな》れると、御料局の裏門のある方へと走った。裏門まで行き、そこをくぐると、広場を横切って官舎のある方へ歩いて行く人影が見えた。おぬい婆さんに違いなかった。背を屈《かが》め、五、六歩歩いては立ち止まって背《せ》を伸《の》ばす、ひどく間延《まの》びした歩き方なので、歩いているというより動いている感じだった。洪作はおぬい婆さんに追いつくと、背後から、

「ばあちゃ」

と声をかけた。おぬい婆さんはゆっくり振《ふ》り返った。白髪《はくはつ》が月光を浴びて銀色に光っており、顔の皺《しわ》も昼間より深く刻まれていて、老婆というより、嫗《おうな》といった感じだった。

「帰ろう」

洪作は言った。それに対し、おぬい婆さんは口の中で何か低く呟《つぶや》いた。

「帰ろう」

洪作はおぬい婆さんの背を半ば抱《だ》きかかえるようにして、彼女の歩いて行こうとしている方角とは反対の方へ向けた。おぬい婆さんは洪作の気持の烈《はげ》しさに気押《けお》された恰好《かっこう》で、二、三歩洪作と一緒《いっしょ》に歩いたが、

「所長さんとこはついそこじゃが、行ってくべえ」

と言った。

「何しに行く」

「土産貰って来たらええが」

この時、洪作はおぬい婆さんに烈しい怒りを感じた。

「欲ふかばばあ！」

洪作は思わずそんな言葉をおぬい婆さんにぶつけ、おぬい婆さんの顔を睨《にら》みつけた。洪作がこのような言葉を今まで口に出したことはなかったので、おぬい婆さんは呆気《あっけ》にとられた顔をしていたが、やがて、

「洪ちゃ、何を憤《おこ》っとる？」

と言った。

「何を憤ってるか判らんのか」

「おお、こわ！」

おぬい婆さんは大袈裟《おおげさ》に怖《こわ》がってみせ、それから、

「洪ちゃのおしゃるように帰るべえ」

と、そんなことを言った。洪作は胸が張り裂《さ》けるような烈しい悲しみに襲《おそ》われていた。自分の気持がおぬい婆さんに理解されぬ悲しみであった。洪作は思わず欲ふかばばあという口にすべからざる罵言《ばげん》をおぬい婆さんに浴びせたが、実際に去年あたりから、おぬい婆さんはめっきり欲が深くなっていた。二、三年前までは決して欲の深いところなど見せることはなかったが、それがこのところ洪作の眼にもはっきりとそれと判る映り方で映っていた。どうしておぬい婆さんがこのようになったか、洪作には理解できなかった。上の家の祖父の言うところに依《よ》ると、おぬい婆さんは腰《こし》が曲るに従って、欲の皮が突《つ》っ張って来たのであった。

洪作はおぬい婆さんを連れて土蔵へ帰る途中、家へ帰ってから二人の間の気まずさをどのように処理すべきか、そのことが鬱陶《うっとう》しく感じられたが、いざ土蔵の二階へ帰りついてみると、おぬい婆さんはひどく恥《は》ずかしそうな表情をして、

「今夜は、洪ちゃに叱《しか》られた！」

と、そんなことを言った。洪作の眼には、そんなおぬい婆さんの顔が、幼い女の子でもはにかんでいるかのように見えた。

翌日、学校で昼食時間に、洪作はあき子から色鉛筆が十二本並《なら》んではいっている箱《はこ》を

手渡《わた》された。

「母さんから」

と、あき子は言った。洪作はその日学校が退《ひ》けて家へ帰ると、色鉛筆の箱をおぬい婆さんに見せた。

「これかいな。立派なもんじゃ」

おぬい婆さんは感心して言った。そして鉛筆を一本一本抜《ぬ》き出して、それを仔細《しさい》に眺《なが》め渡し、

「所長さんからの土産は、さすがに豪勢《ごうせい》なもんじゃ」

と言った。洪作はおぬい婆さんが素直に感心してくれたことが嬉《うれ》しかった。

十四日は〝どんどん焼き〟の日であった。どんどん焼きは昔《むかし》から子供たちの受け持つ正月の仕事になっていたので、この朝は洪作と幸夫が下級生たちを指揮した。子供たちは手分けして旧道に沿っている家々を廻《まわ》り、そこのお飾《かざ》りを集めた。本当は七日にお飾りを集める昔からのしきたりであったが、この頃はそれを焼くどんどん焼きの当日に集めていた。橙《だいだい》を抜き取ってお飾りだけ寄越す家もあれば、橙は勿論《もちろん》、串柿《くしがき》までつけて渡してくれる家もあった。

お飾りは、田圃《たんぼ》の一隅《いちぐう》に集められ、堆高《うずたか》く積み上げられた。幸夫がそれに火を点《つ》けた。

火勢が強くなると、

「みんな書初《かきぞ》めを投げ込め」

幸夫は怒鳴《どな》った。子供たちは自分が正月二日の日に書いた書初めを、次々にその火の中に投げ込んだ。洪作も幸夫も投げ込んだ。そしてその仕事が終ると、くろもじの枝《えだ》の先端《せんたん》につけた小さい団子《だんご》をその火で焼いて食べる、このどんどん焼きの中で一番楽しい仕事へと移って行った。

この日は、男の子供も女の子供も一緒だった。一年のうちで、男女の児童たちが一緒になるのは、この一月十四日しかなかった。書初めは、それを書いた子供たちが、他《ほか》の者に自分の筆蹟《ひっせき》を見られるのを厭がって、大抵まるくまるめられたまま火の中に投じられた。男の子供の一人が、女の子供たちの書初めを棒で火中から取り出した。焼けかかっているのもあれば、まだ全然火を浴びていないものもあった。突然、

「それ、開けてはいや！」

という細い声が上った。洪作はその方は見ないでも、そう叫《さけ》んだ者が誰《だれ》であるか判っていた。あき子は、三年生の為雄が今しも棒で拡《ひろ》げようとしている一枚の書初めを、自分の持っている棒で奪《うば》い返そうとしていた。あき子の書初めは一部は焼けていたが、字の書かれた部分は火から免《まぬか》れていた。

――少年老い易く学成り難し

——一寸の光陰軽んずべからず

そんな文字が洪作の眼《め》には映っていた。男の子でも書きそうな強い感じの大きな字で、何枚かつなぎ合わせた半紙に二行に認《したた》められてあった。少年老い易く学成り難し。この初めの一行の文章だけが、洪作には意味が判った。洪作は身内の引きしまるような緊張《きんちょう》を感じた。ああ、少年老い易く学成り難し。洪作はいきなり立ち上って、土蔵へ帰り、二階へ上って勉強をしたいような気持にさえなった。洪作は、自分の書初めを火の中へ突っ込んでいる少女を、尊敬の思いで眺《なが》めた。今まであき子に惹《ひ》かれたことはあったが、しかし、いまの惹かれ方は全く違っていた。自分にこのような感動を与《あた》える文章を書初めに書いた少女への讃歎《さんたん》であり、讃美であった。

どんどん焼きがすむと、子供たちの頭から完全に正月というものはなくなって行った。正月はもう過ぎ去ってしまった一つの事件であるに過ぎない。正月はもう終ってしまったのである。この頃から伊豆の天城《あまぎ》山麓《さんろく》の村々は本格的な寒さに見舞《みま》われた。毎朝のように地面を凍《こお》らせる霜柱《しもばしら》は深くなり、小川の縁《ふち》の青い草を内部に閉じこめたつららの数も多くなる。つららのことを子供たちはビイドロと呼んでいた。正月の何日間か毎日のように村を吹《ふ》き抜けて行った風は死んで、静かな陽射《ひざ》しが街道に落ちるが、寒さはこれまでよりずっと厳しくなっている。

毎年のことだが、本当の冬の寒さがやって来るこの頃から、子供たちの間には小鳥を獲《と》るわなが流行し始める。小鳥はひよどりの種類が多くやって来た。村中到《いた》るところに、ひよどりの姿は見られたが、殊《こと》に多くその姿を現すのは、人家の跡絶《とだ》えた長野川の渓合《たにあい》であった。

洪作は学校から帰ると、二、三人の仲間と長野川に沿った段々畑を降りて行って、そこにひよどりのわなを仕掛《か》けた。一つのわなを作るにはかなりの時間と労力を要した。よくしなう木の枝を切って来て、それを冬枯《が》れた田圃の中に差し込み、地面から出ている部分を折り曲げて、それをバネとした。わな作りは幸夫とさどやの亀男がうまかった。赤い実をわなのところにばら撒《ま》いて置き、それをついばみに来た小鳥が仕掛の一端《いったん》に触《ふ》れると、バネの枝は強く撥《は》ね返って、仕掛の木切れが小鳥の体を獲《と》え押える仕組みになっている。獲えられる小鳥は例外なく死んでしまうので、その意味では残酷《ざんこく》なものであった。小鳥の死刑台《しけいだい》と言ってよかった。

しかし、小鳥も利口《りこう》になっていて、餌《えさ》である赤い実だけをついばんで、なかなかわなに体を触れさせなかった。洪作は幸夫たちと毎日のようにわなを作ったが、めったに小鳥はかからなかった。小鳥がかかっているかどうかを見に行くのは大抵そのあくる日の朝のことで、学校へ行く前に、子供たちは幾《いく》つかのわなを点検して廻った。

ある朝、洪作は幸夫と二人でわなを見に行った。川縁《かわぶち》の崖《がけ》の上に仕掛けた幾つかのわなを順々に見て行ったが、その中の一つに一羽のひよどりがかかっていた。ひよどりは首を締め木に押えられ、小さい体を横倒《だお》しにして、無慚《むざん》な屍《しかばね》をさらしていた。

洪作も幸夫もすぐにはそれを取り上げる気にはならないで、暫《しばら》く小さい生きものの屍《し》体《たい》を上から見降していた。その時、洪作は川の流れの音に混《まじ》って、何人かの女生徒の声を聞いた。振り返ってみると、赤い寒椿《かんつばき》の枝を手にした女の子供たちが崖縁の道を上って来るのが見えた。洪作はその中にあき子の姿があるのを見た。あき子は六年生なので、一団の女の子供たちを指揮している恰好で、その一団の先頭に立っていた。

「おーい、ひよどりがわなにかかってるぞ」

幸夫は女の子の一団の方へ叫んだ。すると、あき子たちは川縁の細い道を駈けて、洪作たちのところへやって来た。女の子供たちはすぐわなを取り巻いた。あき子も息を詰《つ》めたような表情で、ひよどりの骸《むくろ》を見守っていた。幸夫は体を折り曲げると、ひよどりの屍体をわなから取り外す作業に取りかかった。やがて幸夫は締め木を取り除いて、ひよどりの屍体を手にすると、それに眼を当てながら立ち上った。

「バタン、キュウッ」

幸夫はそんなことを言って、ひよどりを洪作の方へ差し出した。洪作はそれを受け取った。ひよどりの体は氷のように冷たく、何の張りも抵抗《ていこう》もなかった。世の中にこれほど柔かい物体はないと思われる程、それは柔かく無力であった。

洪作は厄介《やっかい》なものを手渡された感じで、ただそれに眼を当てていた。女の子供たちが顔を近づけて覗《のぞ》きに来た。

「これ、毛をむしって、焼いて弁当のおかずにするんだ」

幸夫は言った。洪作は幸夫の方にそれを返そうとしたが、幸夫は受け取らなかった。幸夫は口では人並《な》みなことを言っていたが、明らかに自分の獲物《えもの》の処置に当惑《とうわく》している風で、

「洪ちゃ、お前にやらあ」

と、そんなことを言った。

「おら、欲《ほ》しくない」

洪作が言うと、

「たれかにやらあ」

幸夫は女の子供たちの顔を見渡した。洪作も一緒に一座の女生徒たちの顔を見廻したが、誰もそれを受け取ろうとする者はなかった。

洪作は、突然、烈しい泣き声が起るのを聞いた。それは何の前触れもなしに、いきなり一人の少女の口から出された烈しい泣き声であった。嬰児《えいじ》が時折火でもついたように烈しく泣き出すことがあるが、丁度それに似ていた。泣いているのはあき子であった。両の掌《てのひら》を顔に当て、肩を小さく波打たせながら、烈しく嗚咽《おえつ》していた。身も世もなく悲歎にくれているといった、泣き方だった。

一座の者は、突然の出来事に呆気にとられていたが、しかし、すぐあき子が何のために泣き出したかということは理解した。そうしたことを理解させるような緊迫《きんぱく》した空気がそこにはあり、あき子の発作《ほっさ》を極《ご》く自然に受け取らせるようなものが、既《すで》に用意されてあったのである。

洪作ははっとした。そしてそうしたあき子の抗議を心に痛く受け取りもし、また甚《はなは》だ迷惑《めいわく》にも感じた。洪作は自分がひよどりの屍体を手にしていることで、あき子の非難と抗議がひたすら自分に向けられているのを感じた。

「これ返すぞ。お前のだからな」

洪作は是《ぜ》が非《ひ》でも、ひよどりの屍体を幸夫に引き取らせようと思った。

「俺《おれ》のじゃないや、洪ちゃのわなだぞ」

幸夫は二、三歩後ずさりして言った。洪作は厄介なことになったと思った。洪作は一刻も早くひよどりの屍体を自分の手から離《はな》したかったが、今更《いまさら》それを地面の上に置くわけにも行かなかった。

「やらあ」

また洪作は幸夫に言った。するとこんどは何を思ったのか、幸夫はそれを受け取ると、いきなり石でも投げるように、投球のモーションで、それを崖の向うへ投げた。そして、

「洪ちゃ、行こうや」

そう言うと、女の子供たちの一団をそこに置いたまま歩き出した。洪作はすぐ幸夫のあとを追った。幸夫の採《と》った解決法は必ずしも最上のものとは思われなかったが、しかし、一つの解決法であったことは事実であった。洪作は自分も早くそうすればよかったと思った。荒《あら》っぽい行為《こうい》ではあったが、明らかにあき子の抗議への反撥《はんぱつ》もそこにはこめられてあった。

洪作は、小鳥を獲ることの残酷さを、あき子に依って指摘《してき》され、それはそれで充分《じゅうぶん》心に応《こた》えたのであったが、また一方そうしたあき子の抗議に対して反撥するものもあった。残酷なことをしたということは充分判っている。それを、何も突然泣き出すといったような行為で抗議しなくてもいいではないか、そういった気持があった。

幸夫も同じことを感じたに違いなかった。そして問題の小鳥を川の中へ投げてしまうという処置に出たのであったが、それは洪作にはやはり幸夫らしいさっぱりした男らしい態度に見えた。そうした処置も採らず、いつまでもひよどりの屍体を摑《つか》んだまま、それを持て余していた自分に意気地のないものを感じた。洪作は、自分という人間が厭だと思う自己倦厭《けんえん》の感情を、初めてこの事件に依って知ったのであった。残酷さに鈍感《どんかん》だったことをあき子に依って指摘されたことも厭だったし、また一方でそうしたあき子に反撥するものを感じながら、徒《いたず》らに相手に遠慮《えんりょ》していかなる行動にも出られなかった自分も厭だった。幸夫の方がよほど男らしい毅然《きぜん》としたところがあって立派だったと思った。

この事件があってから、洪作は小鳥のわなを作ることをやめた。わなのことを思うと、すぐあき子の烈しい泣き声が耳についた。そしてこの事件から何日か経《た》ってから、洪作は女の子というものが、男の子とは違って、ひどく痛み易い感情を持っているものだということに気付いた。男の自分などが想像もできない程繊弱《せんじゃく》な、まるで鳥の初毛《うぶげ》のような傷つき易い心を女というものは持っているのである。洪作は学校でも、女生徒というものを今までとは少し違った眼で見るようになった。確かにそうした眼で見ると、女生徒は優《やさ》しいものにも思われ、また同時に始末に悪いものにも見えた。何事につけても、自分の意見を口に出さないで、すぐ泣き出すことが多かった。

五章

春の休暇《きゅうか》に、洪作はひとりで沼津のかみきの家へ遊びに行った。かみきの家へ行くのは、これで三度目であった。最初は三年程《ほど》前、おぬい婆さんと一緒《いっしょ》に沼津へ行って、駅前の旅館に泊《とま》った時で、かみきの二人の娘《むすめ》たちと千本浜へ遊びに行き、買食いが祟《たた》って、帰宅してから吐瀉《としゃ》するという小事件を引き起した。二回目は、学校の旅行で沼津へ行き、その折にかみきの家を訪ねたのであった。その時はほんの十分程の訪問で、二人の姉妹、蘭子《らんこ》にもれい子にも会わなかった。小母さんから紙に包んだ小遣《こづかい》を貰《もら》い、すぐ駅前の広場に集っている学校の仲間のところへ戻《もど》って行ったものであった。

こんどの三回目の沼津行きの目的は、受験の参考書を買うことであった。洪作もいよいよ六年生になるので、中学の受験が一年先に迫《せま》って来て、もう今までのようにうかうかしてはいられなかった。おぬい婆さんも、中学へ進むのには入学試験というものがあり、田舎《いなか》の小学校からではよほど勉強しない限り、それに合格することは難しいということを知っていた。それで、洪作に参考書が要《い》るなら、沼津へ行ってそれを買って来るように勧《すす》めたのであった。

「洪ちゃ、参考書だけは、何としても買って来んとな」

おぬい婆さんも受験の参考書の必要なことを、誰からか吹《ふ》き込《こ》まれていたらしかった。

参考書を買いに行くことについては、洪作は伯父の石守校長からも半ば命令的に勧められていた。洪作は春休みになってから、石守森之進に招《よ》ばれて、学校へ出掛《か》けて行き、校長室へはいって行った。すると、石守森之進は例によって、苦虫《にがむし》を咬《か》みつぶしたような顔をして、洪作を睨《にら》むように見据《す》え、いきなり、

「洪作、勉強しておるか」

と言った。

「勉強しています」

洪作が答えると、

「もっと勉強せんと駄目だ。この間、お前の綴方《つづりかた》を見たら、嘘字《うそじ》が三つあった。短い文章の中に、三つも嘘字を書くようでは、とても中学へははいれん。——もっと、もっと、勉強せい」

石守校長は言った。そして、

「お前はどうも、一年、二年の時の方ができたようだ。上級になるにつれて、できなくなった。こんな調子では先が思いやられる。——もっともっと勉強せい」

上級になるにつれてできなくなったという石守校長の叱責《しっせき》は、洪作には納得《なっとく》がいかなかった。学校の成績は少しも落ちていなかった。どういうわけで、このようなことを言われるのか、わけが判《わか》らなかった。

「沼津へでも行って参考書を買って来なさい。教科書だけやっているようでは、とてもはいれん！　とにかく、もっともっと勉強せい」

石守校長は言った。勉強せい！　の一点張りであった。これはあとで洪作が知ったことであるが、この学校からのただ一人の今年の受験生であったあき子が、沼津の女学校を受験して、僅《わず》かの落第生の中にはいってしまったことが、この日判明したのであった。それで石守校長はすっかり不機嫌《ふきげん》になり、来年の受験生である洪作にまで、当り散らしたのであった。あき子が落第したことは、それから二、三日してから村へひろまった。

村人の間では、バスが村に来た時以来の事件であった。

「あんた、聞いたか？　大きい声では言われんが、御料局のあき子さんが、落第したそうだ」

とか、

「落第したら、もう嫁《よめ》っこにも行かれめえ」

とか、そんなことを村の内儀《かみ》さんたちは、顔を合わす度《たび》にささやいた。子供たちで、御料局の庭へはいって行き、落第したあき子の顔を見ようとした。そしてあき子が家から出て来ようものなら、うわあっ！　と喚声《かんせい》を上げて逃《に》げた。まるで怖《おそろ》しいものにでも追いかけられているかのような、そんな周章《あわ》てふためいた逃げ方であった。

洪作の沼津行きは、そうした時期であった。洪作は生れて初めて一人で馬車に乗った。洪作は一人で旅へ出るということで、すっかり昂奮《こうふん》していた。一人で馬車に乗ることにも、一人で軽便に乗ることにも、勿論《もちろん》もう何の不安も感じなかったが、眼《め》や耳や皮膚《ひふ》は、いかなる小さい外界の変化をもあまさず感じ取ってしまうほど、鋭《するど》く研《と》ぎすまされていた。

大仁で馬車を降り、それから軽便鉄道で三島に行き、三島から一駅だけ汽車に乗った。そして沼津駅で降りると、駅前の商店で、かみきの家のある魚町へ行く行き方を訊《き》いた。道は一本道だった。洪作は賑《にぎや》かな表通りを、風呂敷《ふろしき》包みを持って歩いて行った。御成橋の近くまで行くと、洪作はかみきの家のある場所を思い出した。

洪作はかみきの家へはいって行った。蘭子の母が、丁度外出でもしようとしている時なのか、板敷の間から土間へ降り立ったところだった。小母さんは洪作の顔を見ると、すぐ、

「あんた、洪ちゃかえ？」

と言った。

「そうです」

洪作が答えると、

「ひとり？」

「そうです」

「まあ、よく一人で来なされた。この前とは見違《ちが》えるほど大きくなって！　さあ、お上んなさい」

小母さんはあいそよく迎えてくれた。そして、

「小母さん、ちょっと御近所へ行ってくるが、すぐ帰って来ます。奥に蘭子がいますから、蘭子とでも遊んでいらっしゃい」

と言った。小母さんが外へ出て行ってしまうと、洪作は板敷の間に上り、奥の居間をのぞいた。明るい陽光の降っている外から来たためか、部屋の中は何物も見えないほど

暗かった。

「たれ？」

その暗い中から澄《す》んだ声が響《ひび》いて来た。蘭子に違いなかった。

「――洪作」

洪作が言うと、

「あーら、いらっしゃい」

それから、洪作の来たのを知らせるつもりか、母さん！　母さん！　と、高い叫《さけ》び声を上げた。

「小母さんはいま外へ行った。そこでもう会っちゃった」

洪作は言った。すると、蘭子は、そう、いやあね、母さんたら、黙《だま》って行くんだもの、そんなことを言ってから、

「さきに井戸端《いどばた》へ行って、手を洗ってらっしゃい。乗物へ乗ったから汚《きたな》いでしょう」

と言った。

「うん」

洪作は言われるままに、素直に土間へ降り、井戸端へ行って手を洗った。二度目に居間へ行った時は、眼《め》が慣れたのか、さっきの暗さはなかった。喉《のど》に繃帯《ほうたい》を巻いた蘭子が少し横坐《よこずわ》りの姿勢で炉端《ろばた》に坐っていた。蜜柑《みかん》を食べていたのか、前に蜜柑の皮が沢山《たくさん》並《なら》

んでいた。

洪作は蘭子が大きくなっているのに驚《おどろ》いた。この前の蘭子とは別人の観があった。この前はお俠《きやん》な意地の悪い少女であったが、いまはすっかりおとなびて、口のきき方まで違っていた。

「みかん食べる？」

「ううん」

「お菓子上げましょうか」

「いらん」

「お行儀《ぎょうぎ》いいのね」

洪作は驚いて蘭子の顔を見た。小母さんが言うのならおかしくはなかったが、それは確かに蘭子の口から出た言葉であった。

「わたしの勉強部屋へ行く？」

「うん」

「栞《しおり》上げるわ」

「うん」

洪作は蘭子について二階の階段を上って行った。蘭子とれい子の共同の部屋らしく、狭《せま》い部屋の真ん中に対《むか》い合って小さい机が二つ置かれてあり、部屋の隅《すみ》の本箱《ほんばこ》の上には人形が沢山並べられてあった。

「ここで勉強するの？」

洪作が訊《き》くと、

「勉強なんかしない。遊んでばかりいるの」

蘭子は言った。そして自分の机のひき出しを開けると、紙の箱を取り出し、その中から沢山の栞を取り出した。

「一つだけ上げる。お選び！」

「どれでもいい？」

「うん、好きなの上げるわ」

洪作が青い布地の栞を取り上げると、

「それ、先生が下すったの。蘭ちゃんばっか可愛《かわい》がる先生よ」

そんなことを蘭子は言った。この時気付いたのであるが、洪作には蘭子の顔が白いというより青く見えた。窓の外に葉を持った樹木の梢《こずえ》が来ているので、その葉の緑のためかも知れなかった。

梯子段《はしごだん》を凄《すご》い音を立てて誰《だれ》か上って来た。れい子だった。れい子の方はこの前と余り違っていなかった。

「洪ちゃ？」

れい子は言った。

「うん」

「いつ来たの？」

「いま」

「泊る？」

「うん」

「何日？」

「わからん」

するとれい子は、

「あんまり長くはだめよ。祖母《ばあ》ちゃんがあんまり人ばっかりとめるから、わたしんち貧乏になっちゃうんだって」

と言った。

「貧乏？」

驚いて洪作が訊くと、

「お黙り！　お前さん、何言ってるんだ。何も判りもせんくせして」

ぴしゃりと、蘭子は全く大人の言い方で言った。

「だって、祖母ちゃんが言ってた」

「祖母ちゃんなどに判るもんか。うちが貧乏だなんて、聞いて呆《あき》れるわ。憚《はばか》りさま、お金持よ」

「もうお米がないんだって」

「何言ってるの？」

「ほんとよ、母ちゃんが父ちゃんに言ってた」

「それは間違い！」

蘭子はれい子の方へ顎《あご》をつき出すと、

「父ちゃんが何もしないでいて、女遊びばかりしているから、母ちゃんがおどかしたの。そんなことも判らんといて、このおしゃま！」

いきなり蘭子はれい子のおでこを右手の掌《てのひら》で衝《つ》き上げた。れい子は二、三歩よろめいたが、すぐ踏《ふ》みとどまると、蘭子をひとつ睨《にら》みつけておいて、蘭子の机の端に手をかけたと思うと、いきなりそれをひっくり返した。

それと一緒に二人は互《たが》いに相手に飛びかかった。二つの大きな花束《はなたば》がぶつかり合い、揺れ動き、飛び散っているかのような、その場の情景だった。洪作はこんな派手な喧嘩《けんか》をこれまでに見たことはなかった。湯ヶ島の子供たちの組打ちなど、これに較《くら》べると、とても喧嘩のうちにはいらなかった。やがて悲鳴《ひめい》が蘭子の口から上った。大きい体の蘭子が、小さい体のれい子に押えつけられているのを、洪作は見た。

「謝るか？」

れい子の方はゆっくりと同じ言葉を三回口から出した。すると、その度に蘭子は悲鳴を上げた。どこかつねってでもいるのかも知れなかった。

やがてれい子は押えつけていた姉から離《はな》れると、一言も言わないで部屋から出て、そのまま階段を降りて行った。蘭子はけたたましく泣き叫びながら身を起すと、泣きじゃくりながら、れい子の机のひき出しを抜《ぬ》き取り、それを窓のところへ持って行って、屋根の上に抛《ほう》り出した。ひき出しの中にはいっていた色鉛筆や、紙片や、ノートや、小さい人形や、はさみなどが音をたてて屋根瓦《やねがわら》の上に散乱した。

洪作は二人の姉妹の乱闘の間、全く手の施《ほどこ》しようのない気持で、それが終るまで、ただそれを見守っていた。小母さんが上って来た。小母さんは部屋をのぞき込むと、

「あら、また喧嘩したの。いやねえ、机ひっくり返して！――知りませんよ、怪我《けが》しても」

そう言ったが、それはもうそれで済《す》んだといった風に、

「蘭ちゃん、階下《した》で洪ちゃと一緒にお菓子戴《いただ》きましょう」

と言った。二人の姉妹とは違って、これはまたひどくおっとりしていた。

「さ、洪ちゃ、行きましょう。蘭ちゃんも機嫌直して、階下へいらっしゃい」

そう言うと、小母さんは階下へ降りて行った。

洪作はその日一人で参考書を近くの書店に買いに行き、その日と、その翌日と、二晩かみきの家の厄介《やっかい》になった。れい子はもうお米がなくなってしまったというようなことを言ったが、勿論かみきの家にはそんな気配はなかった。女中も立ち働いていれば、何かにつけて、洪作などが眼を見張るような贅沢《ぜいたく》さに溢《あふ》れていた。三度三度の食事の時は、何食べきれぬ程の料理が食卓《しょくたく》の上に並んでいた。寝具《しんぐ》もふわふわした贅沢な気持のいいものだった。

それでいて、少年の洪作にも、この家の生活状態が決して健康な正常なものでないということが、何ということなしに感じられた。二人の姉妹がどうしても異常としか思われぬような派手な喧嘩をしたが、そうしたものがこの家のすべての面にあった。小母さんは夕食を作るのが面倒《めんどう》だと言って、使用人の分まで含《ふく》めて、沢山のうなぎどんぶりを取り寄せたり、魚屋の持って来たものを、ろくに見もしないで、

「いいわ。おいしそうだったら、みんな置いてらっしゃい」

と、例の澄んだやわらかい声で言ったりした。洪作はこの家では贅沢な人形のような小母さんが一番好きだったが、しかし、どこかにその存在そのものに危っかしいものが感じられた。この前来た時は、優しいいい小母さんというだけで、そうしたことには気付かなかったが、こんどは、ともかく洪作にもこんなであってはいけないというものが感じられた。本当に今日食べる米がなくなっても、この苦労というものを全く知らない

女性は、それに気付かないであろうと思われた。

二日目の午後、洪作は蘭子に誘《さそ》われて千本浜へ海を見に行くことになった。

「洪ちゃ、さきに出て、角の八百屋《やおや》さんのところで待っててね。一緒に家を出ると変に思われるわ」

そう蘭子は言った。

「どうして変に思われる？」

洪作は訊いた。

「だって、男と女が一緒に出たら、怪《あや》しまれるわよ。洪ちゃって、なんにも知らないのね。田舎《いなか》は平気かも知れないけど、街はうるさいのよ」

蘭子は、その時、着て行く着物を何枚も何枚も簞笥《たんす》から取り出して、その中の一枚を選ぶのに苦心していた。蘭子は気に入らない着物を引っ張り出すと、遠慮《えんりょ》なく畳の上に投げ出して、少しもあとを片付けようとはしなかった。

洪作は言われるままに、先に家を出て、角の八百屋の前で蘭子の来るのを待った。蘭子は色のついた矢絣《やがすり》の着物を着てやって来た。少女というよりは、もう娘《むすめ》に見えた。洪作は遠くからそれを見て、なるほどこの少女と街を歩くのは、少し鬱陶《うっとう》しいことだなと思った。人目にもつくし、何となく自分がお供のように見られそうで厭《いや》だった。

「お待ち遠さま」

蘭子は近づいて来ると、そう言って、

「少し早く歩きましょう。れい子の奴《やつ》追いかけて来るかも知れないわ。嫉《や》いてるのよ」

「嫉くって？」

「あら、嫉くってこと知らないの。ヤキモチよ。母さんだって嫉くわ。お父さんが家へ帰らないでしょう。それで嫉くの。大変よ」

そんなことを蘭子は言った。洪作は気恥《は》ずかしい思いを持って、蘭子と並んで大通りを歩いて行った。千本浜の入口まで十分程かかった。その間に、蘭子は啄木《たくぼく》の歌を知っているかと訊いた。そんな人の名前は、勿論、洪作には初めてのものだった。

「知らないな」

「まあ、知らない!?　驚いた。啄木も知らないの。田舎の小学校ってだめね」

「教わらんよ」

「教わらなくても、啄木ぐらい、街の子はみんな知ってるわ。——有名な歌人じゃない!?」

「知らん」

洪作は少しむっとして答えた。

「有本芳水って知ってる？」

「知らん」

「小説家よ」

「知らん」

「家へ帰ったら貸して上げるわ」

蘭子は言った。

千本浜には風があった。人の姿はなく、千本あると言われる松の間を、強い風が砂を巻き上げて吹《ふ》き通っていた。風の方へ顔を向けると、砂粒が顔に当って痛かった。

「うしろ向きになってお歩き」

蘭子は言った。実際に蘭子自身うしろ向きになって歩いていた。洪作もまたそれを真似て歩いた。松林を脱《ぬ》けると海が見えた。白い波頭が海面いっぱいに拡《ひろ》がっている。

「啄木の歌を唄《うた》って上げましょうか」

蘭子は言った。そして洪作が返事をする前に、彼女の口からは歌声が流れた。ひどく細い調子の高い声だった。歌声は一つ一つ、蘭子の口から出ると、風に奪《うば》われて背後へと飛んで行った。洪作はそれに耳を傾《かたむ》けた。歌の文句《もんく》がいかなるものか判らなかったが、その調子には、洪作の心を強く魅《み》するものがあった。

「学校で教えるの？」

洪作が訊くと、

「教えるもんですか。恋の歌なんて唄うと叱《しか》られるわ」

「恋の歌？」

「そうよ。初恋の歌」

恋という言葉も、初恋という言葉も、他人から口に出して言われたのは、洪作には初めてのことだった。初めてであったが、それがどういうものであるかは、洪作には判っていた。

蘭子は次々に歌を唄った。どれも啄木の歌であった。口を横に開いたり、小さくまろめたり、いろんな形にして、すっかり心の底の底から自分の歌に陶酔《とうすい》しているような唄い方であった。

二人は松林を出たところで、砂の上に腰《こし》を降した。砂粒が飛んで来るので落ち着いていられなかったが、しかし、洪作は初めて自分が経験するような青春の思いの中に身を固くしていた。

洪作は立ち上ると海に向って石を投げた。洪作が石を投げ出すと、蘭子もまた、少女に帰ってしまって、洪作に敗《ま》けまいと、着物の袖《そで》をめくって石を投げた。石を投げる時気付いたのであるが、蘭子の方が洪作より少し背丈《せたけ》が高かった。洪作は自分より年少の少女が自分より背丈が高いということでひどく引け目を感じた。それだけでこの少女の意を迎《むか》える資格は自分にはないような気がした。

三月の休みに沼津に行ったことは、洪作にとってはやはり一つの事件であった。蘭子というませた少女に依《よ》って、洪作の全く知らなかった高級で甘美《かんび》な世界があるということを教えられた思いであった。千本浜で啄木の歌を唄った蘭子の声は、いつまでも洪作の耳から消えなかった。歌の文句は覚えなかったが、その歌声の調子は聞く者の心をその根底からゆすぶるような、甘《あま》くて、上品で、しかも烈《はげ》しいものを持っていた。

新学期が始まって、洪作は高等科へ進んだあき子と顔を合わせたが、蘭子と思いくらべると、あき子はずっと稚《おさな》く見えた。あき子の方が二つほど年長の筈《はず》であったが、身なりも言葉の使い方もやはり田舎《いなか》の少女だという気がした。

蘭子のことは上の家でもよく噂《うわさ》に上っていた。あの我《わ》が儘娘《ままむすめ》にも困ったものだというようなことが、必ず誰《だれ》かの口から出たが、洪作はそれほど蘭子のことを悪く言う気にはならなかった。我が儘で、おませで、れい子との喧嘩《けんか》の仕方などには確かに異常なところがあったが、しかし、あとでそれを思い出してみると、妙《みょう》にきらきらした美しさが感じられた。れい子にもまた蘭子に似たところがあったが、れい子の方には、どこかに確《しっか》り者といった気の強いところがあって、二人を較《くら》べると、洪作は蘭子の方に好意を持った。

新学期が始まるとすぐ洪作は受験のための勉強にとりかかった。もうこの一年は遊んではいられないと自分に言いきかせた。土蔵の北側の窓のところに机を置き、机の横に小さい本立てを置いて、それに教科書やら沼津から買って来た参考書などを並《なら》べた。参考書の一冊には蘭子から貰《もら》った青い布地の栞《しおり》を挟《はさ》んだ。異性から貰ったということだけで、その青い栞は何か重大な意味でも持っているかのように見えた。

洪作は学校から帰ると渓合《たにあい》の共同風呂《ぶろ》へ湯にはいりに行くようになった。洪作は入浴することは嫌《きら》いで、これまで自分で共同風呂へ出掛《か》けて行くようなことはなかったが、六年生になってから、殆《ほとん》ど毎日のように渓合の道を下って行った。洪作が風呂へ行き出すと、近所の下級生たちも洪作に倣《なら》って風呂通いを始めた。幸夫も、亀男も学校が退《ひ》けて家へ帰ると、すぐ手拭《てぬぐ》いをもって、土蔵の前へやって来た。渓合の共同風呂へはいりに行くということが、部落の一群の少年たちの遊びになったのであった。

しかし、洪作が風呂へ行き始めたのは、それに依って自分一人の時間を持つためであった。自分一人の時間を持ったからと言って、別段何を考えるというわけでもなかったが、誰にも煩《わずら》わされないで、一人で道を歩いたり、一人で誰もいない真昼の浴場の湯桁《ゆげた》に腰《こし》を降したりしている時間が好もしかった。いろいろな思いが、とりとめもなく洪作の頭の中にはいって来た。入学試験のこと、来年どうしても入らなければならぬ中学のこと、蘭子のこと、人形のような細い首を持ったかみきの小母さんのこと、豊橋の両親や弟妹たちのこと、そうした雑多のことが、何の関連もなく、洪作の頭の中に現れては、また消えて行った。

しかし、部落の下級生たちが一緒に風呂へはいりに行くようになると、洪作はそうした自分だけの時間を持つことはできなくなった。共同風呂は全くの遊び場と化した。次々に子供たちは水泳の飛び込《こ》みの姿勢で頭から浴槽《よくそう》へ飛び込んだ。

そんなわけで、洪作は半月程《ほど》渓合の共同浴場へ通っただけで、あとはやめてしまった。ただその半月程の浴場通いの間に、ちょっとした事件にぶつかった。洪作たちが浴場へはいって行った時、たまたま大滝部落の高等科の女生徒が数人はいっていたが、洪作たちの姿を見ると、いっせいにきゃあっと悲鳴を上げて、あたふたと浴槽から上り、体を拭《ふ》き始めたのであった。洪作は、女生徒たちの口から自分の名が出ているのを聞いた。女生徒たちは下級生の男の子供たちのためではなく、全く洪作がそこへやって来たことのために、自分たちの裸体《らたい》を一刻も早く衣類で包もうとしているのであった。女生徒たちの一人は着物をまとい終えて、浴場を出て行く時、洪作の方へ顔を向けて、

——洪ちゃのスケベエ。

と言った。そう言った顔は憎々《にくにく》しげで、その言葉の調子にははっきりと非難がこめられてあった。

洪作は何とも言えず不快《ふかい》であった。洪作はこのことがあってから、高等科の背《せ》の低いその少女を憎んだ。洪作は自分の考えとは別に、自分がもはや今までのように自由に女性に対して振舞《ふるま》うことのできぬ年齢《ねんれい》に達しているのを知った。この共同風呂の事件もそ

うであったし、沼津へ行った時、蘭子から一緒《いっしょ》に家を出るところを人に見られないように先に出て、角の八百屋《やおや》のところで待っているように言われたことも、洪作にそのような思いを懐《いだ》かせる動機となっていた。

このようないろいろなことから、洪作にとって、この年の春は例年より少し違《ちが》ったものになった。これまで無心に接していたあらゆるものが、それぞれ少しずつ異《こと》なった意味を持ち始めていた。洪作の方の側から言えば、洪作は多感な少年期へとはいりつつあったのである。

大仁と湯ヶ島の間をバスが開通したのは四月の中頃《ごろ》であった。五月からの開通が一カ月早まって、桜《さくら》の花が散って間もなく、最初のバスが湯ヶ島部落へはいって来たのであった。この日は村長を始め村人全部がバスを迎《むか》えた。小学校の生徒たちも、整列こそしなかったが、授業を一時間繰《く》り上げて、このバスを迎えるために、街道のところどころに並んだ。最初のバスは紅白の布で車体を飾《かざ》り、生暖い春の風を切り、砂埃《すなぼこり》を巻き上げて、部落へはいって来た。村人たちは、大人も子供も喚声《かんせい》を上げた。

その翌日から一日に二回、バスは部落へはいって来た。バスが来るようになってから当分の間、生徒たちは落ち着かなかった。授業時間中に、バスの音が聞えて来ると、生徒たちはみな椅子《いす》から立ち上って、窓の方へ駈《か》け寄った。

バスの来る時間は甚《はなは》だあてにならなかった。授業時間中のこともあれば、休み時間のこともあった。休み時間に、バスの音が聞えると、校庭にばら撒《ま》かれていた生徒たちは、口々に喚声を上げて、全部が校門のところへ殺到《さっとう》した。そしてバスの方へ手を振《ふ》り、口々に何かを叫《さけ》び、それでも足りなくて、いつも十人程の生徒はバスを追いかけるために、その背後から走った。

バスは開通したが、馬車は馬車でこれまでと同じように、日に何回か大仁との間を往復していた。村人はバスに乗る者もあれば、バスを嫌って馬車へ乗る者もあった。若い者はバスに乗り、老人は大抵《たいてい》馬車に乗った。バスと馬車とは、当然のなりゆきとして、うまく行かなかった。馬車はバスのために、容易なことでは道を譲《ゆず》らず、そんなことから喧嘩が絶えなかった。馬車曳《ひ》きの老人も自分一人では頑張《がんば》れなかったが、馬車に乗っている客全部が彼に味方するので気が強くなっていた。

しかし、子供たちには何と言ってもバスの方が人気があった。子供たちはもう駐車場には集らず、バスの発着所の方へばかり集った。

四月の終りに、洪作の母の七重から二、三泊の予定で帰国するという報《しら》せがあった。おぬい婆さんは、七重が洪作を連れに来るのではないかと疑って、手紙を読むや否《いな》や、急にいきり立った。

「中学校へ行く時には手離《てばな》すと言っているんじゃや。洪ちゃのためだから、この婆ちゃも辛抱《しんぼう》する。だが、いま来て、いますぐ洪ちゃを連れて行こうなどと言い出そうもんなら、この婆ちゃは承知せん」

それから、その手紙を持って上の家へ行き、ひと騒《さわ》ぎしてから、またその手紙を持って次々に近所へ触《ふ》れ廻《まわ》った。

洪作も、もしかすると母は自分を連れに来るのではないかと思った。中学の受験が来年に迫《せま》っているので、その準備のために洪作を都会の学校へ移すという考えを母が持つことは、充分《じゅうぶん》考えられることであった。洪作にはおぬい婆さんのあわて方が滑稽《こっけい》にも、また哀《あわ》れにも見えた。


母の七重が豊橋から久しぶりで帰郷して来たのは五月の初めであった。七重が湯ヶ島へ帰って来るのは三、四年ぶりのことであった。

七重は前夜沼津のかみきの家に泊《とま》り、その翌日、湯ヶ島へやって来ることになっていた。七重がバスで来るか馬車で来るか判《わか》らなかったので、おぬい婆さん、上の家の祖母、それから近所の家の内儀《かみ》さんたちは、その日何回も駐車場とバスの発着所へと出掛《か》けて行った。洪作も午前中は学校へ出たが、午後は母の出迎《むか》えのために学校を休んだ。午後も平生通り授業があれば勿論《もちろん》学校を早退《び》けするようなことはしなかったが、その日たまたま体操と修身の時間を潰《つぶ》して、学校の裏手の土地を開墾《かいこん》する作業に携《たずさ》わることになっていたので、教師からの勧《すす》めもあって、洪作だけその労役から解放されることになったのであった。

何回も駐車場とバスの発着所へ無駄足を運んだ女たちは、その度《たび》に土蔵の前まで戻《もど》って来て、七重がバスで来るか馬車で来るかを評定し合った。七重は都会の生活を長くしているので、もう馬車などには乗らないだろうと言う者もあれば、七重は気難し屋でガソリンの臭《にお》いなど大嫌いに違いないから、大方バスなどというものは見向きもしないだろうと言う者もあった。

午前十時から夕方まで、数人の女たちは落ち着かない気持で過した。上の家の祖母は、一日中近所の人たちに済《す》まながって詫《わ》びばかり言っていた。

「ほんとに申し訳ないことです。七重のお蔭《かげ》で、こんなにみなさんに暇《ひま》っさいをかけて！　それにしても今度は来ますべ。今度ので来んちゅう法はない」

祖母はそんなことを言っては、肩身《かたみ》の狭《せま》そうな顔をして頭ばかり下げていた。おぬい婆さんの方は少し毒のある言い方をしていた。

「大方、来る道を忘れたんだべ。三年も四年も郷里《くに》へ寄りつかんと、人間、来る道を忘れてしまうものと見える」

「なんの、婆ちゃや」

祖母は、おぬい婆さんが厭味《いやみ》を言う度に、おぬい婆さんをなだめ、自分の娘《むすめ》である七重をかばうことを忘れなかった。最終の馬車がもう一台しか残っていなくなった時、洪作は母の七重に軽い反感を覚えた。こんなに多勢の人たちが、みんな一日中母の帰りを待っているのに、なぜ母は早く帰って来ないのだろうと思った。かみきの家へ泊っても、朝十時頃沼津を立てば、三時頃の馬車に間に合わぬ筈《はず》はなかった。

最後の馬車を迎えるために、多勢の者が駐車場へ向った時は、下田街道には晩春の白っぽい夕暮《ゆうぐれ》がやって来ようとしていた。坂道を降りて駐車場へ行くと、そこから見渡《わた》せる市山部落の端《はし》の何軒《なんげん》かの農家からは夕餉《ゆうげ》の煙《けむり》が静かに立ちのぼり、山肌《やまはだ》は靄色《もやいろ》に変り、長い街道は蛇《へび》の腹部のようにそこだけ白く乾《かわ》いて見えていた。

洪作は、母は来るだろうか、来ないだろうかと思った。必ず来るだろうという確信はなかった。母はもう一晩沼津のかみきの家に泊り、今日は帰って来ないかも知れぬ。帰って来ないのなら、もう帰って来なくてもいい。自分は母をそんなに待ってはいないのだ。洪作は夕暮の急に気温の落ちた冷んやりした空気の中で、近所の家の内儀さんたちの背後の方で、ひそかにそんな思いを抱《いだ》いていた。

馬車はやって来た。すのこ橋に差しかかる辺りで、御者《ぎよしや》は喇叭《らつぱ》を鳴らした。そしてゆるい坂道を、馬は終着点へ向って背後の四角な箱《はこ》をゆすぶりながら駈《か》け込《こ》んで来た。馬車が着くと、人々はその方へ殺到した。馬車から降りたのは一人きりだった。母の七重だった。母が降りると、折角《せつかく》そこへ向って詰《つ》め寄って行った女たちは二、三歩後退して、この村の人たちが昔から持っている旧知の人を久しぶりで迎える時の、懐《なつか》しさと悲しさと悦《よろこ》びと好奇心《こうきしん》とが入り混《まじ》った一種独特な表情をとった。

洪作は気恥《は》ずかしかったので、母の方へ当てた視線をすぐ自分の傍《そば》の女たちの方に移した。おぬい婆さんは、あれほど七重の帰省を快く思っていなかったのに、そんなことはすっかり忘れてしまった顔つきで、口を少し開け、眼を懐しさで輝《かがや》かせ、ただそこに七重の方を見守って立ち続けていた。

上の家の祖母は、出迎えの人たちの一番背後の方に立っていたが、たれにも聞えないような低い声で、

「あれ、よく、まあ、遠いところを――」

そんな自分の娘に言うとは思えないようなことを言い、それから娘が帰って来たことで愁眉《しゅうび》を開いた面持《おももち》で、改めて周囲の人たちに、

「みなさん、本当に有難《ありがと》うございました。本当に一日無駄させてしまいまして」

そんなことを言った。が、これも低い声で言うので、洪作のほかにはたれにも聞えなかった。他の内儀さんたちは申し合わせたように押し黙《だま》り、半ばぽかんとして、自分たちが一日待ちに待った来訪者の方を見守り、相手の顔が自分の方へ向くと、それぞれ、これも呟《つぶや》くような言い方で、

「お久しいことでした」

と言って、堪《たま》らなく恥ずかしそうなはにかんだ表情をとった。そうした出迎えの女た

ちの中へ母の七重は降りて来た。洪作の眼には、母が別世界からやって来た女のように堂々として立派に見えた。母は御者が降してくれた幾《いく》つかの荷物を足許《あしもと》に並《なら》べ、御者に、

「これ取っておおきなさい」

と、誰にも聞えるはっきりした口調で言って、幾らかの金を握《にぎ》らせ、それから、

「みなさん、どうも」

と、出迎えの人たちの方に言った。

「遅《おそ》くなっちゃって！　大仁《おおひと》で二時間も待たされましたの。バスも馬車も、どっちも電車との連絡《れんらく》が悪いんですのね。あれ、どうかしないといけないわ」

七重は言った。その七重の前へ、近所の内儀さんたちが一人一人挨拶《あいさつ》に出た。

「よくお帰りなさいました」

と言って、頭を下げる者もあれば、

「お久しいことでした」

と言って、七重の荷物を取り上げる者もあった。一団は七重を真ん中にして坂道の方へ移動して行った。人々は歩き出すと、急にがやがやと喋《しゃべ》り始めた。いかに自分たちが一日待ちに待ったかというようなことを、口々に訴《うった》え始めた。

洪作は一団の人のあとからついて歩いた。七重は近所の内儀さんたちに預けたといった恰好《かっこう》で、上の家の祖母も、おぬい婆さんも、洪作と同じように、あとの方から歩いて

行った。一団は上の家の前まで行って、そこで散った。洪作は上の家に上ってから、初めて母と口をきいた。

「御挨拶まだね。御挨拶なさい」

七重は言った。これが洪作に対して口から出された母の最初の言葉だった。

「お帰りなさい」

洪作は言って、軽く頭を下げた。

「そう。それでいいわね」

母は言って、それから、

「洪ちゃ、大きくなったわね。さっき駐車場でちらっと見て驚《おどろ》いた」

と、しげしげと洪作の顔を見守った。洪作は駐車場で母が一度も自分の方に視線を投げなかったことに不満なものを感じていたが、今の母の言葉で、そうした気持は消しとんでしまった。母はちゃんと自分を見てくれていたのだと思った。それにしても、いつ自分の方を見たのであろうか。

「勉強してますか」

「うん」

「また、うんなんて！　してますとおっしゃい」

「している」

「もう来年は中学生だから、はきはきするのよ。――お土産《みやげ》持って来ましたから、明日届けます。今夜はお土蔵《くら》に行かないけど、明日行くわ」

母は言った。母は三、四年前に来た時も、上の家に泊って、土蔵には泊らなかったが、こんども上の家に泊るらしい様子であった。母にとっては上の家こそ実家であり、本来なら洪作も上の家に住んでいるべきであって、母が上の家に泊ることに何の不思議もないわけであったが、洪作としては、母が土蔵へ来ないことは何となく物足りなかった。自分の家へ帰らないで、他家へ行くようなそんな気がした。

その晩、洪作もおぬい婆さんも、七重を囲んで上の家の者たちと一緒に夕食を食べたが、おぬい婆さんは日頃の元気はなかった。七重の前では頭が上らないようで、万事控《ひか》え目に言葉少くしていた。そんなおぬい婆さんが、洪作には気の毒に思われた。この前七重が帰国した時は、おぬい婆さんはまだまだ元気で、ずけずけと厭味《いやみ》を言ったり、憎《にく》まれ口を叩《たた》いたりしたが、こんどはそんなことはなかった。絶えずおどおどしていた。

それに引き替《か》え、母の七重は背が低く小柄《こがら》であるにも拘《かかわ》らず、体がひと廻《まわ》りもふた廻りも大きくなった感じで、何となく貫禄《かんろく》がついていた。七重は食事の時、自分の帰国の目的を一同に話した。一応発表するといった風な、そんな一方的な話し方だった。それに依ると、父はこんど豊橋から浜松へ転任することになったが、当分適当な住宅がないので、その間だけ家族の者はこの湯ヶ島へ帰って住むことになる。この期間は一年になるか半年になるか判らないが、とにかく、一時ここへ帰って来るので、いま村の医者に貸している母屋《おもや》の方を空けて貰《もら》わなければならぬ。そんなことを言った。それを聞いて、「すぐ空けて貰うと言っても、お前、それはどうかな。奥村さんには奥村さんの都合もあるというもんだ」

祖父は言った。奥村というのは土蔵の前の母屋にはいっている医者の名前であった。「空けられないと言っても、いつでも空けるという約束《やくそく》で、あそこを貸したんでしょう。こういう時のために、殆《ほとん》どただ同様に貸してある筈《はず》よ」

七重は言った。

「そりゃ、そうだが」

「そうでしょう」

「うん。そうだが、そうも行くめえ」

「どうして？」

「気の毒だがな」

「あら、驚いた！　いつわたしたちが帰って来るか判らないということは、先方はよく承知している筈よ」

七重は言った。実際は七重の言う通りであったが、祖父や祖母たちの考えでは、世の中のことは何事もそう約束通りには行かない、急に家を空けろといっても、それは無理な話だというのであった。祖母はまた厄介《やっかい》なことが一つ持ち上って来たといった浮《う》かない顔をしていた。祖父も祖母も娘の七重からつけつけ言われると、結局は七重の言う通りに努力してみようということになった。たれも七重には敵《かな》わなかった。

その夜遅くなってから、おぬい婆さんと洪作は土蔵へ戻った。土蔵へ戻ると、

「やれ、やれ」

と、おぬい婆さんは言った。

「洪ちゃの母ちゃんは強いこっちゃ。あの強い母ちゃんがここへ戻って来るとさ。やれ、やれ」

しかし、洪作には母や弟妹たちが村へ戻り、自分と一緒に生活ができるということは、やはり嬉《うれ》しいことには違いなかった。

「みんなが帰ると母屋に住むの？」

「そういうことになるべえ」

「この土蔵は？」

「土蔵には婆ちゃ、一人が住む」

「そんなら、おらも土蔵に住む」

洪作が言うと、おぬい婆さんは何とも言えぬ嬉しそうな顔をして、

「洪ちゃも土蔵に何年も住んだんだから、なんで母屋なんぞへ住みたかんべ。婆ちゃと

二人で土蔵に住むか、な、洪ちゃ」

おぬい婆さんは言った。そして同じ言葉を、床《とこ》を敷《し》きながらも、床を敷いてしまって、その上に身を横たえる時も、繰《く》り返し口から出していた。

翌日、洪作が学校から帰って暫《しばら》くすると、母は土蔵へやって来た。母は窓際《まどぎわ》で勉強している洪作の傍に坐って、

「この着物を着てごらん」

と言って、豊橋から持って来た一枚の新しい着物を風呂敷包みの中から取り出した。セルの着物だった。洪作が着物を脱ぐと、母はちょっとその襟《えり》を見て、

「汚《よご》れているのね。きたないわ」

と言った。そして、

「頭髪《あたま》ものびている。きたないわ。刈《か》っておいで」

母の言う通り、頭髪は伸《の》びていたが、きたない、きたないと言われると不快だった。南側の窓のところで繕《つくろ》いものをしているおぬい婆さんは、そんな七重の言葉を聞いているのか聞いていないのか、体を二つに折るように身を屈《かが》めていた。

洪作は母に新しいセルの着物を着せて貰った。帯をきゅうきゅうと堅くしめるのが、おぬい婆さんに着物を着せて貰う場合と違って快かった。

「あんた、昨日《きのう》帯をだらしなく結んでいたわ。帯はいつもきちんと結んでいなければだ

めよ」

母は言った。それから母は洪作が豊橋の両親宛《あ》てに送った手紙を取り出して、

「嘘字《うそじ》や文章のおかしなところを直してあります。あとでよく見ておおきなさい」

と言った。洪作はすぐ自分が認《したた》めた手紙を開いてみた。ところどころに赤い色鉛筆で誤りが指摘《してき》されてあった。父が直したものであった。

母は言うだけのことを言うと、これから近所廻りをしなければならぬと言って帰って行った。母が帰って行くと、おぬい婆さんは、

「洪ちゃの母ちゃんは我《わ》が儘《まま》もんや。総領娘というものはいい気なものじゃ」

と言った。七重は多勢の兄妹の中では最年長であり、夫である洪作の父を門野原から迎えていて、おぬい婆さんの言うように小さい時から、何事に於《お》いても自分の意志を押し通すことのできる立場にあった。上の家の祖父や祖母も、家運を衰《おとろ》えさせた引け目も手伝って、七重には頭が上らなかった。

七重が三泊して豊橋へ帰って行くと、上の家はあらしが去ったあとのように静かになった。祖父も祖母もやれやれといった顔をして、洪作が遊びに行くと、祖母は、

「母ちゃん帰って行ってしまったがな。それにしても、なんと静かになったもんじゃ」

と、そんなことを言った。洪作は久しぶりで母の七重に会ったわけだったが、母は先年亡《な》くなったさき子に似ていると思った。姉と妹であるから似ていて当り前であったが、

それにしてもこれは洪作にとっては一つの発見であった。母よりさき子の方が静かで優《やさ》しいところはあったが、身につけている感じは全く同じだった。歩き方も声も似ていた。洪作は母から〝洪ちゃ〟と呼ばれると、その度《たび》にはっとした。さき子に呼ばれているような気がした。

近く七重たちが村へ帰って来るということは、何と言っても、おぬい婆さんには痛手であった。おぬい婆さんは毎日一回はそのことを口から出し、溜息《ためいき》まじりに、

「洪ちゃも今までのようにのんきにしてはいられなくなる。えらいことじゃ。この夏から湯ヶ島も変ってしまうが」

と言った。鬼《おに》でもやって来るような、そんな言い方だった。

五月の中頃《ごろ》、突然《とつぜん》校長の石守森之進が停年で退職するという噂《うわさ》が村に拡《ひろ》がった。そんな噂を耳にしてから間もなく、そのことは事実となって現れた。

朝礼の時、石守校長は、自分が近く教職を退き、あとに静岡県で一番評判のいい名校長がやって来るというようなことを全校生徒に発表した。平生と少しも変らず、苦虫《にがむし》をつぶしたような表情で、生徒全体を睨《にら》みつけるようにして言った。校長がやめるということは、生徒たちには考えられぬことであった。校長というものは石守校長でなければならず、それ以外の何人《なんぴと》であってもならなかった。だから、石守校長が自分の退職を言

い渡《わた》した時、整列していた生徒たちの間からは、低いどよめきのようなものが起った。世の中で一番怖《おそろ》しい人物が、この学校から居なくなってしまうというが、そんなことがあっていいだろうかという驚《おどろ》きのどよめきであった。

洪作は他の生徒たちとは多少違《ちが》った感慨《かんがい》をもって、伯父の校長の話を聞いた。洪作には伯父が憤《おこ》っているように見えた。何か不当な弾圧《だんあつ》でも受けて、伯父はむりやり教職を去らされて行くのではないか。

石守校長の後任である稲原という新しい校長がやって来て渓合《たにあい》の旅館に泊《とま》ったということが、生徒たちの間でささやかれてから二、三日して、新しい校長は実際に学校へ姿を現した。朝礼の時、石守校長は自分の後任の校長を生徒たちに紹介《しょうかい》し、今日から新しい校長のもとで勉強するようにと言った。

稲原校長は肥《ふと》った背の低い人物であったが、にこにこしながら優《やさ》しい言葉で話した。生徒たちのことを〝みなさん〟と言ったので、生徒たちはすっかり戸惑《とまど》い、そのことが無性におかしく感じられて来て笑い声を口から出した。石守校長はいかなる時でも、〝お前ら〟と呼んだので、生徒たちはそれに慣れていた。

その日、全校生徒が整列している前を石守校長は校庭を横切って学校から出て行った。長身瘦軀《そうく》の石守森之進はいつもと少しも変らぬ、少し前のめりの独特の歩き方で、自分がいま生徒たちから見送られていることなどいささかも意に介していないといった面持で、前だけを見て歩いて行った。女生徒たちの間から低い泣き声が起った。泣き声は何カ所からも起った。

洪作は学校から出て行く伯父の姿をある感動を以《もつ》て見守っていた。学校にいる間は、厳格一方の、温かさなどは微塵《みじん》も感じられぬ校長であり、五年間にほんの算《かぞ》える程しか自分に声をかけてくれたことのない伯父であったが、その伯父がいま学校を退いて行くとなると、何か貴重な大切なものが、自分の近くから一つなくなって行く思いであった。石守校長は校門から往来へ出ると、すぐ学校の隣《となり》にある村役場の建物の中へはいって行った。

その日昼休みの時間に、四年生の一人が、

「校長先生がいま役場から出て家へ帰って行くぞ」

と、自分たちの仲間のところに注進に来たのを聞いた。その時洪作は四年生の仲間から少し離《はな》れたところに居たが、ふいに石守校長に何か挨拶《あいさつ》をしなければいけないのではないかという気持に襲《おそ》われた。自分は他の生徒とは違《ちが》うのである。石守校長は自分にとっては伯父なのだ。その伯父が学校を去って行こうとしている。

洪作は校門を出て役場の方へ走った。どこにも伯父の姿はなかった。洪作は更《さら》に駐車場のところまで走った。すのこ橋を渡ろうとしている伯父の姿が見えた。

洪作は伯父のあとを追って走った。市山部落の入口で、洪作は伯父に追い着いた。何

と声をかけるべきか戸惑《とまど》っていると、石守森之進はふいにうしろを向き、そこに洪作が立っていることに驚いた風で、

「どうした？」

と言った。洪作が黙《だま》っていると、

「豊橋から何か言伝《ことづ》てがあったのか」

と訊いた。

「そうです」

洪作はそう言う以外仕方がなかった。

「なんじゃ」

早く言いなさいというように、伯父は洪作の顔を見守った。

「お母さんたち、こんど湯ヶ島へ来ます」

「うむ、知っとる」

石守校長は言って、なんだ、そんなことかと言うような顔をして、

「お前も浜松の中学を受けることになるだろう。――勉強せい。勉強しとらんだろう」

「しています」

「嘘《うそ》を言え。勉強するというのは、寝《ね》る時間も惜《お》しんで勉強することを言うんじゃ」

それから、

「帰んなさい」

と言った。洪作はそこから引き返した。伯父と短い言葉を交したことで、洪作の気持は収まった。

新しい校長が来てから十日程して、洪作は稲原校長に呼ばれた。校長室へ行くと、今夜から毎晩受験準備のため、渓合の温泉旅館の一つに下宿している犬飼《いぬかい》という教師のもとに勉強に行くようにとのことだった。犬飼というのは稲原校長より二、三カ月前に、この学校に赴任《ふにん》して来た若い教師であった。高等科の受持だったので、洪作は犬飼とはまだ言葉を交したことがなかった。どことなく都会風なものを身につけている長身の、色の白い青年で、洪作が今まで知っている教師とは違った感じを持っていた。

洪作は稲原校長から言われた日から、渓合の旅館に下宿している教師の犬飼のもとへ勉強を見て貰《もら》いに行った。夕食を終るのが六時頃で、それから出掛《か》けるので家へ帰るのはいつも十時近い時刻であった。

最初の日に、犬飼から何題かの問題を出され、洪作はそれに対する解答を書いた。算術の問題も、読方の問題もあった。出来るのも出来ないのもあった。犬飼はその場で洪作の書いた答案を調べ、調べ終ると、

「やはり大分遅《おく》れているな」

と言った。

「君はこの学校の六年生では一番出来るということになっているが、町の学校へ行くと、到底《とうてい》上位にははいれない。まごまごすると中程以下に落ちるだろう。中学はどこを受ける？」

「まだ決ってませんが、多分浜松だろうと思います」

洪作が答えると、

「いまのところ、浜松は県下の中等学校では一番難しい。四人か五人に一人の率だ。このままでは到底はいれない。さかとんぼりしてもはいれないだろう」

犬飼は言った。そして、どうする？　というように、洪作の顔を見守った。洪作は黙っていた。犬飼の整った顔の中で、二つの眼《め》がひどく冷たく、邪慳《じゃけん》に見えた。

「でも、君ははいらなければ困るんだろう？」

「困ります」

「そいつは困ったな。どうしてもはいらなければならんということになると、さて、どうしたものかな」

犬飼は考えるような表情をして、

「じゃ、――やるか」

と、それだけ大きい声で言った。

「はいらなければならぬということになると、はいるようにするほかはない。今日から町の学校の子供の二倍勉強するんだな。三倍と言いたいが、時間的に見て三倍は不可能だ。二倍なら、睡眠《すいみん》時間を縮めればできんことはあるまい。——君、毎日、今まで何時間眠っている?」

この犬飼の質問に、洪作はすぐには答えられなかった。何時間眠《ねむ》るか、自分の睡眠時間など算《かぞ》えてみたことは一度もなかった。

「十一時頃寝て、七時に起きます」

「八時間か。——気の毒だが、六時間にして貰おう。日曜以外は十二時に寝《ね》て、六時起床。その替《かわ》り、日曜だけはたっぷり眠るんだ。そして眠っていない時間は、いつも勉強だ。学校の休み時間も遊んでいてはいけない。君は、普通なら到底望み得ないことをやろうというんだ。そのくらいのことはしなければならぬ。飯を食べる時も勉強、便所へ行っても勉強。風呂へはいっても勉強。——いいか、それができるか」

犬飼は眼を光らせて言った。

「できます」

洪作は身内に烈《はげ》しいものが突《つ》き上げて来るのを感じながら言った。

「よし。それなら僕もつきあって上げる。本当はあす校長に断るつもりだったんだ。それを断らないで、僕も真剣にやるから君も真剣にやれ」

その晩、洪作は犬飼と二人で旅館の風呂にはいった。浴場は長い階段を降りて行く地階にあって、浴場のすぐ向うが川縁《かわぶち》の崖《がけ》になっていた。川瀬の音が浴場いっぱいに流れ込んで来ている。旅館には客らしい者の姿は見えなかった。そのくらいだから浴場は全く二人のものだった。犬飼は風呂につかりながら大きな声で歌を唄《うた》った。

——東海の小島の磯《いそ》の白砂に、われ泣き濡《ぬ》れてかにとたわむる。

犬飼の歌を聞いた時、洪作ははっとした。いつか沼津の千本浜で蘭子が唄った歌と同じ歌だと思った。千本浜で洪作の体の中に飛び込んで来たと同じものが、再び洪作の体にはいり、内部から心を強く緊《し》めつけて来た。

「この歌知っているか」

犬飼は唄い終ると言った。

「前に聞いたことはありますが、よくは知りません。啄木の歌でしょう」

「教えてやるから、唄え」

犬飼は命令口調で言った。唄えと言われても、洪作はすぐには唄えなかったが、しかし、ともかく、その晩、洪作は啄木の歌を二首覚えた。もう一首は〝函館の青柳町こそ悲しけれ、友の恋歌矢車の花〟というのであった。

その夜、犬飼のもとを辞すと、洪作は一人で真暗い渓合の道を、下田街道の走っている部落の方へと上って行った。洪作は昂奮《こうふん》していた。何度も高い空にきらめいている星を眺《なが》め、その度《たび》に足を停《と》めては、

「よし、俺はやらなければならぬ」

と、低く口に出して言った。五年になったばかりの時、一月程、やはり同じ渓合の旅館に下宿していた教師のもとに勉強を見て貰いに行ったことがあり、その教師の口から〝克己《こっき》〟ということを教わったが、犬飼の場合は、〝克己〟といったようなきちんとした言い方ではなかった。もっと野性的で烈しかった。温和《おとな》しそうな顔をしていたが、口から出す言葉は荒《あら》っぽく、有無《うむ》を言わせぬ命令的なものがあった。

洪作はその翌日から犬飼に言われたように生活を組み立てた。睡眠は六時間に切り詰《つ》め、あとの時間は全部勉強に当てた。洪作の変りようが烈しかったので、おぬい婆さんはすっかり驚いてしまった。

「わしゃ、たまげた！　洪ちゃがきちがいみたいに勉強始めた」

おぬい婆さんは上の家へ報告し、それから近所の家々に触《ふ》れ廻《まわ》った。半分は自慢《じまん》であったが、半分は本当にそうした洪作の態度を心配していた。

「とんだ先生に洪ちゃを預けたもんだ」

とか、

「あの若い先生は、ひとの子を何と思っているずら」

とか、おぬい婆さんは言った。

洪作は毎晩寝る時、あすの朝六時に起してくれるように、おぬい婆さんに頼んで床《とこ》にはいったが、おぬい婆さんは決して洪作を起さなかった。おぬい婆さん自身は五時前から眼覚めているので、洪作を起そうという気になれば、いつでも起すことができたが、決してそうしなかった。口では、二回も三回も声をかけたとか、体をゆすぶってみたとか、そんなことを言ったが、それが言い逃《のが》れであることは明らかだった。

洪作は上の家から大きな眼覚し時計を借りて来て、それで起きることにした。眼覚し時計の音で床を出る洪作は、いつも同じおぬい婆さんの言葉を耳にした。

「むごいこっちゃ。六時になると、継母《ままはは》みたいにちゃあんと鳴りよる」

洪作は床を出ると、すぐ川で顔を洗い、土蔵へ戻《もど》って、田圃《たんぼ》の見える北側の窓のところで机に対《むか》った。朝はいつも試験問題集の算術をやった。どうしても判らないところは、夜、犬飼に訊くことにした。

洪作は村人からよく〝体をこわさんとき〟とか、〝そんなむきになって勉強せんでもいい。ほどほどにしておくこっちゃ〟とか、慰《なぐさ》めとも激励《げきれい》ともつかぬ言葉をかけられた。おぬい婆さんの宣伝が行き届いている証拠《しょうこ》であった。

一日の中で、洪作にとって一番楽しい時間は、夜渓合の旅館に行って、犬飼と机を隔《へだ》てて対い合って坐《すわ》る時であった。解けなかった問題を教えて貰ったり、提出された新しい問題を解いたりした。いつも宿題は沢山《たくさん》出された。大抵《たいてい》やり切れなかったが、やり切れなかったことに対しては、犬飼は咎《とが》めなかった。

旅館で二時間から三時間の勉強が終ると、大抵二人で浴場へ降りて行った。めったに他の入浴者が居ることはなかった。僅《わず》か十分か十五分の入浴であったが、この時間だけが勉強から解放されたくつろいだ時間であった。洪作は毎晩一つずつ新しい短歌を教わった。そして教わった歌を、洪作は帰宅するとノートに書き留めておいた。

犬飼自身も勉強していた。一生田舎の小学校の教師で終る気持はないというようなことを、犬飼は口から出したことがあった。中等学校の教師の検定試験でも受けるらしく、洪作が机に対って算術の問題を解いている時など、犬飼もまた自分自身の勉強をしていた。同じように鉛筆を握《にぎ》って、藁半紙《わらばんし》に数字を並べていることもあった。

犬飼は学校では教師仲間で孤立《こりつ》しているように見えた。にこりとも笑わなかったし、どこかに超然《ちょうぜん》として、他《ほか》の教師たちを見下しているようなところがあったので、そんなところが同僚《どうりょう》たちの反感を買っている風であった。

洪作は、放課後、校庭の隅《すみ》の、その頃新しく作られた機械体操の鉄棒のところへ行って、それにぶらさがっている犬飼の姿を見ることがあった。そんな犬飼の姿は何となく孤独であった。機械体操は上手だった。犬飼の体が一本の棒になって、鉄棒の周囲を廻転するのを、生徒たちは少し離れたところから驚きの眼で眺めた。しかし、生徒たちは犬飼の傍には近寄らなかった。近寄って行くと、慣《おこ》られそうな気がした。洪作がたまにそんな犬飼のところへ近寄って行くと、

「だめじゃないか。遊んでいては！」
犬飼は鉄棒にぶら下ったままで、烈しい眼をして言った。

六章

六月の終りに、母の七重が妹と弟と女中の三人を連れて、豊橋を引き上げて湯ヶ島へ移って来た。父はひとりで浜松に赴任《ふにん》し、家族の者は暫《しばら》く湯ヶ島で生活をし、浜松の官舎が空くのを待って浜松に移って行くことになっていた。従って母の七重たちの湯ヶ島の生活は初めから限られた短いものであることが判《わか》っていた。洪作も母たちが浜松へ移って行く時は、一緒《いっしょ》に浜松へ行かなければならなかった。丁度中学校へ進む時期になっていたので、洪作にとっては湯ヶ島に於《お》けるおぬい婆さんとの生活を打ち切らねばならぬ時になっていた。

七重たちが来る少し前に母屋《おもや》は空けられた。それまではいっていた村医の奥村一家はすぐ近くのたまたま空家になった家に引っ越し、七重たちが浜松へ移ったあとはまたもとのように母屋へ戻《もど》って来るということであった。

七重たちが来る二、三日前に、近所の人たちが母屋の家の内部や庭を掃除《そうじ》した。上の家の祖母もそんなことで何かと忙《いそが》しく立ち働いた。おぬい婆さんは土蔵へはいったまま、母屋の方へは顔を見せなかったので、そんなことで手伝いの近所の人たちから悪口を言われた。おぬい婆さんは、七重たちが母屋に住むようになったら、一体自分と洪作はどうなるかと、そのことがひたすら気になっている風であった。

「小学校を出たら、洪ちゃは町の中学へ行かんならん。そのことはちゃんと承知しとる。だけんど、湯ヶ島に居る間は、洪ちゃには土蔵に居て貰《もら》わんと困る。洪ちゃも、それを望んでいる。その洪ちゃを土蔵から取り上げるようなことがあってみなされ、いくら自分の子だと言っても、わしゃ承知できん」

おぬい婆さんは上の家へ行っては、同じことを何回も言った。上の家の祖母は、いつもそれに調子を合わせて、

「そうともな、そうですともな」

と言った。

「わしからよく七重に言いますわな。大事な大事な洪ちゃを、なんで婆ちゃんから取り上げましょうぞ」

実際に上の家の祖母はおぬい婆さんの希望通りに、自分が中にはいって取りはからうつもりでいるのであった。何事も波風の立つのを極端《きょくたん》に怖《おそ》れる祖母は、自分の娘《むすめ》の七重にこのことだけは納得《なっとく》して貰おうと思っていた。しかし、この祖母の考えは、七重たちがやって来たその日のうちに、一言のもとに七重に依《よ》ってはねつけられてしまった。

「何を言ってるの。家族が来たというのに、継子《ままこ》じゃあるまいし、洪作一人を土蔵なんかに置けますか。洪作と一緒に住めなくて淋《さび》しいなら、おぬい婆ちゃんも母屋に移って来ればよろしい」

七重は言った。

「それはそうだけど、お前」

祖母が何か言おうとすると、

「だめよ。あんた、もうろくしかけてるから。——何を言っても判りゃしない。母親たちと一緒に住まない子供がどこにありますか？　あったら、教えて貰いたいわ」

七重はぴしゃりと言った。これで万事は決ってしまったようなものだった。

七重と二人の弟妹は一晩だけ上の家へ泊《とま》り、その翌日、母屋へ移った。それと一緒に、洪作も土蔵から母屋へ移ることになった。上の家の祖母は土蔵へやって来て、おぬい婆さんに詫《わ》びとも慰《なぐさ》めともつかぬことを言った。

「やれ、やれ、とんだことになってしもうて。婆ちゃも淋しいことずらが、ひとつ、わたしに免《めん》じて、我慢《がまん》してくだされ」

その祖母の言葉で、おぬい婆さんは一瞬《いっしゅん》顔色を変えたが、すぐ仕方ないと諦《あきら》めたのか、

「わしはいいと、わしはいいですとも。だけんど、洪ちゃが可哀《かわい》そうじゃ。よく洪ちゃの母ちゃんに言って貰いましょう。五つから育てて、丹精して肥《ふと》らせた洪ちゃじゃ。痩《や》

せさせて貰いますまい。風邪《かぜ》でもひかせようものなら、このわしが承知せんからな」

おぬい婆さんは精いっぱいの恨《うら》みをこめて、最後の言葉を言う時だけ、顔をくしゃくしゃとさせ、恐《おそろ》しい顔をした。洪作はその時、おぬい婆さんの傍《そば》に居たが、

「勉強は土蔵でする」

と言った。

「そうともな、そうともな」

上の家の祖母は言った。

「勉強は土蔵で婆ちゃの傍でしなされ。眠る時だけじゃがな、母屋へ行くんは」

洪作としても、ずっと土蔵で生活していたので、母屋に移ることは余り歓迎《かんげい》すべきことではなかった。しかし、洪作が考えても、自分が母屋へ行くことはこの場合としては極《きわ》めて当然なことであり、母の七重の言うことの方に理があるようだった。おぬい婆さんをひとり土蔵に残すことは気になることではあったが、しかし、まあ仕方ないことだとしなければならなかった。

洪作は母屋の二階を自分の部屋としてあてがわれた。八畳《はちじょう》の広さで、土蔵から来ると、ひどく明るく広く見えた。寝具《しんぐ》もみな豊橋から送られて来た新しいものであった。初めて母屋の二階に、おぬい婆さんと別れて寝《ね》た夜、洪作はふいにおぬい婆さんはどうしているかと思うと、そのことが気にかかって眠れなかった。

夜半、洪作は階下の廊下《ろうか》の戸を開けて、庭伝いに土蔵に行ってみた。土蔵の窓からは燈火が洩《も》れていた。

「ばあちゃ」

呼んだが、聞える筈《はず》はなかった。裏の水車の音がその洪作の声を消している。洪作は正面に廻《まわ》って土蔵の重い戸に手をかけた。いつも戸は洪作が閉めることになっていたが、この日は洪作が居ないので、戸は完全には閉められてなかった。二寸程《ほど》開いていた。重い戸なので、おぬい婆さんの手には負えなかったものと思われた。洪作が戸を開けると、

「洪ちゃか」

と、すぐおぬい婆さんの声が上から降って来た。

「うん、本を取りに来た」

洪作が言うと、

「そうかい、そうかい」

おぬい婆さんは階段の上から顔をつき出した。ランプの光で、おぬい婆さんの顔の半面だけが般若《はんにゃ》の面のように見えた。二階へ上ると、本を一冊持って、洪作はすぐ帰ろうとしたが、

「ばあちゃ、何してた？」

と、ひと言だけ声をかけた。

「鼠《ねずみ》と話をしていた。今夜は鼠の運動会で、さっきから騒《さわ》がしいこっちゃ」

おぬい婆さんはそんなことを言って笑った。予想に反して明るい笑顔だった。おぬい婆さんは階下まで洪作を送って来て、

「遅《おそ》いからもうすぐ寝なされや」

と言った。この時だけちょっと淋しそうだった。

翌日から洪作は昼間だけ土蔵へ行って、今まで通り北側の窓の机で勉強した。土蔵へはいって行くと、小さい机の前に座蒲団《ざぶとん》が置かれてあり、いかにもそれが主人の帰りでも待っているかのように見えた。おぬい婆さんはそうした洪作のために、必ず駄菓子を用意しておいた。

洪作は夕方まで土蔵に居て、夕方母屋に帰り、母や弟妹たちと一緒に夕食の膳《ぜん》に向った。土蔵へは毎日のように妹が料理を運んで行った。母の七重はおぬい婆さんにも母屋に来て一緒に食卓《しょくたく》に向うように何回も勧《すす》めたが、おぬい婆さんはそれを承知しなかった。ひとりで気儘《きまま》に食べる方がいいと言った。

夕食がすむと、洪作は犬飼のところへ勉強に行き、そこから帰ると、母屋へははいらないで、ちょっと土蔵へ顔を出し、五分か十分土蔵に居て、そして母屋の二階へと戻《もど》った。犬飼のところから戻ったその足で土蔵へ行くことは、母の七重には内緒にしておいた。内緒にしなければならぬ何の理由もなかったが、別にわざわざ母に知らさなければ

ならぬことでもなかった。

洪作は土蔵へ行っても、別におぬい婆さんと話すわけではなかった。話さなければならぬこともなかったし、話しても面白いことはなかった。明日学校へ行く教科書を揃《そろ》え、一言二言おぬい婆さんと言葉を交して帰って来るだけのことであった。おぬい婆さんは、

「今日は早かったな」

とか、

「今日は遅かったな」

とか、そんなことを言い、無理に洪作に菓子を食べさせ、それから、

「早く帰って寝なされ。あすまた早く起きねばならぬ」

と、いつも同じことを言った。


洪作が母屋へ移ってから十日程経《た》った頃のことである。洪作はいつものように渓合《たにあい》の旅館から帰り、母屋には立ち寄らないでそのまま土蔵へ行くと、おぬい婆さんが、

「すぐ帰んなさい。母ちゃが睨《にら》んどる」

と言った。おぬい婆さんの顔が真剣だったので、洪作は言われるまま、すぐ母屋へ帰った。すると、母の七重が二階へ上って来て、

「洪ちゃ、あんた土蔵へ行った？」

と訊《き》いた。

「うん」

洪作は返事をした。

「ゆうべは？」

「行った」

「おとついの晩は？」

「行った」

「毎晩行ってるの？」

「うん」

「どうして毎晩行くの？」

「学校の本を揃えに行くんだ」

「そう。そうでしょう。毎晩行ってるわね。それをお婆ちゃんたら、絶対に夜など洪ちゃは来たことはないと言うの。あんな嘘《うそ》つき婆さんたらありはしない。なぜ嘘をつくのかわけが判らない」

と言った。

「行くと言っても、ちょっと行くだけだ」

洪作は言った。おぬい婆さんをかばうような気持が動いていた。すると、母は急に険《けわ》

しい顔をして、

「あんたも変なことを言うわね。わたし、これっぽちも土蔵へ行ってはいけないなんて言っていないでしょう。言訳みたいなこと言う子は嫌《きら》い。あんたも大分おぬい婆さんに似て来ている」

と言った。

その時はそれで済んだが、その翌日一つの事件が起きた。洪作が学校から帰った時、母とおぬい婆さんの争う声が勝手の方で聞えていた。洪作は二階へ教科書の包みを置くと、何となく気になって、勝手の方へ行ってみた。母の姿もおぬい婆さんの姿もなかった。勝手から出て背戸《せど》へ廻ってみると、土蔵の前の庭に二人が対《むか》い合って立っている姿が見えた。二人は烈しい言葉をぶつけ合っていた。争いの場所は母屋の勝手元からそこまで移動して行ったという感じだった。

おぬい婆さんは少し顔を前へ突き出すようにして、

「お気の毒ながら、わしは何も聞いとらん。おまえたの言うことなんか聞く耳は持っとらんわい」

そんな言葉を口から出している。

「おまえたなんて、そんな言葉は使わんといて貰いたいわ。おまえただなんて！」

「おまえたで悪かったな。じゃ、お前さんと言うのかい」

「奥さまとおっしゃい」

「自分とこの嫁《よめ》を奥さんなどと言えるかい」

「わたし、あんたを母親などと、これっぽちも思ったことないわ。村の人だって、たれも思っていない。可哀そうに思って養って上げているだけなの。それを嘘ばかしついて！　嘘だけは言うのをやめなさい。これから嘘をつくと、ここから出て行って貰いますよ」

母の七重も顔を蒼白《そうはく》にしている。余程烈しく憤《おこ》っているに違いなかった。

「出て行け!?」

おぬい婆さんは絶叫《ぜっきょう》に近い叫びを口から出して、

「ここはわしの家だ。おまえたが出て行くがよかんべ。ああ、怖《おそろ》しい女子《おなご》じゃ。怖しや、怖しや」

と言った。洪作は二人の争う姿を見守っていたが、その場へ歩いて行くと、

「ばあちゃん」

と言って、おぬい婆さんの着物の袖《そで》を摑《つか》んだ。そしてその場からおぬい婆さんを引き離《はな》し、土蔵へ連れて行こうとした。

「洪ちゃ！」

こんどは母の烈しい眼《め》が洪作に注がれた。

「あんたは今日限り土蔵へは一歩もはいってはいけません。こんな嘘つき婆さんと口をきくとろくなことはない」

「なんだと」

おぬい婆さんは振《ふ》り返ると、もう言葉は口から出ない面持で、石でもぶつけようと思ったのか、やたらに地面の上を見廻した。その時、洪作は母の七重の体が、ゆるゆると地面の上に屈《かが》み込むのを見た。母は片手を額の上に当て、片手を地面について自分の体を支えながら、

「洪ちゃ、水！」

と言った。母の顔から全く血の気が引いているのを見ると、洪作はこれは大変なことになったと思った。洪作は大急ぎで母屋の台所へ駈《か》け込むと、茶碗《ちゃわん》に水瓶《みずがめ》の水を入れ、それを持って母のところへ引き返して来た。母の七重は柿《かき》の木に体をもたせて立っていた。顔は依然《いぜん》として蒼《あお》かった。母は水を飲むと、

「洪ちゃ、上の家のばあちゃを呼んで来て！」

と言った。おぬい婆さんは思いがけぬ事件で、すっかり毒気を抜《ぬ》かれてしまった恰好《かっこう》で、

「立っとらんで、少しでも横になった方がよかんべ。土蔵へはいらっしゃれ」

と、そんなことを言った。すると、母は、

「そうね。土蔵で休ませて貰うわ」

そう言って、柿の木から離れると、土蔵の方へ一歩一歩ゆっくりと足を運んだ。

そんな二人をそこに置いて、洪作は上の家へ走って行った。

「母ちゃが倒《たお》れかかってる。すぐ来てくれ」

と、祖母に告げた。祖母は一言も言わないで立ち上ると、庭下駄を履《は》いて土蔵へと向かった。祖母は走るつもりらしかったが、あわてているので歩みは平生よりもっとのろかった。少し歩いては立ち停《どま》り、その度《たび》に大きい吐息《といき》をついては、何か口の中でぶつぶつ言った。洪作にも祖母が何を言っているかは勿論《もちろん》判らなかったが、わたしが身替りになりますから、どうぞ娘の七重の身の上に変ったことがありませぬようにと、そんなことを祈っているに違いないと思われた。祖母はいつでも、何か困ったことが起ると、自分が身替りになろうとしていた。

土蔵へ戻ってみると、七重は土蔵の階下の板の間に身を横たえ、おぬい婆さんに濡《ぬ》れ手拭《てぬぐ》いを額の上に載《の》せて貰っていた。上の家の祖母は七重の顔を覗《のぞ》き込《こ》むと、

「おなかの中に嬰児《やや》がはいってるんで、よくよく気をつけんとな」

と言った。そして、

「お世話かけてすみません」

と、おぬい婆さんに礼を言った。

「なんの」

おぬい婆さんは言って、

「きのうから陽気がむしむししていたでな」

それから二階へお茶をいれに行き、茶盆《ちゃぼん》を持って来ると、祖母と二人で七重の枕《まくら》もとでお茶を飲んだ。七重は暫く横になったままで黙っていたが、やがて気分が癒《なお》ったらしくて、体を起すと、

「ああ、驚いた！　婆ちゃと喧嘩《けんか》していたら、すうと気持が遠くなった」

と言った。

「喧嘩!?」

上の家の祖母が聞き咎《とが》めると、

「大喧嘩していたの」

そう言って七重は笑った。

「笑えれば結構じゃ、もう癒ったも同じじゃ」

おぬい婆さんは言った。どこから聞いたのか、近所の内儀《かみ》さんたちが二、三人見舞《みまい》に来た。

その夜、洪作は犬飼のところから帰ると、やはり土蔵へ行った。おぬい婆さんは洪作の顔を見ると、

「早く帰んなさい。また嫉《や》くでな」

と、二本の指を額に立てて見せた。そのおぬい婆さんの顔は、本当に角を生やした鬼《おに》の面のように見えた。母屋に帰ると、母の七重は床《とこ》に就《つ》いていたが、洪作の帰って来たのを知ると、洪作を呼んで、

「土蔵へ行って来て上げなさい。鬼みたいな婆ちゃだが、あんただけは可愛《かわい》いらしい。今夜は特別に行って来てお上げ！　そのかわり、あしたからは行くのはおやめ。癖《くせ》になる」

と言った。洪作は母屋から出ると、土蔵へは行かないで庭を歩いた。昼間のように明るい月夜であった。田圃《たんぼ》で蛙《かえる》がやかましく鳴き立てていて、いかにも初夏らしい夜であった。洪作は物哀《ものがな》しい気持に襲《おそ》われていた。初夏の夜特有の物哀しさであるか、それとは別に昼間の事件から来る心の痛みであるか、それは判らなかった。

七月の下旬から夏休みになった。教師の犬飼は天竜川の上流にある郷里の村へ帰って行ったので、洪作は夏休みの間はひとりで勉強しなければならなかった。犬飼に依《よ》って出された夏休みの宿題はかなりの量であった。犬飼は何年か前の古い試験問題集一冊を残して行った。洪作はその分厚《ぶあつ》い本の中にぎっしり詰め込《こ》まれてある算術の問題全部を解かなければならなかった。表紙はすり切れそうになっていて、どの頁《ページ》にも色鉛筆で赤い線が引かれてあった。犬飼自身が何年か前に使ったものかも知れなかったし、あるい

は沼津か三島へ行った折、古本屋あたりで洪作のために買い求めて来たものかも知れなかった。

洪作は手垢《てあか》のついたその試験問題集に何となく心打たれるものを感じた。自分と同じように曾《かつ》てこの試験問題集を机の上に置いて勉強した少年がいたと思うと、自分の知らないその少年と張り合うような気持になった。洪作もまた、彼自身の赤鉛筆でその書物を汚《よご》した。

八月の上旬、洪作は西海岸の漁村である三津《みと》の親戚《しんせき》へ泳ぎに行くことになった。母七重のすぐ下の妹のすず江の家だったので、洪作にとっては叔母の家であった。三津に叔母の家があるということは勿論《もちろん》前から知っていたが、そこを訪ねて行くのは初めてのことだった。すず江はまだ物心のつかない幼い頃、その松村家へ養女としてはいり、全くそこの実の娘《むすめ》として育てられていた。すず江は勿論娘の頃《ころ》から自分が養女であることは知っていたが、養父母はその事実をすず江にひた匿《かく》しに匿し、すず江が三十の半ばに達した現在まですず江がそのことを知っていないと思い込んでいるということであった。

そうしたことから、同じ半島にある親戚ではあったが、親戚づきあいということは、他の親戚ほど繁くはなかった。しかし、すず江の養母のしげがやはり七重やすず江の伯母に当っていて、もともと親戚であったので、全く親戚づきあいをしないというわけには行かなかった。洪作がそうした関係の三津の松村家へ行くことになったのは、母の七重の勧《すす》めに依るものであった。

「洪ちゃ。三津《みと》へ行って海水浴をしておいで。勉強もいいけれど、夏休みぐらいは海へ行って真っ黒になる方がいいわ」

母の七重は言った。七重の眼《め》にも、朝から晩まで土蔵の中で机に対《むか》っている洪作が不《ぶ》気味《きみ》に映ったようであった。洪作はこれまでに海で泳いだことはなく、七重が口から出した海水浴という言葉にも魅力《みりょく》があったし、また蜜柑畑《みかんばたけ》がたくさんあるというその三津の親戚の家にも心惹かれるものがあった。

洪作は教科書や参考書やノートを風呂敷《ふろしき》に包み、丁度三津へ用事があって出掛《か》けるという村人と一緒《いっしょ》に、湯ヶ島を発《た》った。大仁までバスで行き、大仁から軽便に乗って、長岡の駅で降り、そこから一里程の道を歩いた。

洪作は家を発つ時、母から、養父母と叔母のすず江の関係を説明され、

「叔母さんはわたしの妹だけれど、妹だということを、向うの家へ行ったら言ってはいけませんよ。そのことだけを心得ておいで」

と言われた。このことはまたおぬい婆さんからも注意された。

「実のわが子でないのにわが子で通そうというところに無理がある。ばかなこっちゃ。伯母姪《めい》の関係で、それで結構だと思うんじゃが、それを自分の子にしとかんと気がすまんらしい。洪ちゃが行ったら、さぞ、おしげさんが気をもむことずら」

おしげさんというのは松村家の祖母、つまりすず江の養母の名前であった。もともと、おぬい婆さんは洪作の三津行きには賛意を表していなかった。大事な大事な跡《あと》取り息子を、海水浴などというものをさせに他家へ出そうとする七重の考えが判《わか》らないと言った。しかし、おぬい婆さんはそうした自分の考えを洪作以外には、少しも口に出さなかった。いつか土蔵の前で七重と大喧嘩《おおげんか》して以来、おぬい婆さんは彼女《かのじょ》の言い方を以《もっ》てすれば、〝何事も辛抱《しんぼう》辛抱！〟であり、〝長いものには巻かれろ〟であった。

洪作には三津という部落は充分《じゅうぶん》美しく見えた。長岡から一里の山道を歩いて、小さいトンネルを抜《ぬ》けて、最後の坂を下って行くと、いきなり真夏の陽に輝《かがや》いている青い海と、その海ぎしにごちゃごちゃと詰《つ》まっている小さい家々の固まりが見えた。そこが三津の部落であった。

松村家は往来から少しはいり込んだ小高い場所にあった。母屋《おもや》は純然たる農家風の造りで、上り口の部屋には大きな炉《ろ》が切ってあり、その奥に座敷《ざしき》と納戸《なんど》があった。母屋のほかに前庭を挟《はさ》んで、海を背にして土蔵と納屋《なや》があった。母屋の座敷の縁側《えんがわ》からは海の一部が見え、海からは絶えず発動機船のエンジンの音が聞えて来ていた。

洪作は松村家へ一歩足を踏《ふ》み入れた時から、自分がこの家の全員から歓迎《かんげい》されていることを知った。土間に居たすず江は、洪作の姿を見ると、すぐ、

「湯ヶ島から洪ちゃが来ましたぞ」

と、独特の優《やさ》しい口調で奥の方へ向って叫《さけ》んだ。すると、すず江の夫である庄吉が、

「これは、これは」

と、大人の客でも迎《むか》えるような言い方をして、背戸の方から土間へはいって来た。見るからに朴訥《ぼくとつ》そうな人物であった。すると間もなく、老人夫婦が納戸の方から顔を出し、どこからともなく三人の子供たちが現れた。

祖母のしげは上の家の祖母の姉だけあって、全く同じ顔と体つきを持った、しかしひと廻《まわ》り小柄《こがら》な人物であった。上の家の祖母が優しいように、この祖母もまた優しいであろうことはひと眼で判った。祖父の方は無口で、多少気難しそうであった。

「この坊かい、勉強ばかししているというのは」

祖父はまじまじと洪作の顔を見守っていたが、

「ひと夏、ここに居て、朝から晩まで海へはいっていなされ。そして漁師の子みたいに真っ黒になるんじゃ」

と言った。冗談《じょうだん》じゃないと洪作は思った。そんなことをしていたら、宿題もできないし、中学の入学試験にも落第してしまうだろう。

子供たちは上二人が男の子で、長男の義一は洪作と同年であり、弟の武二は二つ年下であった。二人共毎日朝から晩まで海で過していするらしく、真っ黒い顔の中で眼だけを光らせていた。妹の春江は小学校の一年生で、まるまると気持いいまでに肥《ふと》り、母にま

といついてばかりいた。祖父は朝から晩まで海へ行けと言ったが、しかし、七重から頼んであったのか、座敷が洪作の勉強部屋に当てられ、そこには既《すで》に小さい机が用意されてあった。

洪作はその翌日、三人の子供たちと一緒に海へ出掛けた。砂浜はさほど広くはなかったが、そこには百人ほどの全裸《ぜんら》の子供たちが砂にまみれたり、走り廻ったりしていた。そして海の方に眼を遣《や》ると、いつも二、三十人の子供の頭が西瓜《すいか》でも浮《う》いているように、潮の上に浮かんでいた。子供たちの体があまり黒いので、洪作は自分の体の白いのに気恥《は》ずかしい思いをしなければならなかった。

海は遠浅で、少し深くなったところに跳込台《とびこみだい》が置かれてあった。そしてその跳込台からは絶えず次から次へと、河童《かっぱ》たちが両手を伸《の》ばした姿勢で頭から先に潮の中へ跳び込んでいた。洪作は湯ヶ島の川で泳いでいたので、同じように海でも泳ぐことができたが、しかし、跳込台から跳び込むことはできなかった。一度跳込台の上に立ったが、とても自分には他の子供たちのような芸当はできないと知って、脚榻《きゃたつ》を伝って、そこから降りた。

弟の武二は泳ぎはうまく、跳込みもうまかった。兄の義一はおとなしかったが、武二の方は気性も烈《はげ》しく、腕力《わんりょく》も強かった。洪作はこの兄弟とすぐ親しくなり、砂浜で相撲《すもう》をとったりしたが、三人の中では武二が一番強かった。

洪作は勉強道具を持って来てはいたが、それを開く暇《ひま》はなかった。午前中は勉強し、午後は泳ぐことに一応は決めていたが、しかし、義一や武二たちと一緒に朝から海に行った。海へ行くことを誘《さそ》われると、その誘惑《ゆうわく》には勝てなかった。そして昼食を食べに家に帰り、昼食後揃って座敷で午睡《ごすい》をとり、眼が覚めると、またすぐ海へ出掛けた。夜は昼間の疲れで早く眠った。

洪作が松村家の一員になってから四、五日すると、沼津のかみきの家の蘭子がやって来た。蘭子がやって来ると、もはや勉強などは思いもよらぬといった空気が家の中を充《み》たした。蘭子は黄色の水泳着を着、大きなタオルを背にかけて海へ出掛けた。洪作も、義一も、武二も、そうした蘭子と一緒に海へ行くのは気恥ずかしかったが、

「さ、蘭子ちゃん、海へ行くわよ。みんないらっしゃいよ」

蘭子に命令的に言われると、みんなその言葉に従うほかはなかった。一緒に行くと、どうしてもお供という恰好《かっこう》だった。蘭子は浜で他の男の子たちにはやされたが、寧《むし》ろはやされることが嬉《うれ》しいような顔で、傲然《ごうぜん》たる態度をとっていた。武二は海までは一緒に行ったが、いつか洪作や義一のところから姿を消し、はやし立てる方の側に廻っていた。

ある時、蘭子は意地悪い眼つきで洪作を見ると、

「洪ちゃは跳込台から跳び込めないでしょう」

と言った。

「跳び込めるさ」

洪作は答えた。

「あら、跳び込めるの？　そう、それは知らなかったわ。そんなら跳び込んでごらんなさい。わたし、見ていて上げるわ」

蘭子は言った。

「いやだよ」

「いや!?　それ、ごらん、怖《こわ》いんでしょう？」

「こわいもんか」

「じゃ、跳び込んでごらん」

こうした場合の蘭子の表情には意地の悪いものが露骨《ろこつ》に現れていた。

洪作は仕方なく、義一や武二たちと一緒に跳込台の上に立った。義一が跳び込み、武二が跳び込んだ。洪作は暫く跳込台の上に立っていた。海面はずっと下の方にあった。洪作は自分がどうしても跳び込まなければならぬ羽目になっているのを知った。洪作は眼をつぶって身を躍《おど》らせた。勿論頭を先にして潮の中へ突っ込んで行くつもりだったが、体が跳込台を離れる瞬間《しゅんかん》怖気《おじけ》づいて、結局脚《あし》を下にした、自分でもひどくぶざまだと思われる姿勢で、潮の中に落ちた。洪作は烈しい痛みを腹部に感じた。洪作は潮の中から浮かび上ると、陸の方へ泳ぎながら、蘭子に何と言われるだろうと思った。蘭子は、し

かし、そのことについては何も言わず、ただ、

「洪ちゃったら、落ちるみたいだったわよ」

と、言った。洪作は、自分の恰好が自分が思うほどぶざまではなかったのかと思った。

洪作にとっては松村家は居心地がよかった。祖母も叔母も親切であり、優しかった。初めは厭《いや》になったらすぐ帰るつもりだったが、湯ヶ島で夏休みを過すより、三津の方がずっと楽しいことを知った。蘭子も同じ気持らしく、二泊《はく》の予定で来たと言ったが、四日経《た》っても、五日経っても、帰りそうな気配は示さなかった。

「いつ帰るの？」

洪作が訊《き》くと、

「わたし、もっとここで遊んでるわ。ここに居る方が、お小遣費《こづかいつか》わなくてすむわ」

と、ませた口調で言った。

蘭子が来て五日程経った時、三島の親戚の真門家から、大社の花火を見に来ないかという誘いがあったので、ちょっとでもいいから真門家にも顔を出すようにという母の七重からの連絡《れんらく》があった。真門家の伯母は門野原の石守家から出た女性で、石守校長や洪作の父の姉に当っていた。

洪作は毎日海で泳いでいる方が面白かったので、花火の方には興味はなかったが、母の七重からそう言って来られると、そうしないわけには行かなかった。それに叔母のす

ず江の方にも、七重から同じ連絡があったらしく、

「洪ちゃ、ちょこんとでええから、三島へも顔出して下されよ。また三津で洪ちゃを引きとめたなどと思われると大変じゃ」

すず江は言った。洪作は、花火があるという日、義一、武二、蘭子の三人と一緒に、バスで三島へ行った。義一、武二、蘭子の三人は三島の真門家とは親戚でないので、松村家の人たちはみんな引き留めたが、蘭子が諾《き》かなかった。

「三島の真門ってお家は、洪ちゃの伯母さんの家でしょう。なら、いいわよ、一晩ぐらい泊ったって」

蘭子は言った。そして結局いろいろ相談した挙句《あげく》、四人で出掛けることに決ったのである。

「一晩泊めていただいたら、すぐ帰るのよ」

すず江は家を出るまで、同じことを繰《く》り返していた。

真門家には、やはり洪作と同年配の俊記《としき》という一人息子があった。洪作とは従兄弟《いとこ》の間柄《あいだがら》だったが、洪作は真門家を訪ねるのも、俊記に会うのも初めてだった。

真門家の伯父は町長をやっていた。家は三島大社の前にあって、いかにも町長でもやっている人の家らしく、品のある二階家だった。

真門家を訪ねた夜、子供たちは二階の座敷に集って花火を見た。花火を見るのも、洪

作には初めてのことだった。真門家の伯母はやはり父や石守校長に似ていると、洪作には思われた。何となく無愛想な感じだが、曲ったことは嫌《きら》いだというようないっこくなところがあった。

伯母は子供たちのところへ西瓜を運んだり、サイダーを運んだりした。蘭子はトランプを俊記に持って来させ、そのやり方をみなに教えた。洪作はトランプをやるのは初めてだった。町には不思議な遊び道具があるものだなと思った。洪作はトランプをやっていると、時々、けたたましい音を夜空にひびかせて、花火が打ち揚げられた。その度に蘭子の顔が赤や青の色に彩《いろど》られるように、洪作には思われた。

「きれいだな」

洪作が言うと、

「沼津の方がもっときれいよ。沼津の御成橋の花火の方がずっと大きいの」

蘭子は言った。洪作は傍《そば》に居る伯母や俊記に悪いような気がして、

「大きくたって、大きくなくたって、同じことじゃないか」

と言った。

「同じことじゃないわ。大きい方が立派だわ。お金だって何倍もかかるのよ」

「お金なんてかかったって仕様がないや。安い方がいいじゃないか」

「あら、安い方がいいの？　あんた」

蘭子は口を尖《とが》らせると、

「洪ちゃったら、跳込台から落ちたのよ。おかしかったわ。蛙《かえる》が死んだような恰好でぱちゃんと落ちたの」

それから、

「ねえ」

と、相槌《あいづち》を求めるように義一と武二の方へ言った。義一も武二も返事をしなかった。

「落ちるもんか」

洪作は言った。烈しい怒りが身内にこみ上げてきた。

「嘘《うそ》つき！ 洪ちゃ、嫌いだわ」

蘭子はつんとして横を向いた。

「あんたたち、何を喧嘩《けんか》してるの。ばかね」

伯母が言ったので、その話はそれで終ったが、洪作は怒りとも悲しさともつかぬ気持を懐《いだ》いて、トランプを弄《いじ》りながら、時々夜空に打ち揚げられる花火を見ていた。

その晩、その同じ座敷に洪作は義一と武二と一緒に床《とこ》を並《なら》べて寝《ね》た。隣《となり》の部屋には蘭子だけが寝た。蘭子は寝てからも義一と武二の方へ声をかけて来たが、洪作には一言も話しかけて来なかった。

「こんどは沼津のわたしんちへ行きましょうね。——三人で」

わざわざ三人と言ったのは、洪作を除外していることを意味していた。洪作は沼津へなんか死んでも行くものかと思っていた。

しかし、翌朝になると、蘭子はゆうべ洪作と争ったことなどはすっかり忘れてしまったかのように、

「わたし、どうしようかしら。もう一度三津《みと》へ行こうか、沼津のお家へ帰ろうか、どっちにしようかしら。洪ちゃどう思う？」

そんな言い方をして、洪作に相談を持ちかけて来た。

「また三津へ行って泳いだらいいじゃないか」

洪作は言った。蘭子に来られると、三津に於《お》いての生活も乱されることは判っていたが、蘭子と一緒の方が、何となく賑《にぎや》かで張り合いのあることも事実であった。しかし、結局は蘭子がそこからひとりで沼津の自家へ帰ることになった。洪作は義一と武二と一緒に真門の家を辞すと、沼津へ通っている電車の停留所まで蘭子を送り、そこで蘭子と別れた。

そして洪作たちは、その同じ駅から出ている軽便で長岡まで行き、そこから三津まで歩いた。洪作はこの道を歩くのは二度目であった。この前と同じように、海を見降す坂道まで来ると、そこで休んで暫くの間三津の部落を見降していた。洪作は今まで彼が知っている場所では、ここが一番美しいところではないかと思った。あるいは日本で一番

美しいところかも知れない。めったにこれほど美しい景色を持っている場所はないだろうと思った。

洪作は三津に八月の中旬《ちゅうじゅん》までいて、真っ黒になって湯ヶ島に戻《もど》った。三津では泳いでばかりいて、何一つ勉強してなかったので、湯ヶ島へ帰ってからは、もう遊んでいる暇《ひま》はなかった。

三津から帰ってみると、暫く見ない間におぬい婆さんはまたひと廻り小さくなって見えた。洪作は三津から貰《もら》って来た羊羹《ようかん》の箱《はこ》をおぬい婆さんのところへ持って行った。この羊羹は母の七重に手渡《てわた》したのだが、七重は、

「お土蔵《くら》の婆ちゃんのところへ持って行って上げなさい。この頃、毎日のように少しずつお菓子を買いに行っては、ひとりで食べているらしい。みっともないったら、ありはしない」

そんなことを言った。おぬい婆さんが駄菓子屋へ菓子を買いに行くことは、前から洪作も知っていた。おぬい婆さんは去年あたりから、一日に何回も甘《あま》いものを口に入れないと気がすまないようになっていた。それでいて、菓子屋へ行っても、絶対にかためて沢山《たくさん》買うようなことはせず、その日に食べる分だけを少量買った。洪作ももっと沢山買っておけばいいではないかと言ったことがあったが、おぬい婆さんは、

「もったいない。銭出さんとならん」

と言った。そうしたところはもうろくし始めたのではないかと思われた。

洪作が羊羹の箱を持って行ってやると、おぬい婆さんは、それを押《お》し戴《いただ》くようにして、

「これ、洪ちゃのお土産《みやげ》じゃ。少しずつ村の人に配ってやるべ」

と言った。

「そんなことしないで、みんな自分で食べた方がいい」

洪作が言うと、

「嬉《うれ》しい気持は、少しでも多勢の人に分けてやるもんじゃ」

と、おぬい婆さんは言った。おぬい婆さんは実際にそのようにした。羊羹を幾《いく》つかに切って、それを紙に包み、それを持って、村の家の何軒《なんげん》かに配り歩いた。母の七重はすぐそのことを知り、

「一体、どこの家とどこの家とに配ったのか、あんた、それとなく訊いてごらん」

と、洪作に言った。母はおぬい婆さんが羊羹の切れっぱしを配り歩いた家を、一軒一軒あとから訪ねて行って、弁解するつもりらしかった。

洪作は、夜、土蔵へ行っておぬい婆さんに羊羹の配り先を訊《たず》ねてみた。

「お医者さんのとこと、寺の坊さんとこには大きいのを持って行った。やがて、婆ちゃが世話になるでな。あとは、この婆ちゃに優しい言葉をかけてくれた人のところに持っ

てった」

　おぬい婆さんは言った。

「あというのは、どことどこ？」

　洪作が訊くと、

「中井の嫁《よめ》っこ、大杉の爺ちゃ、お針屋《はりや》の内儀《かみ》さん、それから清水屋の婆ちゃじゃ」

　おぬい婆さんは言って、

「中井の嫁っこはなかなかいい気分の嫁っこじゃ。洪ちゃが三津へ行っている時、洪ちゃが居なくて、さぞ淋《さび》しかんべと言ってくれた。大杉の爺ちゃも、二、三年前までは業《ごう》つくばり爺さんだったが、近ごろはめっぽう心掛けがようなった。あの爺ちゃは、お前さんも洪ちゃとの仲をさかれて、さぞ辛《つら》かんべと言ってくれた」

　洪作は、入歯をもぐもぐして話をするおぬい婆さんの顔をある不気味な思いで見守っていた。羊羹の配り先は平生家とは親しくつき合っていない人ばかりで、そのことのために悪口を言われそうだったが、洪作はおぬい婆さんを咎《とが》める気持にはなれなかった。

　洪作は母に、一応、おぬい婆さんから聞いた人たちの名を伝えた。母は、

「やれ、やれ」

　と溜息《ためいき》まじりの声を出して、

「むかしは気性の確《しっか》りした、金使いの荒《あら》い婆ちゃんだったが、すっかりもうろくしてし

まった」

　と言った。洪作は夏休みの最後の日までに、漸《ようや》くのことで、犬飼から出された宿題の全部をやり終えることができた。二十題ほどどうしても解けぬ問題があったが、あとは一応答を出した。洪作は分厚い試験問題集を一冊やり終えたということで、もう誰にも敗《ま》けないといったような自信を持った。

　九月にはいると、間もなく犬飼はやって来た。犬飼から湯ヶ島へ来る日のことを前以《もっ》て葉書で知らされてあったので、洪作はバスの停留所まで若い教師を出迎えた。洪作には犬飼が夏休み前よりひどく瘦《や》せたように見えた。

「先生瘦せちゃった！」

　洪作が言うと、

「瘦せるほど勉強したんだ。瘦せるくらい勉強せんと、なかなかものにはならないんだ」

　犬飼は言った。眼が鋭《するど》く見えた。

　洪作は犬飼を渓合《たにあい》の旅館まで送って行ったが、犬飼は途中で、

「洪ちゃ、死ということを考えたことがあるか」

　と言った。

「ありません」

洪作が答えると、

「死を考えたことがない!?　ばか者！　先生はひと晩中眠れないので、死ばかり考えている」

そんなことを言ってから、あとはひとり言のように、低く、

「ああ、もう、俺は駄目だ」

と言った。

「何が駄目です？」

「何が駄目だと？　生意気なことを訊くな。才能がなく、金がなく、健康がなくなった時は、人間駄目なんだ」

犬飼はうそぶくように言った。

犬飼がどうも神経衰弱《しんけいすいじゃく》らしいという噂《うわさ》が村にひろまったのは、二学期が始まって間もなくだった。洪作にも、犬飼が普通でないことは判っていた。洪作は犬飼のもとに毎晩のように勉強に行ったが、以前のように楽しい時間は持てなかった。犬飼はいつも洪作に自習させておいて、自分は旅館の庭を歩いたり、縁側に仰向《あおむ》けに寝転んだりして、全く自分だけの世界にはいっていた。その行動には落ち着きというものがなくなっていた。

七章

洪作は毎夜のように犬飼のもとに勉強に出掛《でか》けたが、犬飼は洪作の眼にもはっきりと異常人として映っていた。犬飼は縁側《えんがわ》に腰《こし》を降し、ぼんやりと夜空を仰《あお》いでいることもあれば、川瀬の音の聞える庭を俯向《うつむ》いて歩き廻《まわ》っていることもあった。また憑《つ》かれたように分厚《ぶあつ》い書物の頁《ページ》を睨《にら》んで、そこから眼《め》を離《はな》さないでいることもあった。その挙措《きょそ》動作はその日その日に依《よ》ってまちまちであったが、いつも同じなのは全く洪作の存在を無視していることであった。洪作は毎晩のように犬飼の部屋へ出掛けて行って、そこで自習して帰った。

洪作が部屋へはいって行くと、その時だけ犬飼は、ああ、来たかというように、顔を上げて洪作の方を見たが、あとは洪作のすることを全く意に介《かい》していない風だった。洪作は部屋の隅《すみ》に置いてある机を部屋の真ん中に持ち出し、その上に持参した教科書やノートを並《なら》べて、自習にはいって行ったが、犬飼は洪作のやっていることを覗《のぞ》こうともしなかった。しかし、犬飼の部屋で勉強する方が、同じ自習をするにしても、家におけるよりずっと能率が上った。犬飼の部屋へ行くと自然に勉強する気構えになり、洪作はその間せっせと鉛筆を動かした。

洪作は家人や村の人たちから、時折、犬飼に変ったところはないかと訊《き》かれることがあった。そんな時、洪作はいつも、

「ううん」

と、そんなことに全く気付いていないような返事をした。犬飼を世間の風評から守ってやっている気持だった。しかし、学校の職員室に於《お》ける言動や、教室に於ける生徒たちへの接し方が、次々に村人の間に伝わって行き、洪作ひとりがかばってやっても、到《とう》底《てい》それは覆《おお》い匿《かく》せるものではなかった。

犬飼は九月の終りから学校へ姿を見せなくなった。学校へ来ることを校長から停《と》められたとか、休養することを半ば強制的に村長から申し渡《わた》されたとか、そんな噂《うわさ》が立った。しかし、そうしたことには頓着《とんちゃく》なしに、洪作は毎晩のように渓合の旅館へ出掛けて行った。

母の七重は心配して、

「神経衰弱の先生のところへ行っても、ろくなことは教えて貰《もら》えないでしょう。洪ちゃ、やめたらどう!?」

と言った。

「ううん、ちゃんと教えて貰ってる」

洪作は言った。もし自分が行かなくなったら、教師の犬飼は困るのではないかと思っ

たし、困らないにしても、淋《さび》しく思うか、あるいはそんなことがショックにでもなって、病状でも悪化したら大変だと思った。

村人たちは何となく犬飼を気味悪がっていたが、洪作は毎晩顔を合わせているせいか、少しもそんな風には感じられなかった。

犬飼が学校を休み始めてから十日程経《ほどた》った夜、犬飼は珍しく、

「洪ちゃ、滝《たき》へ行こう」

と言った。

「滝って、浄蓮《じょうれん》の滝ですか」

洪作は訊いた。

「そうだ。気持がいいだろう。月がいいから」

犬飼は言った。洪作にはその夜の犬飼は、いつもとは違《ちが》って、全くの常人に見えた。眼《め》の色も静かだったし、口から出す言葉も穏《おだ》やかで、少しも変なところは感じられなかった。

「ええ、行ってみましょうか」

洪作も言った。浄蓮の滝までは小一里の道のりだったが、月光に照されて、下田街道を歩いて行くのも気持いいだろうと思った。勉強は休まなければならなかったが、一晩ぐらい休んでも、差し当ってどうということもなかった。洪作は風呂敷《ふろしき》包みを犬飼の部

屋において、犬飼と一緒《いっしょ》に旅館を出た。

「もうすっかり秋だな」

犬飼はしんみりした口調で言った。

「寒くはないかい？」

「寒くはありません」

「風邪《かぜ》を引くなよ。これから試験の日までは、体だけは大事にしておかねばならん」

洪作は、犬飼がすっかりもとへ戻《もど》ってしまっているような気がした。今夜の犬飼にはどこにも神経衰弱患者らしい暗さはなかった。渓合から下田街道へ出る坂道を上って行く間は、犬飼は洪作と肩《かた》を並《なら》べて歩いて行ったが、街道へ出ると、洪作から離れて、ひとりでさっさと歩き出した。

「先生！」

洪作は犬飼に追いつくために、時折小走りに駈《か》けねばならなかった。しかし、追いついても、すぐまた二人の間隔《かんかく》は開いた。犬飼は歩いているのでなく、半ば駈けていると言ってよかった。

二人が大滝部落をぬける頃、洪作はひたすらたれかに会うことを期待した。たれかに会ったら、事情を説明して、犬飼を宿へ連れ戻すことを頼もうと思った。やはり犬飼は明らかに常人ではなかった。

「先生、帰ろう」

洪作は犬飼に追いついては、何回も同じ言葉を口から出していたが、犬飼は全く受けつけなかった。洪作の方には眼もくれないで、街道を、何か急ぎの用件でも持っているかのように、歩きに歩いていた。洪作は烈《はげ》しい不安な思いに襲《おそ》われていた。月光に照され、暗い影を地上に捺《お》して、人っ子一人通らない街道を、傍目《わきめ》もふらずに歩いて行く犬飼の姿は、神経衰弱などというものではなく、もはやれっきとした狂人のそれであった。

大滝部落から浄蓮の滝のあるところまでは部落はなかった。洪作は途中で犬飼の体に背後からすがりついた。

「先生、帰ろう」

洪作は抱《だ》きついたまま、犬飼に引きずられて歩いた。洪作は犬飼がこんなに強い力を持っていようとは思わなかった。洪作は何とかして犬飼の歩行を妨げようと思ったが、どうする術《すべ》もなかった。道が杉木立《すぎこだち》の中へはいろうとする少し手前で、犬飼はふいに足を停《と》め、

「俺《おれ》は浄蓮の滝へ飛び込む」

と言った。その言葉を聞いて、洪作はぞっとした。寒気が、一瞬《いっしゅん》、洪作の体全部を貫いた。

「なぜ飛び込む？」

「死にたいからだ」

「なぜ死にたいんです？」

洪作が言うと、

「生意気なことを言うな。お前らに判《わか》って堪《たま》るか」

犬飼はうそぶくように言うと、また大股《おおまた》で歩き出した。そして歩きながら、

「俺の死ぬところを見届けて、洪ちゃ、お前は村の人に伝えるんだ。いいか、判ったな」

「判りました」

洪作は口ではそんなことを言ったが、こんどは犬飼の前へ廻って、ありったけの力を振《ふ》りしぼって、犬飼の歩いて行く向きを変えさせようとした。ここからは一歩も浄蓮の滝へ近づけさせないといった気持だった。うるさい！　とか、邪魔《じゃま》する気か！　とか、そんな短い言葉が犬飼の口から出た。洪作は街道の真ん中で犬飼ともみ合っていた。洪作は満身の力をこめて犬飼を突《つ》き飛ばした。すると、犬飼は二、三歩よろめいて膝《ひざ》をついた。

「こら！」

犬飼の怒声《どせい》を背に、洪作は駈け出した。犬飼は追いかけて来た。洪作は半丁程大滝部落の方へ駈けたが、間もなく犬飼の追跡《ついせき》はとまった。

かなりの距離《きょり》を隔《へだ》てたまま、洪作は立ち停って犬飼の方を見た。犬飼は本当に憤《おこ》っているらしかった。街道の真ん中にひとりぽつんと立っていたが、そのうちに石でも拾うつもりか、地面に視線を落したまま、そのあたりを輪でも描《えが》くように廻り出した。

洪作はそうした犬飼の姿を見守っていたが、救いのない思いに打たれた。洪作が生を享《う》けてから見る一番孤独《こどく》な人間の姿であった。洪作は犬飼をどうしたらいいか判らなかった。近寄って行くのは怖《こわ》かったし、と言って、このまま逃《に》げ去ってしまうわけにも行かなかった。

そのうちに犬飼は、ここまで歩きづめに歩いたための疲《つか》れでも出たのか、路傍《ろぼう》の石の上に腰《こし》を降した。真昼のように明るい月光の中で、犬飼の姿は黒くくっきりと浮《う》かび上っていた。十分ぐらい洪作は犬飼の方へ視線を投げたまま立ちつくしていた。夜気は冷たく、秋虫の声がいっせいに道ばたの叢《くさむら》の中から立ち上っていた。

遠くから人声が聞えて来た。洪作は人の近づいて来るのを待った。新田《しんでん》部落の青年たちらしく、四、五人が一団になって、声高に話をしながら近寄って来る。やがて、彼等《かれら》は洪作のところまで来ると、その中の一人が、

「われ、何しとる？」

と言った。

「犬飼先生が浄蓮の滝へ飛び込《こ》むと言っている」

「滝へ飛び込む！　だれが」

「犬飼先生」

「ああ、神経衰弱か。あそこに居るのが犬飼か」

そんなことを言って、一人が犬飼の方を窺《うかが》った。洪作は彼等に簡単にいきさつを説明した。

「よし」

一人が意気込んで言うと、すぐ犬飼の方へ駈け出して行った。あとの者もすぐそれに続いた。

洪作は暫《しばら》く、青年たちと犬飼が街道の真ん中で話をしているのを、遠くから見守っていた。そのうちに青年たちの一人は戻って来ると、

「完全なキ印だ。今夜は俺たちが預っておくから、お前は家へ帰れ」

と言った。洪作は犬飼を青年たちに任せると、すぐ部落へ引き返した。そして教科書の包みをとりにもう一度渓合の旅館へ行って、宿の帳場に犬飼のことを報《しら》せておいて家へ帰った。

翌日、登校すると、犬飼の事件は学校中に拡《ひろ》がっていた。犬飼は朝早く村役場の人たちに附《つ》き添われて、沼津の精神病院へ入院させられるために馬車で下って行ったということであった。この事件のために、洪作は村の人たちからやたらに声をかけられた。大

人たちは少しでも詳《くわ》しく事情を知りたいらしく、洪作に根掘《ほ》り葉掘り訊いた。そして、決って、

「洪ちゃ、大変だったな」

とか、

「洪ちゃ、御苦労さんだったな」

とか言った。中には、

「洪ちゃ、きちがいに教わったとは災難だったな。初めからやり直さないといかんべ」

などと言う者もあった。洪作は犬飼を口汚《くちぎたな》く罵《ののし》る者たちを憎《にく》んだ。犬飼は多少精神に異常を来《きた》していることは事実だったとしても、村のいかなる大人たちよりも、高級な知識を持った上等な人間に見えた。事件が起きた夜にしても、街道へ出るまでの犬飼は正気だったと思う。そして、その正気な犬飼が言った言葉を、洪作はどうしても耳から消すことはできなかった。

——風邪を引くなよ。これから試験の日までは、体だけは大事にしておかねばならん。正気の犬飼が最後に口から出した言葉が自分の体に関することだったと思うと、洪作の犬飼に対する気持は切なかった。犬飼は自分の受験勉強のためにあのようなことになったのではないかという気さえした。

洪作は犬飼のことをよく口から出した。犬飼が現在どのようなことになっているか、

そのことを知りたい思いが強かった。おぬい婆さんは、洪作が犬飼の名を口にする度《たび》に、眉《まゆ》をひそめ、

「洪ちゃ、そんなに心配せんでもいいがな。あんまりひとのことは心配せんこっちゃ。勉強もほどほどにしときな。あんまり勉強することには、ばあちゃは反対じゃ。のんきにしていることじゃ。のんきにさえしとれば、神経衰弱にはならん」

と、言った。

九月の終り頃からおぬい婆さんは体の調子が悪いといって寝《ね》ていることが多くなった。昼間でも、洪作が土蔵へ行くと、おぬい婆さんは大抵《たいてい》床《とこ》の上に横たわっていた。

「気持悪いの？」

洪作が訊くと、

「なんの」

と言って、おぬい婆さんは床の上に起き上り、少しも体の調子が悪くないということを洪作に理解させようとした。

「寝ていた方がいいのに」

洪作が言うと、

「寝てはおられん。冬物の支度《したく》をせにゃならん」

そんなことを言って、襷《たすき》をかけたりした。しかし、洪作は、自分が土蔵に行っていない時は、いつもおぬい婆さんは寝ているのではないかというような気がした。何となく洪作にそのようなことを思わせるものがあった。何日も掃除《そうじ》をしていないのか、窓枠《まどわく》のところなどに埃《ほこり》を載《の》せていることに気付くことがあった。

「掃除してないの」

洪作が言うと、

「なんの。今朝したばかりじゃ」

おぬい婆さんは言った。こうしたおぬい婆さんの様子は、母の七重にも判っていて、七重は食事を母屋《おもや》の方に来て食べるように、何回もおぬい婆さんに言ったが、おぬい婆さんはいつも承知しなかった。それで、七重は三度三度ご飯も副食物も膳《ぜん》に載せて土蔵へ運んで行った。

おぬい婆さんは、初めは七重に食事を作って貰って、それを、土蔵まで運んで貰って食べることを潔《いさぎよ》しとしないらしく、三度三度心配をかけるのは心苦しいので夕食一回にしてくれというようなことを言っていたが、そのうちにそれに慣れると、

「何と醬油《しょうゆ》っけのない料理じゃろ」

とか、

「何と小さい卵じゃこと」

とか、そんな非難めいた言葉を口から出した。さすがに七重の居る前ではそんなことは言わなかったが、他の者が持って行くと、必ずその料理に文句《もんく》をつけた。

「ひとが折角《せっかく》作ってやるのに、何と憎たらしい婆ちゃだろう」

七重も時には腹を立てた。上の家の祖母は、毎日一回は土蔵へ顔を出した。

「あの婆ちゃも、ひとりで土蔵に居て、さぞ淋《さび》しいこっちゃろ」

心優《やさ》しい祖母は、おぬい婆さんに心から同情している風だった。おぬい婆さんの方も、そうした祖母の気持が判るのか、祖母が行くと、

「お世話かけてすみません」

とか、

「あんたには、えらい御厄介《ごやっかい》になりました」

とか、そんなことを言った。おぬい婆さんの方も、祖母に対しては心優しくなっていた。

ある夜、洪作が上の家へ行くと、居間で、上の家の者たちの中に母の七重もはいり、みんなでおぬい婆さんの話をしていた。

「いずれにしても、おぬい婆ちゃも年貢《ねんぐ》の納め時だ。もう長いことはあるまい」

祖父が言うと、

「そうさの。急に仏さまの顔になんなすった。昼もずっと寝ていなさるらしい」

祖母が言った。

「あの人も、まあ、一生をしたいことをして生きた。ずいぶん周囲の人にも迷惑《めいわく》をかけたが、あれで押《お》しきってしまった。これで死んでも、たいして思い残すことはないでしょう」

七重は突《つ》き放すような言い方をした。何でも、おぬい婆さんは昼間脳貧血《のうひんけつ》を起して土蔵の階段の下で倒《たお》れ、医者に来て貰って大騒《さわ》ぎをしたということであった。洪作は、この日までおぬい婆さんに会っていなかった。おぬい婆さんが倒れたことも、医者が来たことも、学校へ行っていて知らなかった。

「婆ちゃ、悪いの？」

洪作は訊いた。

「そうすぐ心配するには当るまいが、お医者さまも年齢《とし》だからなと言いなすった」

祖母は言った。洪作は上の家を出ると、すぐ土蔵へ行った。土蔵の扉は開いていたので、すぐ内部へはいることができた。おぬい婆さんは床の上に坐《すわ》っていた。洪作の顔を見ると、

「洪ちゃ、よう来てくれましたな」

と、そんな丁寧《ていねい》な言葉を口から出した。

洪作が枕もとに坐ると、

「きょうお医者さんが来てくれた。お医者さんが来るようになっては、この婆ちゃも、もう駄目じゃ。あとは洪ちゃが中学校へはいるまで、何とかして頑張《がんば》らんならん」

おぬい婆さんは言った。おぬい婆さんはひどく青い顔をしていた。洪作はおぬい婆さんに慰《なぐさ》めの言葉を与《あた》えたかったが、適当な言葉を思い出さなかったので黙《だま》っていた。すると、おぬい婆さんは、

「さ、もう遅《おそ》いから、早く母屋に帰んなされ」

と言った。洪作がこちらに来ていることを、母の七重に対して気兼ねしている風であった。

洪作は言われるままに土蔵を出た。洪作にも、おぬい婆さんはもうそう長くは生きないのではないかと思われた。洪作は暫《しばら》く庭を歩き廻りながら、この世は憂《う》きことが多いというような試験問題の文章があったことを思い出し、実際に人生というものは憂きことが多いと思った。犬飼が狂ったことも憂きことであったし、おぬい婆さんに老衰がやって来つつあることもまた憂きことであるに違いなかった。洪作は久しぶりで若くして他界した叔母のさき子のことを思い出した。さき子の死もまた憂きことの一つであった。人生というものが複雑な物悲しい顔をしてその夜の洪作の前に現れて来た。

それからおぬい婆さんはずっと床に就《つ》いたままになった。上の家の祖母と七重の二人が、交替で毎日のように何回も土蔵に顔を出した。近所の内儀《かみ》さんたちも、朝に晩に土

蔵へ見舞《みまい》に行った。近所の内儀さんたちは、土蔵から出ると、母屋の方に顔を出し、

「まだ、まだ、あの分じゃ、今年中はもちますぞ」

とか、

「何といっても食《しょく》があるんで、とり入れは越しますべ。新しい米食って死ぬ気ずらか」

とか、そんなことを言った。いかにもおぬい婆さんの死を待っているような言い方なので、洪作はそれを聞く度に不快だった。

洪作も一日に一回は土蔵へ顔を出した。おぬい婆さんは洪作の来るのを待っているらしく、いつも洪作の顔を見ると、

「今日は早かった」

とか、

「今日はきのうより遅かった」

とか、そんなことを言い、見舞に貰《もら》ったものを、何とかして少しでも洪作に食べさせようとした。洪作はおぬい婆さんの枕もとでは何も食べる気にはならなかった。以前、おぬい婆さんと一緒に土蔵で暮《くら》している時は、おぬい婆さんの差し出す物を、一度も不《ふ》潔《けつ》だと思ったことはなかったが、この頃は妙《みょう》に手を出す気にはならなかった。

「洪ちゃが食べるまでは、鼠《ねずみ》も遠慮《えんりょ》して近寄らんといる。さ、食べなされ」

おぬい婆さんは言った。洪作は、

「あとで勉強しながら食べる」

と言って、おぬい婆さんの手から受け取ったものを紙に包んで懐《ふとこ》ろの中に入れた。そうすることで、おぬい婆さんは気がすむようだった。

十月の中頃のある夜、洪作はおぬい婆さんのためにそばがきを作ってやった。そば粉を茶碗《ちゃわん》の中に入れ、熱い湯を少しずつその上にかけて行って、それを箸《はし》で掻《か》き廻した。おぬい婆さんは、洪作の手もとに眼を当てながら、何度も、

「火傷《やけど》しなさんな」

と注意した。おぬい婆さんはうまそうにそばがきを食べた。

「洪ちゃに作って貰ったそばがきを食べれば、これで思い残すことはない」

そう言ったと思うと、おぬい婆さんは皺《しわ》だらけの手を眼のところへ持って行った。おぬい婆さんの眼からは涙《なみだ》が出ていた。

「洪ちゃに、ずいぶんそばがきを作ってやったが、とうとう婆ちゃも、洪ちゃに作って貰うようになった」

おぬい婆さんの声は震《ふる》えていた。洪作もこの時、烈しい感動が胸に衝《つ》き上げて来るのを感じた。しかし、それはおぬい婆さんの言葉から来た感動ではなく、そば粉を掻き廻している時、その掻き廻すという仕種《しぐさ》から自然に湧《わ》き起って来たものであった。洪作自身もまた、ずいぶんおぬい婆さんにそばがきを作って貰って来たが、いまは自分が彼女

のためにそばがきを作ってやっているという、そんな感懐《かんかい》に襲《おそ》われたのであった。そして洪作が感じたと同じことを、おぬい婆さんもまた感じたのであった。

洪作は、おぬい婆さんが病床に就いてから、自分でもそれと感じられるくらい無口になっていた。おぬい婆さんに優しい言葉をかけてやりたいという気持はあったが、言葉は素直に口から出なかった。いつもおぬい婆さんの枕もとに坐り、彼女の言うことを、むっつりした表情で頷《うなず》いて聞いてやり、そして一つ二つ彼女の命ずることをしてやってから、

「ばあちゃん、また来る」

そう言って座を立った。

犬飼が入院して一カ月程経った時、犬飼は全快して近く退院するが、もうこの湯ヶ島の小学校には来ないで、駿東郡《すんとうぐん》のどこかの小学校に転任するらしいという噂《うわさ》が立った。その噂は事実であった。気持のいい秋晴れのある日、朝礼の時、そのことは校長の口から全校の生徒に報《しら》された。

――犬飼先生は体をこわすくらい勉強に没頭《ぼっとう》された。その点から言えば実に得難い先生であった。今度郷里の村に近い駿東郡の学校へ転任されることになった。先生はみなさんに御挨拶《あいさつ》しに来たいと言っておられたが、私が一存でお留めした。先生はこの学校へ来たら、ここから他校へ転任して行くことが厭《いや》になるに決っている。

校長はそんなことを喋《しゃべ》った。学校の生徒の中では、洪作が一番熱心に校長の言葉を聞いたに違いなかった。洪作は犬飼に会ってみたい気持を烈しく感じた。犬飼の病気が癒《なお》らないのならともかく、他校に赴任できるくらいに癒っているなら、ひと眼でもいいから彼に会ってみたいと思った。

洪作はそのことを母の七重に言ったが、一言のもとにはねつけられてしまった。

「何言ってるの、洪ちゃ。あんたでも顔を出してごらん。また滝へ飛び込みたいなんて言いかねないわ。だめ、だめ！」

「もう癒ってる」

「癒っているものですか。癒ったということにしているのよ、きっと」

洪作は母の言い方には不服だったが、それ以上自分の考えを強く押すわけには行かなかった。洪作は上の家の祖父や祖母にも同じようなことを言ったが、この場合も、二人から一顧《こ》だにされなかった。

「何言うとる！　洪、お前こそ病院行きじゃ」

祖父は渋《しぶ》い顔をして言った。祖母の方は、

「洪ちゃ、行かんといた方がいい。ああいう病気はそっとしておいて上げんといかん」

と言った。おぬい婆さんだけが、多少変った言い方をした。

「どうも変った先生だと思ってたが、やっぱり、これじゃった」

おぬい婆さんは頭のところで手を廻して見せて、
「じゃが、そんな先生じゃったから、洪ちゃにはいい先生だったかも知れん。しかし、行かんといた方がいい。天狗《てんぐ》にも見込まれる洪ちゃじゃ。行かんといた方が無難じゃ」
と言った。

十二月にはいると、急に烈《はげ》しい寒さがやって来た。例年なら正月前に雪の降ることは絶対にないと言ってもいいくらいだったが、この年はどういうものか、十二月の中旬《ちゅうじゅん》に雪が降った。積ることはなかったが、二、三日続けて、午後になると白いものが舞《ま》った。洪作は母屋《おもや》の二階の座敷《ざしき》に火を入れて、毎晩遅くまで机に対《むか》った。年が改まると、間もなく、洪作は母の七重や弟妹たちと、父の任地である浜松へ移り住むことになっていた。洪作は湯ヶ島の小学校で六年の課程を終えて、つまり尋常科《じんじょうか》を卒業した上で、浜松の中学校を受験したかったが、浜松の父の意見で、短期間ではあるが、受験地の小学校の空気を吸っておくことになったのである。その方が、田舎《いなか》からいきなり出て行って受験するより、受験場における気おくれを防げるのではないかという父の考えであった。

洪作が間もなく浜松の小学校へ転じて行くということは、村人のたれにも知れ渡《わた》っていた。おぬい婆さんは土蔵に寝《ね》たきりであったので、彼女《かのじょ》自身が出掛《か》けて行って触《ふ》れ廻《まわ》るということはなかったが、しかし、そのことを村人たちに伝えたのは、やはり彼女であった。おぬい婆さんは、自分の見舞《みまい》に来る人々に、洪作が浜松へ行くようになったことを、それがこの世のただ一つの話題ででもあるかのように喋《しゃべ》った。

「せめて三月までここへ置いて、ここの小学校を卒業させてやったらいいのに、それを剝《は》ぎとるように連れてってしまう。ああ、むごいこっちゃ」

おぬい婆さんはそんな言い方をした。おぬい婆さんは、自分がひとりになることが堪《たま》らなく心細いのであったが、決して心細いとは言わなかった。洪作が可哀《かわい》そうだと言った。見舞に行った村の内儀《かみ》さんたちは、余り何回も同じ愚痴《ぐち》を聞くので、すっかりその話題に倦《あ》きてしまって、初めはおぬい婆さんの立場に同情していた者も、しまいには彼女に口を合わせなくなった。

「婆ちゃや、いいじゃないか、ひとりになったら、どこにも気を使うことはなくて、さっぱりしますがな」

そんな意地の悪いことを言う者もあれば、

「もともと、あんたさんはこの村へひとりで来なすったんだ。ひとりになったところで、誰《たれ》を恨《うら》みますべ。初めに返ったようなもんですじゃ」

そんな皮肉を言う者もあった。洪作は一日一回だけ、土蔵に顔を出した。次第に窶《やつ》れて行くおぬい婆さんの顔を見るのはいい気持ではなかったが、おぬい婆さんが自分の行くのを待っているると思うと、どうしても顔を出してやらないわけには行かなかった。

年の瀬の押しつまった日、洪作はいつもより少し長くおぬい婆さんの枕《まくら》もとに坐《すわ》っていてやった。ひどく寒い日で、妙《みょう》におぬい婆さんをひとりにするのが哀《あわ》れに思えたからであった。その時、おぬい婆さんは、いつもと多少違《ちが》ったしんみりした調子で、

「ばあちゃは、毎日、死にたい、死にたいと思うとる。洪ちゃがここに居る間に、何とかして死にたいと思うとる。だが、そう思うように行くかどうか判《わか》らん」

と言った。

「何も、死なんでもいいじゃないか」

洪作は言って、

「上の家のおばあちゃんが居る。淋《さび》しいことなんかあるもんか」

「そや、上の家のおばあちゃんは神さまじゃ。心の優《やさ》しい優しい人じゃ。この世に二人とはあんな人はあるまい。あの人の腹から出たさき子もいい娘《むすめ》じゃった。いい娘じゃったから若くて死んでしもうた。なかなかべっぴんじゃった。洪ちゃを可愛がった」

おぬい婆さんは言った。おぬい婆さんはさき子のことを〝ろくでなしのさき子〟と言って、彼女の生存中は決してよくは言わなかったが、そのさき子が、いまおぬい婆さんの眼《め》には、どういうものか優しい女性として映っているようであった。

元日の朝、洪作は母の七重と一緒《いっしょ》に、雑煮《ぞうに》と煮しめを持って土蔵へ行った。母はやわらかく煮た雑煮を箸《はし》の先でつまんでは、おぬい婆さんの口へ運んでやった。そうした母

の七重の仕種《しぐさ》は、本当の母に対するもののようにやさしく見えた。おぬい婆さんももはや七重に対して憎《にく》まれ口はきかず、餅《もち》を口に運んで貰《もら》う度《たび》に、軽く頭を動かしては、素直に感謝の気持を現していた。洪作はそうした二人の様子を見ていて、何とも言えず満足なものを感じた。いつまでも見ていたいような気持であった。

松の内が終ると、おぬい婆さんの容態は急に悪くなった。風邪《かぜ》をひいて、高熱を出した。洪作は母の七重から土蔵へ行くことを禁じられた。村の見舞客もみんな母屋へ来て、土蔵の方へは行かなかった。医者の話では、老衰《ろうすい》の上に、ジフテリヤに罹《かか》ってしまったので、非常に危険な状態だということであった。やがておぬい婆さんは土蔵から母屋へと移された。それと一緒に、洪作たち兄妹は上の家へと移った。洪作は上の家の二階で机に対っていた。おぬい婆さんのことが気になったが、伝染病なので寄りつくことはできなかった。上の家の祖母と、母の七重と、近所の内儀さん二人が、専心看護に当っていた。

上の家へ移った翌日の夜から、こんどは洪作が発熱し、その晩から高熱に悩《なや》まされた。洪作は元来頑健《がんけん》というのではなかったが、これまでに病気らしい病気に罹ったことはなかったので、一晩で見違えるほど窶《やつ》れた。しかし、おぬい婆さんとは違って、単なる風邪で、ジフテリヤの心配はなかったので、肺炎《はいえん》になることを防ぎさえすればよかった。洪作は高熱に悩まされながら、絶えずたれかの手で氷嚢《ひょうのう》が取り換《か》えられているのを知っていた。祖母のようでもあり、母の七重のようでもあった。時々さき子ではないかと思うこともあった。

洪作は二日二晩夢《ゆめ》うつつで過して、三日目の夕方に漸《ようや》く人心地を取り戻《もど》した。熱は下っていた。祖母がやって来て、洪作の顔を覗《のぞ》き込《こ》みながら、

「いかんことじゃった。――ばあちゃは今朝亡《な》くなったが」

と、低い声で言った。洪作ははっとしたが、体一つ動かすことはできなかった。節々が痛かった。

「洪ちゃが悲しんではいかんと思って、神さまが洪ちゃにも熱を出させなすった。それに違いない」

祖母は言った。洪作は窓から外を見ていた。土蔵の窓とは違って、上の家の二階の窓は高かったので、そこからは空しか見えなかった。いかにも寒そうな灰色の空がひろがり、葉一枚持たぬ裸木の梢《こずえ》が、尖《とが》った枝《えだ》を差し交していた。

「洪ちゃ！」

洪作がおぬい婆さんの死に対して反応を示さないので、祖母にはそんな洪作が不気味に映ったらしかった。洪作は自分でも不思議に思われるほど、おぬい婆さんの死に対して、悲しみを感じなかった。ああ、そうかと思うだけで、あとはただ黙《だま》っていたかった。

「おぬい婆ちゃは亡くなられた！」

祖母はまた言った。洪作はこんどもまた黙っていた。洪作が湯ヶ島に居るうちに死にたいと、あんなに言っていたが、とうとうおぬい婆さんは自分の念願通りに死んでしまったと思った。祖母が立ち去って行くと、暫《しばら》くして母の七重がやって来た。母の七重は、

「あんた、婆ちゃのこと聞いたね」

と、立ったままで言った。

「うん」

洪作は言った。

「お葬式《そうしき》はあすだが、洪ちゃはこのお二階から婆ちゃを送って上げなさい」

「うん」

「この前で、お棺《かん》をちょっと停《と》めて上げる」

「うん」

洪作は、それから、また窓の方へ眼を遣《や》った。母に早く向うへ行って貰いたかった。たれかが階下から母を呼んだ。それと一緒に、母は忙《いそが》しそうに階下へ降りて行った。母屋の方は多勢の弔問客《ちようもん》が出入りして、ごった返しているに違いなかった。母屋ばかりでなく、上の家の階下も人の出入りが多い模様で、絶えずざわざわしている感じだった。

洪作はすっかりあくの抜《ぬ》けてしまったような気持で、一人でぼんやり横たわっていた。誰も上って来なかった。おぬい婆さんは亡くなってしまった。もう土蔵の二階へ行って

も、おぬい婆さんの姿を眼にすることはできないのだ。おぬい婆さんは、もうこの世に居ないのだ。曾祖母《そうそぼ》のおしな婆さんのように、さき子のように、おぬい婆さんはこの世から突然《とつぜん》姿を消してしまったのだ。

さあ、いよいよこれから、自分はひとりだ！ と、洪作は思った。父も母も弟妹もあったが、しかし、それとは別に、洪作は自分がこの世にひとり取り残されてしまったような気持がした。

そして、それと同時に、これは全く予想もしていなかったことだが、やっとのことでこれでひとりになれたといった解放感もあった。もうおぬい婆さんは居ないのだ。浜松なりと、どこへなりと、何の気にかかることもなく、自分はこの村から出て行ける、そんな気持もあった。

洪作は、翌日の朝、床の上に起き上った。少しふらふらしていたが、気分も悪くないし、頭もはっきりしていた。正午少し前に母の七重がやって来て、おぬい婆さんの柩《ひつぎ》を送る時着る着物を置いて行った。洪作は、それを葬列の通る少し前に、近所の内儀さんの手で着せられた。

洪作は二階の窓のところに立っていた。葬列はひどくのろのろした感じで進んで来た。子供たちがその葬列の周囲を、先になったり、あとになったりして飛び廻っている。母の七重が頼んであったためか、おぬい婆さんの柩はほんのちょっとだけ、上の家の前で停った。柩をかついでいる四人の村の青年の中の一人が、ちょっと洪作の居る窓の方を見上げた。

洪作は柩の方へ頭を下げた。おぬい婆さんの体が長方形の箱《はこ》の中に仰向《あおむ》けに横たわっているのだと思った時だけ、洪作は烈《はげ》しい感情が突き上げて来るのを感じた。しかし、多勢の人が見ていると思ったので、洪作は両の手を固く握《にぎ》りしめて、涙《なみだ》の溢《あふ》れ落ちようとするのを我慢《がまん》していた。嗚咽《おえつ》は食い留めることはできたが、涙の方は眼に溢れ、葬列は霞《かす》んで見えた。母の七重や祖母の身を黒い喪服《もふく》に包んだ姿が、葬列をきびしく悲しいものに見せた。

葬列が過ぎ去って行くと、二階で洪作に附《つ》き添っていた近所の内儀さんが、

「これで、洪ちゃを一番可愛がった婆ちゃも行ってしまった」

と言った。その言葉で、洪作は初めて着物の袖《そで》を眼に持って行った。本当におぬい婆さんは自分から離《はな》れて行ってしまったと思った。

それから三日間、洪作は上の家の二階に、人々から忘れられたような置かれ方をした。たれも忙しかったので、洪作のことになど構っていられなかったのである。念仏は近所の老婆たちに依《よ》って、毎晩のように唱えられていたが、洪作はそうした母屋の賑《にぎわ》いから離れていたので、おぬい婆さんの死を、他の人たちとは少し別の受け取り方をした。念仏の声も聞かず、香煙にけむる仏壇《ぶつだん》も眼にしなかったので、おぬい婆さんの死は、その

肉体が突然地上から消えてしまったようなものとして感じられた。おぬい婆さんは仏さまになって、まだ多勢の人から拝まれるものとしてそこらに居るというような、そんな死に方ではなかった。突然息を引きとり、長方形の木の箱へ入れられ、山へ運ばれて土の中へ埋《う》められてしまったのである。地上からすっぽりと、跡形《あとかた》もなく消えてしまったのである。

おぬい婆さんの死に依って、浜松行きは二月の中旬《ちゅうじゅん》に変更《へんこう》になった。一カ月ほど延ばされることになったわけであった。

母の七重は忙しかった。おぬい婆さんの葬式に引き続いて、初七日、三七日の法要も営まなければならなかったし、片方では引越しの準備もしなければならなかった。演習でどこかへ出張していた父は葬式には参列できなかったが、初七日にやって来て、その法要をすますと、一泊《ぱく》しただけですぐまた帰って行った。洪作は父とろくに話もしなかった。ただ、父をバスの停留所まで送って行った時、父は、

「浜松へ来ると、あとはなかなか門野原《かどのはら》へも行けなくなるから、一度、伯父さんのところへ挨拶《あいさつ》に行くといい」

と言った。

洪作は父の言葉を守って、それから二、三日してから、門野原の伯父伯母のところへ

挨拶に行った。伯父の石守森之進には長く会っていなかった。校長をやめてから、伯父は湯ヶ島へ来ることなどはめったになかったので、顔を合わせるという機会は全くなかった。洪作が石守家の古い農家風の土間へはいって行くと、伯父は囲炉裡端《いろりばた》に坐っていて、すぐ洪作の方へ眼を遣《や》ったが、別によく来たというようなことを口にするでもなく、相変らず気難しい顔で、

「洪作は嘘字《うそじ》ばかり書いたが、最近は直ったか」

と言った。洪作は自分が特にたくさん嘘字を書いたといった覚えはなかったので、その言い方は甚《はなは》だ心外だったが、

「直りました」

と言った。

「あれを直さんと試験には受かれん。お前のお父さんも、若い時はよく嘘字を書いた」

伯父は言った。自分のことばかりでなく、父のことまで非難されるので、洪作は内心甚だ面白《おもしろ》くなかった。囲炉裡端へ上ると、奥から歯を黒く染めた伯母がやって来た。似た者夫婦というのか、伯母の方も、別に歓迎《かんげい》の言葉を口にするでもなく、しかし、この方は笑顔で、

「洪ちゃ、よく門野原へ来る道を忘れなんだな」

と言った。

「洪ちゃはおぬい婆ちゃが居れば、あとはたれが居なくてもよかった。そうでしょうが。それがおぬい婆ちゃが亡くなったんで、やっとのことで門野原に伯父さんの家のあることを思い出し、それで今日来なさったんだと」

伯母は言ってから、ちょっと間をおいて、少し改まった感じで、

「はい、ようくいらっしゃいました」

と言った。皮肉たっぷりな前置きを言ってから、さてその上で挨拶をするといった感じで、そうした言い方には伯母独特のものがあった。この伯母は口が悪いので親戚《しんせき》の間ではあまり評判がよくなかったが、洪作は却《かえ》ってそうした伯母に親身なものが感じられて好きだった。伯母の顔は、ちょっと見ると鬼《おに》の面のように怖《こわ》く感じられた。しかし、よく見ていると、伯母の顔は整っていた。眼はきつかったが、澄《す》んで涼《すず》しかったし、おはぐろの歯の見える小さい口もともきりっとしていて、若い時は美しかったろうと思われた。伯母が裏の畑に行っている間、洪作は伯父と話していた。

「洪作は将来何になる？」

「判りません」

「家は代々医者だから、医者にならなければなるまい。しかし、お前は医者に向いていないかも知れん」

伯父はそんなことを言った。

まう」

「何でも、自分のなりたいと思うものになるがいい。人間の一生なんて、すぐ終ってし

伯父と話していると、叱《しか》られているような気持だったが、しかし、どこかにやはり他の人からは感じられぬ暖いものが感じられた。いつでも人生というものが感じられるような話し方だった。

洪作はいとこの唐平と一緒に話をしたかったが、あいにく前日から三島へ行って留守だということだった。洪作は伯父伯母と二時間程話し、御馳走《ごちそう》になって、門野原の家を辞去した。

洪作は母の七重と一緒に土蔵の大掃除《そうじ》をした。七重は土蔵の戸棚《とだな》からがらくたものを引っ張り出し、それを陽《ひ》に当てたり、燃したりした。七重には土蔵にあった総《すべ》てのものが使いみちのない不潔なものに思われるらしかったが、洪作はそうした母の感じ方が不快だった。洪作にとっては、どんなものでも、それについての多少の愛着があった。おぬい婆さんとの共同生活に於《お》いて、何らかの役割を果していた生活の道具であった。

「まあ、こんなものまでしまってある！　汚《きたな》いったらありはしない。さ、洪ちゃ、これを戸外へ持って行って！」

母が言うと、その度《たび》に、

「汚いもんか」

洪作は言った。そんな会話が何回も繰《く》り返されているうちに、

「おかしな子！」

母は腹を立てた。

「汚いから汚いというのよ」

「汚いもんか」

「汚くなかったら、大切にしまっておいたらいいわ」

「うん、しまっておく」

洪作も意地になって言った。しかし、実際に土蔵の中から出て来るものは、どれも使いものにならぬ汚いものばかりであった。洪作は、そうしたものの一つ一つを、おぬい婆さんのために、一応母の攻撃《こうげき》から守り、そして、その上でそれを土蔵の横手で燃した。

土蔵を片付けるのにまる二日かかった。土蔵をかたづけ終った時、洪作は一物もなくなったからっぽの土蔵の中に坐った。おぬい婆さんの死に対して感じたより、からっぽの土蔵の中に坐った時の方が、もっと大きい淋しさを味わった。窓からはざくろの木が見え、そのざくろの木の向うに田圃《たんぼ》が見えた。その田圃から吹《ふ》いて来る風が、北側の窓から南側の窓へと吹き抜けて行く。洪作は寒さも感じないで、そこに暫く坐っていた。もはやおぬい婆さんとの共同生活の思い出を持つ物は一物もなかった。からっぽの部屋を、風が吹き抜けて行くだけであった。

いよいよ、洪作の一家が浜松へ出発するという日の前々日、学校では朝礼の時、校長の口から、洪作の転校のことが全校生徒に伝えられた。これまでに転校などということはめったになかったので、まるで教師が転任でもする場合のように、洪作の転校も取り扱《あつか》われたのであった。生徒たちはもう既《すで》に洪作の転校のことは知っていたが、それを改めて校長の口から伝えられると、うわあっという得体の知れぬ感激のどよめきを起した。勿論《もちろん》、それは羨望《せんぼう》でもなければ、別れの悲しみでもなかった。自分たちとこれまで一緒に生活していた一人が、自分たちから離れて都会の学校へ転じて行くという、そういう小さい事件への吐息《といき》のようなものであった。洪作も身内の引き緊《し》まるような気持を覚えた。朝礼が終ると、生徒たちは申し合わせたように、みんな洪作の方を見た。今までとは違った眼であった。

洪作にとってはこの日が湯ヶ島の小学校に於ける最後の日であったので、一日中、何となくよそ行きの気持で過した。洪作は教室でも、運動場でも、全く一人の異邦人《いほうじん》になっている自分を感じた。三十四人の同級生たちも、なるべく洪作に近寄らないようにし、それでいて、遠くから洪作の方ばかり見ていた。決して意地悪い眼ではなかった。どこかに別れを惜《お》しむ気持と、自分から離れて行く者への幾《いく》らかの恨《うら》みの気持と、そしてこれから都会の学校へ転ずる者への、極《ご》く僅《わず》かの羨望の気持とが入り混《まじ》っていた。

翌日、洪作は学校を休んだ。出発の前日なのでいろいろと用事があるものと思われたが、しかし、準備は母の七重の手で全部すまされてあって、洪作のすることは何もなかった。

洪作は朝から午後の三時頃まで机に対《むか》っていて、幸夫たちが学校を退《ひ》ける頃を見計らって机を離れた。洪作は幸夫を呼び出し、熊野山へおぬい婆さんの墓詣《はかまい》りに行くから一緒に行ってくれないかと言った。

「よし、行こう」

幸夫はすぐ用意すると、

「今日は最後だから、多勢連れて行こうや」

と言った。すぐ部落の子供たちは狩《か》り集められた。平生たれとも遊ばなくなっている酒屋の芳衛も、洪作との最後のつきあいだと思ったのか、懐手《ふところで》をしながら、のっそりと小柄《こがら》の姿を現した。家の手伝いに忙しく、めったに遊びの仲間入りをしないさどやの亀男も、

「おうらの婆ちゃの墓詣りか。そりゃ、いいことだ。洪ちゃはずいぶん可愛がられたからな」

そんな大人《おとな》のようなことを言いながら姿を見せた。

下級生たちは十数人集り、めったに自分たちと遊んでくれない上級生たちの姿も見えるので、まるでこれから、運動会でも始まるかのように、やたらにはしゃぎ廻った。子

供たちの一団は旧道から新道へ出た。宿《しゅく》部落の子供たちも、何人か加わったので、熊野山へ行く一団は二十名を越す大部隊になった。

洪作は幸夫、亀男、芳衛たち上級の友達たちとひと固まりになって、急な細い坂道を上って行った。下級生たちはわあわあ騒《さわ》ぎながら、飛んだり、跳《は》ねたりして上って行った。何事につけてもよく気の廻る亀男が、どこから手に入れて来たのか、水を入れた一升壜《いっしょうびん》と、線香の束《たば》を持って来ていて、それを交替で下級生に持たせた。その役を受け持たされた下級生だけが、神妙《しんみょう》な顔をして、上級生の背後からついて来た。

風が強い日で、山の斜面はいつも風に鳴っていた。墓地に到着《とうちゃく》すると、おぬい婆さんの墓はすぐ判った。土饅頭《どまんじゅう》の上に、まだ木の香も新しい棺の蓋《ふた》が、いろいろな飾《かざ》りを載《の》せたまま、少し傾《かたむ》いて置かれてあった。

洪作は墓の前に立って頭を下げた。友達《ともだち》が多勢見ていたが、何のはにかみの気持もなかった。洪作が退《さが》ると、幸夫、亀男の順で、みんながその前へ進み出て頭を下げた。申し合わせたように神妙な顔をしていた。亀男が線香に火を点《つ》け、それを供え、仮に置かれてある小さい墓石の上に水を注いだ。

「うわあっ！　出たぞ」

下級生の一人が叫ぶと、ひとりだけ混っていた女の子が、きゃあっと細い叫び声を上げた。それを合図に下級生はがやがや騒ぎ出して、甚だ墓参とは異った雰囲気《ふんいき》になったが、そんなことも、洪作には少しも不快ではなかった。そのうちに二年生の一人が、どこかで蜂《はち》の巣を見付けたと注進に及んだ。

「本当か」

幸夫が歩き出すと、みんなその方へ駈け出して行った。

八章

その夜は、洪作にとって、湯ヶ島に於《お》ける最後の夜であった。幸夫、芳衛、亀男の三人から渓合《たにあい》の共同浴場へ一緒《いっしょ》に行かないかという誘《さそ》いを受けた。そうしたことを言いに来たのは芳衛であった。洪作は二つ返事でそれに応じた。

芳衛は一年ほど前から部落のたれとも遊ばなくなっていたので、彼《かれ》がそのようなことを言いに来たということは、それだけでも珍しいことであった。洪作にはそうした芳衛に、やはり数少い親しい友達《ともだち》の一人であったという友情を感じた。

「珍しいことね、雨が降るんじゃない？　酒屋の芳衛さんが顔を見せたりして」

と、母の七重は言った。芳衛は一年生の時から、多少自分だけ仲間と離《はな》れて遊ぶようなところを見せていたが、四年生の後半あたりから、その性向は強くなって、たれとも遊ばず、家から余り出なくなっていた。部落の子供たちは、冬になると、陽当りのいい酒屋の酒倉の前を遊び場所にすることがあった。母屋《おもや》の方は古い家で暗かったが、酒倉の方は明るかった。子供たちは広い酒倉の内部へはいったり、その建物の前の広場で、そこに置かれてある大きな酒造用の樽《たる》の周囲を飛び廻《まわ》ったりした。酒倉の内部へはいることには言い知れぬ魅力《みりょく》があった。一歩足を踏《ふ》み入れると、そこだけが持つ冷んやりとした酒臭《くさ》い独特の空気が感じられた。子供たちは全身でその空気の中に浸《ひた》りながら、建物の内部を探険した。広い建物の中には探険するにふさわしいものがいっぱい詰《つ》まっていた。筵《むしろ》の束《たば》だとか、大小さまざまの樽だとか、手杓《てじゃく》だとか、計量機だとか、温度計だとか、膳《ぜん》だとか、仕事着だとか、それからまた何かの重しにする石までがあった。石などは磧《かわら》に転がっているものと少しも変らぬ何の変哲《へんてつ》もないものであったが、その酒倉の中にあるというだけで、子供たちにはそれは何か重大な意味を持っているもののように見えた。

酒倉の前の広場に置かれてある大きな樽は、これはまたまるで変った開放的な明るいのびのびとしたものであった。子供たちは酒樽の中にはいることは禁じられていたが、大人たちの眼《め》が届かない時は、草履《ぞうり》を脱《ぬ》いでその中へはいった。その中へはいると、子供たちは例外なく、自分たちが特別の人間にでもなったような、よそ行きの顔をした。そして一刻でも長くそこにはいっていたくて、あとからはいろうとする仲間を押し出した。そんなことのために、酒樽の中でよく喧嘩《けんか》が起り、そのために酒樽は、それが動かないように支えてある支え木をはね飛ばして転がり出したりすることがあった。

そのように芳衛の家は、部落の子供の遊び場になることが多かったが、そんな時でも芳衛は家の横手の方から仲間の遊ぶのを見ていて、自分はその遊びの仲間には加わらなかった。学校でも芳衛はいつも一人で片隅《かたすみ》の方におり、教室で教師から何か話しかけられても、はっきりと答えることはなかった。芳衛は、学校の教師たちからも、村の大人たちからも、特殊《とくしゅ》に見られた。

——酒屋の芳衛はぐずで困りもんだ。

とか、

——あれじゃ酒屋の後継《あとつ》ぎはできめえ。酒が腐《くさ》っちまう。

とか、いろいろなことを言われた。さどやの亀男も、この一、二年は仲間と遊ばなくなっていた。しかし、亀男の方は大柄《おおがら》で、力もあり、もう立派に一人前の仕事ができるので、学校から帰るとすぐ家の仕事を手伝わさせられたり、山仕事とか山葵《わさび》沢の仕事とかに出されたりしていた。亀男自身もそんなことが得意らしく、日曜などに、仕事着を着て、大人たちに混って山へ出掛《か》けて行く亀男の姿がよく見られた。

夕食が終ってから、洪作が幸夫の家の前へ行くと、芳衛も、亀男も、それぞれ手拭《てぬぐ》いを腰《こし》にはさんで、街道に寒そうに立っていた。やがて、幸夫が家から出て来ると、四人は揃《そろ》って歩き出した。

宿部落を抜《ぬ》けて渓《たに》への坂道を降り始めると、

「洪ちゃには、もう会えなくなるな。湯ヶ島のことを忘れんと、たまには顔を出しなよ、な」

と、芳衛は言った。芳衛がこんなにまとまったことを他人に言うことはめったになかったので、洪作は驚《おどろ》いた。それにすっかり大人の口のきき方だった。

「来るさ。正月にも、夏休みにも、遊びに来る」

洪作は多少改まった気持で言った。亀男もまた、洪作に平生言わないようなことを言った。

「こんど来る時は、中学生になって来るんずら。おらっちを見ても、口をきかんかも知れんな」

「そんなことあるもんか」

洪作が言うと、

「人間というものはえてしてそうしたもんだ。洪ちゃ、口をきいてくれよ、な」

亀男は言った。亀男は大きな図体をしているくせに少し感傷的になっていた。幸夫もまた大人っぽい口をきいたが、この方は幸夫らしく明るくて、元気があった。

「洪ちゃ、こんな山の中へなど、もう来ん方がいい。俺《おれ》だって、もう二、三年したら、こんなところは棄《す》てるぞ。こんなところにいたら、村長になるのがやっとだ。俺は町へ出て、雑貨屋をやって、成功して、小僧《こぞう》を五、六人使うようになるんだ」

幸夫はそんなことを言った。四人は共同湯に行くと、湯桁《ゆげた》に腰を掛けて、長い時間、勝手な話をした。亀男は大工になるのだと言い、大工ほどいい商売はないと言った。酒屋の芳衛は、やはり家業を継いで、酒造りの仕事をするのだと言った。酒屋は、もっと小規模《きぼ》にやれば、なかなかいい商売だ。いまのように大きくやっていると、人手ばかり沢山《たくさん》かかって、儲《もう》けにならないというようなことを、芳衛らしいぼそぼそした言い方で言った。部落の大人たちに聞かせたら、一人残らず肝《きも》を潰《つぶ》してしまうことだろうと思われた。

洪作が知らないうちに、芳衛も、亀男も大人になりかかっていた。幸夫はまだ子供っぽいところがあった。町へ出て雑貨屋をやるんだというようなことを言っていたが、下級生が風呂へはいりに来ると、湯を頭から掛けて、傍《そば》で入浴している大人たちに怒鳴《どな》られたりした。幸夫だけが男湯も女湯も区別しなかった。男湯が混んで来ると、女湯の方へ移動することを提唱した。しかし、幸夫以外の三人はいつも何となくそれに反対した。

「女臭《くさ》くて厭《いや》だ」

亀男はそんな言い方をし、芳衛は、

「わりゃあ、まだ子供だな」

と、むっつりした複雑な表情で、そんな分別あり気なことを言った。男湯がひどく立

て混んで来ると、幸夫だけは女湯へはいって行った。すると、すぐ、

「どこの子だ、この子は。——大きななりをして女湯へはいって来たりして」

そんな、どこかの内儀《かみ》さんの声が聞えて来た。

「いいじゃないか」

幸夫は抗議《こうぎ》した。

「いいもんか。さ、向うへ行きなさい。ほんとにしようがない子だ」

「もうちっとはいったら行くよ。けちけちするな」

「けちだと。ばかもん。子供のくせして嫁《よめ》さんをそんなに欲《ほ》しいんか」

「嫁さんなんて、ほしいもんか」

「ほしいって、ちゃんと顔に書いてあるじゃないか。色狂い！」

すると、何人かの内儀さんたちの幸夫をからかう野卑《やひ》な声が聞えた。さすがにこの攻《こう》撃《げき》には堪《たま》りかねたのか、幸夫は男湯へ戻《もど》って来た。すると、こんどは男湯の方から抗議が出た。大滝部落の老人だった。

「お前ら、さっきから、体も洗わんと、湯から出たり、はいったりしとる。いい加減に出なさい。邪魔《じゃま》になってしようがない」

この老人の言葉で四人は浴槽《よくそう》から出た。

共同浴場の建物を出ると、寒そうな月が空にかかっていた。四人はそれぞれ濡《ぬ》れ手拭

いを下げて、川瀬の音の聞えている坂道を上って行った。洪作は、自分は恐《おそ》らく、この夜のことを永久に忘れないであろうと思った。三人の友達と共同風呂に行ったことも、帰りに月光に照されて坂道を歩いたことも、そしてまた、歩きながら川瀬の音に耳を傾《かたむ》けたことも、友達がそれぞれの喋《しゃべ》り方で喋った話の内容も、もう永遠に自分の記憶《きおく》から消えることはあるまいと思われた。洪作は浜松へ行ったら、始終、この友達への便りを怠《おこた》るまいと思った。

上の家の前で、三人の友達と別れると、洪作は上の家をのぞいてみた。小さい炉《ろ》のところで、祖父と祖母が、互《たが》いに背を曲げて何か話していた。洪作が上って行くと、祖母は、

「いいお湯だったかい？」

と言った。そして座蒲団《ざぶとん》を持って来ると、それを炉端に敷《し》いて、

「さあ、ここでお茶をお上り」

と言った。全くのお客さん扱《あつか》いだった。洪作が上の家でこのようにして遇《ぐう》せられたことは初めてだった。

「おぬいばあちゃが亡《な》くなって、淋《さび》しいか」

祖父は言った。

「ううん」

洪作が言うと、

「おまえはばあさん子だから、いつまでたっても確《しっか》りせんところがある。これから浜松へ行くと、ちっとばかり辛《つら》いかも知れん。湯ヶ島へ帰りたいなんて言ってはいかん」

「言うもんか、そんなこと」

洪作は言った。

「いいや、言いそうじゃ、おまえはこらえ性がない」

祖父はいつもの難しい顔で言った。洪作は自分が祖父から少しも認められていないことを、いつも感じていたが、この晩も同じであった。しかし、いつもと違《ちが》うことは、祖父の言葉にいつもほど不満を感じないことであった。門野原の伯父の石守森之進に対するような、尊敬に近い気持は懐《いだ》かなかったが、そのかわり、この祖父だけにしかないやはり肉親の愛情といっていいようなものがあった。祖父はいつも叱責《しっせき》の調子でしかものを喋らなかったが、そういう言い方しかできないように生れついているのであった。

「おじいさんは、まだ大分生きるね」

洪作は言った。本当は体に気をつけて長く生きていてくれと言いたかったのであるが、それを口に出すと、少し違ったものになった。

「さあ、な」

祖父は言って、

「お前が中学を出て、もっと上の学校へはいるぐらいまでは生きていたいもんじゃ」

「お酒を飲まんといれば生きられる」

「酒飲まんで生きていたいとは思わん。酒飲めんなら、あすにでも死ぬわな」

祖父は言って笑った。洪作は祖父の笑うのを見るのは久しぶりだと思った。めったなことで笑うことはなかった。この世の中には笑うことができるような面白いことは何一つないんだといったように、いつも苦《にが》い顔をして、酒やけで赤くなった顔を手拭いでこすってばかりいた。その祖父が、何がおかしかったのか、この時はさもおかしそうに笑った。その祖父の笑ったのを合図に、洪作は立ち上った。上の家を出た洪作の眼には、祖父と祖母のいつもより老いている姿が捺《お》されてあった。

家へ帰ると、夜だというのに、七重が家の拭き掃除《そうじ》をしていた。あすこの家を出ると、あとには前にはいっていた医師の一家が再びはいって来ることになっており、七重はその一家に家をきれいに掃除してから渡《わた》そうと思っているらしかった。玄関《げんかん》には荷作りした行李《こうり》や信玄袋、それに大小の鞄《かばん》などが積み上げられてあった。浜松へ送り出すもので、それらの梱包《こんぽう》は上の家の方で受け持つことになっていた。すべてを上の家の方へ任せて支障はないのであったが、七重は、縄《なわ》を掛けるだけの仕事を残して、あとは全部自分の手でやっていた。そんな母のやり方は、洪作の初めて経験するものであった。おぬい婆さんとは全く違った性格の母が、洪作には凜々《りり》しくも見え、多少窮屈《きゅうくつ》に、神経質にも見えた。

翌日、洪作はいつもより早く母の七重に起された。まだ戸外は薄《うす》暗い時刻だった。階下へ降りて行くと、上の家の祖母がもう手伝いに来ていた。出発は十一時のバスだったので、それまでに五、六時間の時間しか残されていなかった。

洪作は川で顔を洗うと、すぐ川の向うの田圃《たんぼ》へ出た。畦道《あぜみち》は固く凍《こお》りついていて、そこを歩いて行くと、時折、水溜《みずたま》りに張っている氷が草履《ぞうり》の下で音を立てて砕《くだ》けた。陽《ひ》は上って来たが、空気は冷たく、口から吐《は》く息は白かった。遠くに真白く雪をかぶった富士が小さく見えている。何年間か、毎日のように見て来た富士であるが、明日からはもうこの富士を見ることができないと思うと、さすがに洪作にも多少の感慨《かんがい》があった。

洪作は田圃から酒屋の裏手へ出ると、そこから長野部落へ通じている街道へと抜けて、そこをへい淵《ぶち》の方へ歩いて行った。去年の夏から一度も歩いたことのない道であった。そこを二丁程《ほど》歩いて行った時、野良着《のらぎ》を着た老人が向うからやって来て、洪作の顔を見ると足を停《と》めて、

「今日、お発《た》ちかな」

と言った。洪作はこの老人が長野部落の老人であるということだけは知っていたが、どこの家の何という名の老人であるかは全く知らなかった。年に一回か二回、どこかで

顔を合わせる老人であった。

「うん」

と、洪作が答えると、

「あんたも、おぬいおばあさんを喪《うしな》って、さぞお力落しでしたろう。でも、これから町の学校へ上らっしゃるそうで、何よりのこってす。お母さんにも、お父さんにもよろしく言って下され」

朴訥《ぼくとつ》な顔をした老人は言った。

「うん」

洪作は言った。大人から丁寧《ていねい》に物を言われても、洪作は何と答えていいか判《わか》らなかった。すると老人は、洪作の顔をしげしげと見守って、

「こんど、あんたが来なさるのは何年先のことやら。——大方、このわしはもう生きておらんでしょう。もう、坊にも、これで会えん。勉強して豪《えら》い人になんなされ」

そう言うと、そのまま老人は歩いて行った。洪作は小さい時は、よく村人から〝坊〟と呼ばれたが、最近はこんな呼び方をされたことはなかった。老人はもうこれで会えないと言ったが、そう言われてみれば、洪作もまた恐《おそ》らくこの老人にはもう会うことはできないだろうという気がした。そう思うと、折角《せっかく》別れの挨拶《あいさつ》をしてくれた老人に、自分が言葉らしい言葉を返さなかったことが悔《くや》まれた。

洪作は何か一言老人に言葉をかけたくて、途中から引き返すと、老人のあとを追った。老人はゆっくりと、一歩一歩足を運んでいたので、洪作はすぐその老人に追いつくことができた。

「おじいさん！」

洪作が声を掛《か》けると、老人は足を停めて、大儀《たいぎ》そうに緩慢な動作で背後を振《ふ》り返り、洪作の顔を見ると、

「なんじゃな、坊」

と、言った。

「おじいさんも体に気をつけな」

洪作は言った。すると、老人は眼《め》を細め、心から嬉《うれ》しそうに、

「優しいことを言う坊じゃな。仰《おお》せの通り、じいさんも体に気をつけて長生きするように心がけますべ」

と言った。洪作はその老人の横を擦《す》り抜けると、家の方へ駈《か》けて行った。洪作はいま老人に言ったような、儀礼的な言葉を口から出したことは、これまでに一度もなかった。こうした言葉はいかに努力しても口から出すことはできなかった。それが、この朝は、たいして気恥《は》ずかしい思いもせずに、老人に対《むか》って言うことができたのであった。洪作は自分の言葉で、老人が本当に悦《よろこ》んだことが嬉しかった。堪《たま》らなく気持がよかった。洪

作は、おぬい婆さんにも、一度でもこのようなことを言ってやっていたら、どんなによかったろうと思った。おぬい婆さんに対して、感謝の気持は充分《じゅうぶん》持っていながら、ついぞ一度も、おぬい婆さんを、いまの老人のように悦ばしたことはなかったと思った。家へ帰ると、

「洪ちゃ、どこへ行っていたの？」

と、母の七重は訊《き》いた。

「そこら歩いて来た」

洪作が言うと、

「今日のように忙《いそが》しい日は、勝手にうろうろ遊び廻《まわ》っているんじゃないの」

母は烈《はげ》しい顔で言った。洪作はうろうろ遊び廻っていたのではないと言い返したかったが、手伝いの近所の内儀《かみ》さんたちの姿が見えたので、母に逆《さか》らうのをやめた。実際、家の中はごった返していた。次々に近所の人が顔を出すので、七重は一人でてんてこ舞《ま》いをしていた。洪作は多勢の人たちが動き廻っている中で、落ち着かない朝食をとった。

十時に家の前には、近所の人たちが集り出していた。みんなバスの停留所まで七重の一家を送るだけの話であったが、一時間も一時間半も前から集り始めていた。そうした人たちに、上の家の祖母はお茶を出さなければならぬと言い、七重はお茶など出さなくてもいいと言った。

「こんなに出発前でごたごたしているんだから、たれもお茶を出して貰《もら》わなくても、悪口を言う人はありませんよ」

七重は言ったが、

「そうは言っても、お前、折角、こんなに早く集ってくれたんだから」

祖母は口の中で言った。洪作は何とも言わなかったが、祖母に味方したい気持だった。子供たちも集って来た。日曜だったので、洪作を送るということが、子供たちにとっては、この日の大きな仕事であった。だから、子供たちはお祭りか何かのように、浮《う》き浮きしてはしゃぎ廻っていた。洪作が顔を出すと、下級生の何人かはそれとばかり喚声《かんせい》を上げて駈け寄って来て、

「洪ちゃ、まだ？」

と訊いた。いかにも楽しいことがやって来るのを待ち構えているといった恰好《かっこう》であった。幸夫の姿も見えたが、幸夫はそうした下級生たちとは違って、遠くから洪作を見守るように、街路の向うに立っていた。

十一時少し前に、七重と洪作兄妹は家を出て、役場の横のバスの停留所へ向った。荷物は近所の内儀さんたちが持った。この頃《ころ》から、見送人の間では洪作が一番人気があった。多勢の人から〝洪ちゃ、洪ちゃ〟と呼ばれた。中には〝洪ちゃ〟とは呼ばないで、わざわざ丁寧に〝洪作さん〟と呼ぶ者もあった。

「洪作さん、どうぞ、くれぐれもお気をおつけなさって」

そんな言い方をする者もあった。一同がバスの停留所へ着いた時、御料局のあき子がやって来た。あき子は駈けて来たのか、顔を紅潮させて息を弾《はず》ませていたが、

「これをおせんべつに上げます」

と言って、小さい紙包みを差し出した。そして、

「ナイフです」

と言った。母の七重があき子に礼を言った。そこへあき子の母親もやって来た。洪作はあき子とはもう長いこと口をきかなくなっていた。喧嘩《けんか》しているわけでも、意識して口をきかないわけでもなかった。男の子と女の子が自由に口をきかないような、そんな年齢に二人はいつかなっていた。しかし、この朝だけは特別であった。あき子は洪作の傍《そば》から離《はな》れないで、

「中学校へはいったら手紙を下さいね。わたしは、多分東京の女学校へ行くようになると思うわ」

そんなことを言った。洪作はそんなあき子がひどくまぶしく感じられた。洪作は、あき子とはいろいろな感情のもつれがあり、相手を優《やさ》しく思うこともあったし、意地悪く思うこともあった。また何の理由もなしに相手から敵意を持たれたこともあった。しかし、いまはそうしたことのあったのが不思議に思われるくらい、あき子は素直な少女に

思われた。年齢は一つしか違っていなかったが、ずっと年長の少女のような気がした。

あき子は入学試験のことばかり話した。そして、二言目には、

「確《しつか》り勉強するのよ、町の子供に敗《ま》けてはだめよ。確り、確り」

そんな言い方をした。洪作は黙《だま》って頷《うなず》いていた。芳衛も亀男も、その他の下級生もみんな洪作のまわりを取り巻いたが、幸夫だけは近寄って来なかった。一人だけ大人たちの背後に立っていた。そして時々洪作の方を見て笑った。

バスがやって来た。空のバスだった。運転手も女車掌《しやしよう》も、村の者だったので、見送りの人たちは、みんな車掌や運転手を名前で呼んだ。中には呼び棄《す》てにする者もいた。内儀さんの一人は荷物を運び入れた序《つい》でに座席へ坐《すわ》って、

「ああ、らくなこっちゃ」

と言った。みんなが笑うと、調《こ》子にのって、窓から顔を出して、手を振ったりした。

いったん待合室の控え室に引っ込んでいた運転手と車掌が姿を見せると、そこに居た人たちは、いよいよ発車の時刻が来たということで緊張《きんちよう》した。バスの客は、洪作たちのほかにも何人かあった。みんな七重たちを先に乗せようとして、入口のところで順番を譲《ゆず》り合った。洪作だけはみんなが乗り込んでしまってから、一人だけ遅《おく》れて乗った。さどやの亀男の母が新聞紙に包んだものを持って来て、洪作にくれたので、洪作はそれを風呂敷《ふろしき》包みの中にしまい込まなければならなかったからである。

バスが発車する時、子供たちが入口のところへむらがって来たので、洪作は座席には坐らないで、入口のところに立っていた。洪作はみんなの方へ顔を向けていた。二年生の、〝でこぼこ〟というあだ名をつけられている、実際にでこぼこな頭を持っている子供が、丁寧に頭を下げた。最敬礼でもするような、怖《おそろ》しく丁寧な頭の下げ方だった。下げた頭はいつまでも上らなかった。

バスは動き出した。洪作はでこぼこ頭の上るのを待っていて、その方に気を取られ、幸夫の方も、芳衛の方も、あき子の方も見なかった。そのことで、バスがすのこ橋を渡る時、洪作の心は痛んだ。馬車の場合とは違って、見送りの人たちも、部落の屋根も、熊野山も、あっという間に小さくなり、すぐ洪作の視野から消えた。

バスはまたたく間に市山部落を走り抜けて行った。市山部落の同級生の少年が四人、仕立屋の前に立っていた。明らかに洪作を送るつもりらしく、バスが近づいて行くと、少年たちはやたらに手を振った。洪作も窓から顔を出して、ほんの僅《わず》かな時間だけだが、彼等《かれら》に応《こた》えて、手を振った。

市山部落の外《はず》れのところに停留所があり、バスはそこで停った。やはり同級の女の子が二人、洪作を送るために顔を出していた。女の子はにやっと笑っただけで何も言わなかった。洪作の方も、二人の方へ同じ応え方をした。洪作もまた軽い笑顔を彼女等の方へ見せ、あとは反対側の窓の方へ視線を投げていた。

くるまは市山部落を抜けて、さがさわ橋を渡り、門野原の部落へとはいった。石守家の伯父と伯母と従兄弟《いとこ》の三人が路傍《ろぼう》に立っていた。この場合は、母の七重も腰《こし》を上げて、窓から三人の方へ頭を下げた。洪作も同じようにしたが、石守森之進も伯母も頭を下げなかった。二人とも気難しい顔をして、バスを見送り、そして、バスが彼等の前を走り抜けるに従って、その首を廻して、バスを見送り、そしていつまでもその首を動かさないで立っていた。洪作はふいに感動が突き上げて来て、自分の眼から涙《なみだ》が噴《ふ》き出して来るのをどうすることもできなかった。湯ヶ島を発つ時、あれだけ多勢の人の見送りを受けたのに、それほど悲しさは感じなかったが、なぜ、いま気難しい伯父伯母の見送りを受けた時、悲しみが衝《つ》き上げて来たか判《わか》らなかった。

洪作は自分の涙を母にも、他の乗客にも見られたくなかったので、席を立つと一番後部の席へと移動して行った。門野原から月ヶ瀬へと、自分が何回も見た風景が次々に背後へと飛び去っている。洪作はそうした近くの風景から眼を遠くにやった時、天城の一部が湯ヶ島で見るとは少し異《ちが》った形をして、遠くに見えていた。洪作は暫《しば》く天城も見ることができないと思うと、いつまでもそこから眼を離《はな》さないでいたい気持であった。

バスは、それから大仁《おおひと》まで、ところどころの停留所に停っては、二人か三人の乗客を掻《か》き集めるようにして拾って行った。一駅だけ乗って、すぐ降りる人もあった。バスに乗って来る人のうち何人かは七重を知っていて、丁寧に七重の方に挨拶した。そうした

人の中で、五十ぐらいの内儀さんが、

「おぬい婆さんもとんだことでした」

と悔《くや》みを述べてから、

「それにしても、あんたさんもこれで厄《やく》を落しなさった。たんと、あの人では苦労されたことでござんしょう」

と言った。すると、母の七重は、

「人間というものは、みんな死ぬ時はいい人になるものだと思いましたよ。おぬい婆ちゃも、この二、三年はすっかり心が優しくなって、村の人みんなから惜《お》しまれて亡くなりました。わたしなども、本当に力になる者を失《な》くした気持です」

と、そんなことを言った。

「ほう、そんなに心の優しい人になんなすったか」

内儀さんは驚《おどろ》いた表情で言った。幾《いく》らか拍子《ひょうし》抜けした気持らしかった。洪作は、母がおぬい婆さんをかばってやったことが嬉しく思われた。母の口から、そのような言葉が出るものとは予期していなかったので、それがひどく嬉しかった。いつもはそうは感じないでいる母の七重の顔が、妙《みょう》に眩《まぶ》しく思われた。

バスが大仁部落へはいると、洪作は母の手伝いをして荷物を全部降す用意をした。

「大丈夫よ、そんなにあわてなくても」

母は言った。こういう言い方をする母は、依然《いぜん》として洪作は嫌《きら》いだった。終点の大仁駅でバスを降りると、軽便の発車まで一時間あるということだった。洪作は駅の待合室で母の隣《となり》に坐《すわ》った。

「少し、歯が痛い」

洪作は言った。極《ご》く微《かす》かだが、奥歯の一本が痛んでいた。

「こんど浜松へ行ったら、まず歯を治すことね。あんたの歯は、ひどくなっているでしょう。本当は歯の質は上等で虫歯など一本もできる筈《はず》はないんだけど」

と言った。母はおぬい婆さんに育てられたからだと言いたかったかも知れなかったが、そのことは口に出さなかった。

「小さい時から甘いものばかり食べたからね」

洪作が言うと、

「そう」

と、母は言った。

「歯も磨《みが》かないで、お菓子を毎朝食べていた」

「そう」

母はいかにもその通りだと言うように頷いたが、この時もまたおぬい婆さんの名は口から出さなかった。

洪作は汽車の出るまでの時間、大仁の店《みせ》舗の並《なら》んでいる通りを歩いて来ようと思った。大仁の部落にはさして縁《えん》はなかったが、しかし、小さい時から、大仁という名を耳にすると、そこが大都会ででもあるような眩しい思いに捉《とら》えられたものであった。そこは軽便鉄道の発着する駅があるところであり、映画館のあるところであった。そして、駅があるくらいだから、湯ヶ島の宿より多少店舗の数が多かった。洪作は三島や沼津の町を知るようになってから、大仁に対してそれほど特《とく》殊《しゅ》な感情は懐《いだ》かなかったが、小学校の二、三年の頃までは、大仁というと、花やかな都会を連想したものであった。

洪作は駅の待合室を出ると、小さい広場を横切り、家と家との間の路地を抜けて、店舗の並んでいる通りへと出た。風が吹いていて、道路には砂煙が上っていた。映画の広告のための楽隊がその埃《ほこり》の中を賑《にぎや》かな楽隊の音を撒《ま》き散らしながら近づいて来た。大太《おおだい》鼓《こ》と小太鼓、それにクラリオネットと、楽器も三つであり、楽師も三人であった。そして三人の楽師の前を、大きなのぼりを担《かつ》いだ二人の老人がのろのろと歩いていた。

洪作は路傍に立って、楽隊の通り過ぎて行くのを見ていた。数人の小さい子供たちが楽隊の背後からついて行った。洪作にも、全員五人の楽隊の一行は、決して花やかなものには見えなかった。どこかに侘《わび》しいものがあった。こうしたものを侘しいと感じたのは、洪作にしても初めてのことだった。侘しい、侘しい……そんな気持を、洪作は胸に抱《だ》きしめていた。郷里を離れる日の感傷的な気持でもあったが、また一方で、洪作は侘しい音楽を、やはり侘しい音楽として受け取るだけの年齢になっていたのであった。

解説

臼《うす》井《い》吉《よし》見《み》

この小説の主人公である少年洪作は、五歳のときから、おぬい婆《ばあ》さんと、郷里の天城《あまぎ》山麓《さんろく》の山村の土蔵の中で暮している。おぬい婆さんは亡《な》くなった曾祖父《そうそふ》の妾《めかけ》であった。洪作の父は軍医で、そのころ、母と一緒に任地の豊橋に住んでいた。母が洪作の妹を妊《みご》ったとき、洪作はおぬい婆さんにあずけられたのであった。おぬい婆さんは、もっけのさいわいとして、自分の不安定な地位を強化するために、どうあっても洪作を手放すまいとした。洪作も両親よりおぬい婆さんになついてしまった。

洪作の家の本家に当る上《かみ》の家《いえ》には、洪作の祖父と祖母と、洪作の母の弟妹たちがいた。この家とおぬい婆さんとは、仇敵《きゅうてき》の関係にあった。洪作は毎晩のように、おぬい婆さんから、上の家の悪口を聞かされた。そういうおぬい婆さんの心のうちは、子供の洪作にもすっかりわかっていた。

このような環境《かんきょう》設定のなかで、洪作の小学時代を描《えが》いたのがこの作品である。ことごとく洪作の目と心を通して描かれているのであるが、洪作のほかでは、おぬい婆さんの存在が大きく、この老女の心と姿は、実にあざやかに描き出されている。まわりのあらゆるものに対抗して、洪作を愛し、洪作を守りぬくこと、そのほかに自分の生きる道はないと覚悟した、日本社会特有の人物が、これほど見事に描かれた例を僕はほかに知らない。

おぬい婆さんが、いきいきと描かれたために、これにつながる複雑な人間関係が、はっきりと見えてくる。つねに洪作とおぬい婆さんを離《はな》しえない一対としてあつかっていることが、全篇《ぜんぺん》を通じて、大きな効果をもたらしているのである。

学校では、浅井光一という無口で目立たない少年が、学業成績においても、暴力に立ち向う態度においても、自分がとうてい敵《かな》わないことを悟《さと》るあたりから、洪作の世界は、せまい土蔵からぬけ出すことになる。伯父《おじ》の家への訪問、そこから逃げ帰ったいきさつにはじまって、おぬい婆さんと一緒に、豊橋の両親を訪ねるくだりは、洪作の目と心がどんな具合に、急速に広がって行ったかを伝えてあますところがない。上の家のさき子と、同僚の教員中川基との恋愛を垣間《かいま》見て、更に別の目と心が開かれてくる。お正月。馬とばし。神かくし。曾祖母の死。さき子の発病。沼津二泊の旅。そこのかみきの家の二人の少女の、あのような意地の悪さ、我《わ》が儘《まま》、金遣《かねづか》いの荒さ、不敵さ、贅沢《ぜいたく》さ、みんな洪作の知らなかったものであった。彼女らの両親たちも、洪作にとっては、はじめてのタイプであった。洪作は、広い世の中には、いろんな型の父や母のあることを知った。

つづいて、さき子の死。

洪作は五年生になる。帝室林野局出張所長の娘のあき子が六年に転校してきて、洪作の淡い思慕をそそる。二百十日。それにつづく秋晴れ。下田行き。天城山中の小屋に住んで椎茸《しいたけ》を栽培《さいばい》している孤独《こどく》な祖父を訪ねて行って、これまで誰《だれ》にも覚えたことのない尊敬を感じる。こんなに静かな口調で、自分の将来のことに触《ふ》れた話などしてくれる人にぶつかったのは初めてのことだった。熊野山で見た接吻《せっぷん》場面のおどろき。年の暮に帰郷する人たち。元日の朝の宮まいり。はじめてのバス開通。どんど焼き。あき子の沼津女学校受験失敗。父の転任と母の帰村。伯父の石守校長の退職。母とおぬい婆さんの喧《けん》嘩《か》。気のおかしくなった犬飼教員。おぬい婆さんの死。

洪作は母につれられて父の新しい任地浜松へ移るため、郷里と別れることになる。そして、そこの中学校へ入らなくてはならない。大仁《おおひと》駅でバスを降りて、軽便に乗り替えようとして、待合室を出ると、映画の広告のための楽隊が埃《ほこり》の中を近づいてきた。どこかに侘《わ》びしいものがあった。こうしたものを侘びしいと感じたのは、洪作にしても初めてのことだった。侘びしい音楽を、侘びしい音楽として受け取るだけの年齢になっていたのであった。——ここで、この小説は結ばれている。

このように、洪作の感受性の枠《わく》の中に入りこんでくる、いろんな社会の出来事や、さまざまの人間関係が、まわりに対しても、自分に対しても、次第に精神と肉体を目ざめさせていくさまが、そのひとコマ、ひとコマが、たっぷりした情感をたたえて、手にとるように描かれている。この小説の面白《おもしろ》さ、読みどころはそこにある。

少年期を扱《あつか》った本格小説として、こういう清純で、品格ある秀作が日本の現代文学に加えられたことは、大きな喜びといわなくてはならない。

(昭和四十年三月、評論家)

この作品は昭和三十七年十月中央公論社より刊行された。

井上靖著 あすなろ物語

あすは檜になろうと念願しながら、永遠に檜にはなれない〝あすなろ〟の木に託して、幼年期から壮年までの感受性の劇を謳った長編。

井上靖著 夏《なつ》草《ぐさ》冬《ふゆ》濤《なみ》（上・下）

両親と離れて暮す洪作が友達や上級生との友情の中で明るく成長する青春の姿を体験をもとに描く、『しろばんば』につづく自伝的長編。

井上靖著 北の海（上・下）

高校受験に失敗しながら勉強もせず、柔道の稽古に明け暮れた青春の日々――若き日の自由奔放な生活を鎮魂の思いをこめて描く長編。

井上靖著 猟銃・闘牛

芥川賞受賞

ひとりの男の十三年間にわたる不倫の恋を、妻・愛人・愛人の娘の三通の手紙によって浮彫りにした「猟銃」、芥川賞の「闘牛」等、3編。

井上靖著 孔子

野間文芸賞受賞

戦乱の春秋末期に生きた孔子の人間像を描く。現代にも通ずる「乱世を生きる知恵」を提示した著者最後の歴史長編。野間文芸賞受賞作。

井上靖著 敦煌（とんこう）

毎日芸術賞受賞

無数の宝典をその砂中に秘した辺境の要衝の町敦煌――西域に惹かれた一人の若者のあとを追いながら、中国の秘史を綴る歴史大作。

井上靖著　風林火山

知略縦横の軍師として信玄に仕える山本勘助が、秘かに慕う信玄の側室由布姫。風林火山の旗のもと、川中島の合戦は目前に迫る……。

井上靖著　氷壁

奥穂高に挑んだ小坂乙彦は、切れるはずのないザイルが切れて墜死した——恋愛と男同士の友情がドラマチックにくり広げられる長編。

井上靖著　天平の甍

芸術選奨受賞

天平の昔、荒れ狂う大海を越えて唐に留学した五人の若い僧——鑒真来朝を中心に歴史の大きなうねりに巻きこまれる人間を描く名作。

井上靖著　蒼き狼

全蒙古を統一し、ヨーロッパへの大遠征をも企てたアジアの英雄チンギスカン。闘争に明け暮れた彼のあくなき征服欲の秘密を探る。

井上靖著　楼（ろうらん）蘭

朔風吹き荒れ流砂舞う中国の辺境西域——その湖のほとりに忽然と消え去った一小国の運命を探る「楼蘭」等12編を収めた歴史小説。

井上靖著　風（ふうとう）濤

読売文学賞受賞

朝鮮半島を蹂躙してはるかに日本をうかがう強大国元の帝フビライ。その強力な膝下に隠忍する高麗の苦難の歴史を重厚な筆に描く。

井上靖著

額《ぬか》田《たの》女《おお》王《きみ》

天智、天武両帝の愛をうけ、〝紫草《むらさき》のにほへる妹〟とうたわれた万葉随一の才媛、額田女王の劇的な生涯を綴り、古代人の心を探る。

井上靖著

幼き日のこと・青春放浪

血のつながらない祖母と過した幼年時代――なつかしい昔を愛惜の念をこめて描く「幼き日のこと」他、「青春放浪」「私の自己形成史」。

井伏鱒二著

駅前旅館

昭和30年代初頭。東京は上野駅前の旅館を舞台に、番頭たちの奇妙な生態や団体客が巻き起こす珍騒動を描いた傑作ユーモア小説。

井伏鱒二著

山《さん》椒《しょう》魚《うお》

大きくなりすぎて岩屋の棲家から永久に外へ出られなくなった山椒魚の狼狽をユーモア漂う筆で描く処女作「山椒魚」など初期作品12編。

井伏鱒二著

黒い雨

野間文芸賞受賞

一瞬の閃光に街は焼けくずれ、放射能の雨の中を人々はさまよい歩く……罪なき広島市民が負った原爆の悲劇の実相を精緻に描く名作。

井伏鱒二著

さざなみ軍記・ジョン万次郎漂流記

直木賞受賞

都を追われて瀬戸内海を転戦するなま若い平家の公達の胸中や、数奇な運命に翻弄される少年漁夫の行末等、著者会心の歴史名作集。

新潮文庫最新刊

加藤シゲアキ著
オルタネート
吉川英治文学新人賞受賞

料理コンテストに挑む蓉《いるる》、高校中退の尚志《なおし》、SNSで運命の人を探す凪津《なづ》。高校生限定のアプリ「オルタネート」が繋ぐ三人の青春。

住野よる著
この気持ちもいつか忘れる

毎日が退屈だ。そんな俺の前に、謎の少女チカが現れる。彼女は何者だ？　ひりつく思いと切なさに胸を締め付けられる傑作恋愛長編。

町田そのこ著
ぎょらん

人が死ぬ瞬間に生み出す赤い珠「ぎょらん」。嚙み潰せば死者の最期の想いがわかるというが。傷ついた魂の再生を描く7つの連作集。

小川糸著
とわの庭

帰らぬ母を待つ盲目の女の子とわは、壮絶な孤独の闇を抜け、自分の人生を歩き出す。涙と生きる力が溢れ出す、感動の長編小説。

重松清著
おくることば

中学校入学式までの忘れられない日々を描く「反抗期」など、〝作家〟であり〝せんせい〟である著者から、今を生きる君たちにおくる6篇。

早見俊著
ふたりの本多
―家康を支えた忠勝と正信―

武の本多忠勝、智の本多正信。家康の天下取りに貢献した、対照的なふたりの男を通して、徳川家の伸長を描く、書下ろし歴史小説。

しろばんば

新潮文庫　い－7－51

昭和四十年三月三十日　発　行
平成十六年五月二十日　八十三刷改版
令和　五　年八月　五　日　九十八刷

著者　井《いの》上《うえ》靖《やすし》

発行者　佐藤隆信

発行所　株式会社新潮社

郵便番号　一六二―八七一一
東京都新宿区矢来町七一
電話　編集部(〇三)三二六六―五四四〇
　　　読者係(〇三)三二六六―五一一一
https://www.shinchosha.co.jp

価格はカバーに表示してあります。

乱丁・落丁本は、ご面倒ですが小社読者係宛ご送付ください。送料小社負担にてお取替えいたします。

印刷・大日本印刷株式会社　製本・加藤製本株式会社

ISBN978-4-10-106312-6　C0193